Hans Küng
Theologie im Aufbruch

Band 1312

Zu diesem Buch

Seit Jahrzehnten steht der Name Hans Küngs für eine Theologie, die sich nicht in der Interpretation des Alten erschöpft, sondern einen neuen Aufbruch versucht: herausgefordert von den Umbrüchen und Krisen der Zeit. In den Beiträgen dieses Buches faßt Küng die Fragen zusammen, die die Theologie in den letzten Jahrzehnten bewegt haben:

– Welche Bedeutung haben heute noch die klassischen Konflikte zwischen Katholiken, Protestanten und Orthodoxen um Schrift und Tradition, Bibel, Dogma und Lehramt?
– Nach welchen Maßstäben muß christliche Theologie vorgehen?
– Wie entsteht Neues in Naturwissenschaft und Theologie?
– Gibt es die eine wahre Religion?

Küng zeigt, daß in der Theologie – wie in anderen Bereichen – ein Paradigmenwechsel eingetreten ist. Von diesem neuen Grundmuster theologischen Denkens handelt dieses Buch.

Hans Küng, geb. 1928 in der Schweiz, 1948–1955 Studium der Philosophie und Theologie an der päpstlichen Universität Gregoriana in Rom. 1954 Ordination. 1955 Studium an der Sorbonne und am Institut Catholique in Paris. 1957 Doktorat der Theologie. 1957–59 praktische Seelsorge an der Hofkirche Luzern. 1962 von Papst Johannes XXIII. zum offiziellen theologischen Konzilsberater ernannt. Seit 1960 o. Professor der Dogmatischen und Ökumenischen Theologie sowie Direktor des Instituts für ökumenische Forschung der Universität Tübingen. Autor zahlreicher Bücher, Mitherausgeber diverser Zeitschriften und Ehrendoktor mehrerer Universitäten.

Hans Küng

Theologie im Aufbruch

Eine ökumenische Grundlegung

Piper
München Zürich

Von Hans Küng liegen in der Serie Piper
bereits vor:
»20 Thesen zum Christsein« (100)
»Die Kirche« (161)
»24 Thesen zur Gottesfrage« (171)
»Ewiges Leben?« (364)
»Katholische Kirche – wohin?«
(Hrsg. zus. mit N. Greinacher) (488)
»Rechtfertigung« (674)
»Freud und die Zukunft der Religion« (709)
»Strukturen der Kirche« (762)
»Dichtung und Religion«
(zus. mit W. Jens) (901)
»Unfehlbar?« (1016)
»Menschwerdung Gottes« (1049)
»Denkwege« (1670)
Weitere Werke sind in Vorbereitung.

ISBN 3-492-1312-5
Neuausgabe 1992
2. Auflage, 21.–27. Tausend September 1992
(1. Auflage, 1.–7. Tausend dieser Ausgabe)

Umschlag: Federico Luci,
unter Verwendung eines Gemäldes von O. H. Hajek
Gesamtherstellung: Clausen & Bosse, Leck
Printed in Germany

Der University of Cambridge / England
der University of Michigan / USA
der University of Toronto / Canada
als Zeichen der Dankbarkeit
für die Verleihung der Ehrendoktorwürde.

Inhalt

Vorwort

Dieses Buch ist Dokument eines theologischen Denkwegs. Es legt offen, nach welchen Maßstäben und Richtlinien ich Theologie treibe und weiterhin zu treiben gedenke. Dieser Weg führte in rund drei Jahrzehnten durch die Auseinandersetzung mit verschiedenen christlichen Traditionen hin zu einer wahrhaft ökumenischen Theologie: »ad intra« (nach innen auf die christlichen Kirchen konzentriert) und »ad extra« (nach außen auf die Weltreligionen ausgerichtet). Er wäre ohne ständige Reflexion auf die Verstehensprinzipien, die »Hermeneutik« christlicher Theologie gar nicht gangbar gewesen. Ein Reflektieren im »glaubensfreien« Raum, fern abstrakt von den Inhalten des christlichen Glaubens, freilich hat mich nie gereizt. Herausgefordert hat mich das Neudurchdenken der christlichen Botschaft direkt – vor dem stets wechselnden Erfahrungshorizont unserer Zeit. Anders gesagt: es hat mich in der Theologie nie gedrängt, zuerst eine gelehrte Methoden- und Verstehenslehre (Hermeneutik) zu schreiben, um dann auf die theologischen Inhalte vorzustoßen. »Meine« Hermeneutik – bei allen Kontroversen letztlich doch um innerkatholischen und ökumenischen Konsens bemüht – war vielmehr hineinverwoben in den theologischen Arbeitsprozeß, hatte sich immer im Theologisch-Materialen, theoretisch wie praktisch, zu bewähren.

Dieses Buch legt Rechenschaft ab über einen theologischen Weg, gewiß. Und doch wird so eine *theologische Hermeneutik* als ganze sichtbar. Sie trägt durchaus noch die Arbeitsspuren seit den ersten ökumenischen Arbeiten Ende der fünfziger Jahre, kann auch nicht alle Fragen theologischer Hermeneutik (etwa die historischen oder sprachphilosophischen) aufnehmen und steht doch als *kohären-*

tes systematisches Ganzes da. Was zunächst als hermeneutische Auseinandersetzung am Rande größerer Publikationen erscheint, erweist sich zusammengesehen als Gefüge aus integrierenden Bestandteilen zur *Grundlegung einer ökumenischen Theologie.*

Das Kapitel I von *Teil A* über »Erasmus« (A.I), geschrieben zum Gedächtnis an diesen großen katholischen Reformtheologen zu dessen 450. Todestag 1986, führt mitten hinein in die damals wie heute umkämpfte Problematik von Theologie und Lehramt, Reform und Reformation, gefolgt von theologischen Grundlagenfragen wie »Schrift und Tradition« (A.II), »Schrift und Kirche« (A.III), »Schriftauslegung und Dogma« (A.IV): allesamt *»Klassische Konflikte«*, ohne deren Klärung eine ökumenische Theologie nicht grundgelegt werden kann.

Ja, ohne Klärung der »Klassischen Konflikte« auch keine »Perspektiven nach vorn«, kein »Aufbruch« zu neuen Ufern, die – im Horizont der Postmoderne – für die christliche Theologie die Weltreligionen sind. *Teil B* enthält vier Arbeiten zu *Prinzipien und Paradigmen christlicher Theologie*, Ergebnis einer Auseinandersetzung mit heutigen wissenschaftstheoretischen Ansätzen in Philosophie und Naturwissenschaft (T. S. Kuhn), die mir beim Verständnis der gegenwärtigen »unübersichtlichen« Lage in Theologie und Kirche außerordentlich geholfen haben.

Daß christliche Theologie heute nur noch adäquat vor dem *Horizont der Weltreligionen* getrieben werden kann, hatte ich zusammen mit anderen Kollegen in »Christentum und Weltreligionen« (1984) dargelegt; *Teil C* setzt dies bereits voraus. Die Paradigmenanalyse hilft gerade auch zum Verständnis anderer Religionen (Konstanten und Variablen, Umbrüche und Kontinuität im Christentum wie etwa im Buddhismus) und verschafft *der* Frage die nötige Tiefenschärfe, um die es letztlich in der Theologie geht: der Frage nach der einen wahren Religion unter vielen Religionen, der Frage nach der Wahrheit.

Gewissermaßen als Vorzeichen vor der Klammer steht das Kapitel, in dem die *»Richtung«* gewiesen wird. Das Buch will eine ökumenische Grundlegung leisten in einer Zeit des Übergangs von der Moderne zu einer – freilich nicht erst in unseren Tagen einsetzenden – »*Postmoderne*«, um so der Sache von Religion zu einer neuen, kritisch-befreienden Funktion für den einzelnen wie für die Gesellschaft zu verhelfen.

Dem Leser meine ich es schuldig zu sein, solche Texte in diesem Buch, die bereits einmal veröffentlicht waren, ohne entscheidende Veränderungen wiederzugeben. Nur bei Überlappungen oder bei für die hermeneutische Problematik nicht direkt einschlägigen Abschnitten wurden Kürzungen und kleine redaktionelle Änderungen am Text vorgenommen. Um der Transparenz des Ganzen willen wurden Titelüberschriften auf die Thematik des Buches hin abgestimmt und in einführenden Passagen zu den betreffenden Kapiteln die einzelnen Beiträge zeitlich und sachlich loziert.

Zum Schluß ein Wort des Dankes an diejenigen Personen, die mir auf meinem Weg zu einer Hermeneutik christlicher Theologie von Bedeutung waren und die mir auch in schwieriger Zeit Wohlwollen und Treue bewahrt haben: *Wilhelm Klein*, sieben entscheidende Jahre mein Mentor im Collegium Germanicum-Hungaricum zu Rom, der mir eine evangelische Katholizität vorlebte; *Yves Congar*, der mir in Fragen Kirchenverständnis und Kirchenreform den Weg gewiesen hat; *Karl Barth*, ohne den ich ökumenische Theologie kaum als Lebensaufgabe ergriffen hätte; *Ernst Käsemann* und *Herbert Haag*, die mich – stellvertretend für viele Exegeten – herausgefordert haben, eine Dogmatik in historisch-kritischer Verantwortung zu betreiben. Dann wären alle meine Schüler und Kollegen im Institut für ökumenische Forschung, die ständig für Kritik und Anregung sorgten – *Hermann Häring* und *Karl-Josef Kuschel* allen voran – zu nennen.

Wollte ich aber noch weitere Namen aufzählen, dann müßte ich viele in Tübingen und in aller Welt erwähnen, von denen ich lernen durfte und die mir in der Ökumene der Kirchen und der Religionen geholfen haben, meinen Weg zu finden; dankbar bin ich besonders den Kolleginnen und Kollegen in Basel, New York, Chicago, Ann Arbor, Toronto, wo ich Gastsemester verbringen durfte. Als besonderes Zeichen der Ermutigung – nach bedrohlichen Auseinandersetzungen mit Rom, die im Tiefsten in der verschiedenen Hermeneutik, einem anderen Paradigma und einer anderen Verhältnisbestimmung von Exegese und Dogmatik gründen – habe ich 1984/85 die

Verleihung der Ehrendoktorwürde durch die *University of Cambridge*/England (D. D.), die *University of Michigan*/USA (L. H. D.) und die *University of Toronto*/Kanada (LL. D.) betrachtet. Deshalb soll ihnen und den dortigen Kolleginnen und Kollegen dieses Buch als Zeichen meiner Dankbarkeit gewidmet sein.

Tübingen, Oktober 1986 Hans Küng

Die Richtung: Auf dem Weg in die »Postmoderne«

Theologie im Aufbruch: Die Richtung wird gesucht und ein Programm entwickelt für eine Theologie,
– die heute mehr denn je vielfältigen Spannungen, wechselnden Strömungen und divergierenden Systemen ausgeliefert ist und, was ihre große Tradition betrifft, in einer Glaubwürdigkeits- und Plausibilitätskrise steckt;
– die aber weder durch unerleuchtete Rückorientierung auf traditionelle Glaubensformen und Glaubensformeln noch durch geschmeidig opportunistische Anpassungsstrategien an den Wechsel der wissenschaftlichen Moden aus dieser Krise herauskommen kann;
– die nur durch eine wissenschaftlich verantwortete, evangeliums- wie zeitgemäße Rechenschaft vom christlichen Glauben eine neue Glaubwürdigkeit und Gesellschaftsrelevanz erhalten kann: für den Gang in eine neue Welt-Zeit, die, auch wenn man nicht gerade an den Anbruch eines »New Age« glaubt, so doch mit Recht von vielen Zeitanalytikern nicht mehr als naiv-modern, sondern als nach-modern bezeichnet wird.

1. *Postmodern – ein »Such-Begriff«*

Als *Mies van der Rohe*, mit Frank Lloyd Wright, Walter Gropius und Le Corbusier einer der vier Evangelisten der modernen Architektur, 1969 kurz vor seinem Tod gefragt wurde, was er am liebsten gebaut hätte, aber nie hatte bauen können, antwortete der vor hundert Jahren (1886) in Aachen Geborene: eine Kathedrale[1]! Nein, wahrhaftig, dieser Architekt des Rasters und der Rationalität, der Sachlichkeit und Zweckmäßigkeit, der Transparenz und Diesseitigkeit, war alles andere als ein »Postmoderner« in der Architektur; und in der Welt der Architektur wurde das seit den fünfziger Jahren in der Literaturkritik bekannte Wort »*Postmoderne*« zuerst virulent.

Aber, wer weiß, ob dieser letzte Wunsch des großen Direktors des Bauhauses und Erbauers zahlloser moderner Hochbauten in Nordamerika vielleicht doch so etwas wie ein postmoderner *Wunsch* war? Etwas zu bauen, das mehr ist als der Ausdruck des vom Göttlichen emanzipierten Menschen, das eine andere Dimension in künstlerische Form bringt? Zweifellos hätte Mies van der Rohe, wieder jung geworden, nicht in romantischer Nostalgie einen neugotischen Dom gebaut oder eine Barockkirche neben New Yorker Wolkenkratzer gesetzt – alles Ausdruck eines vormodernen Geistes. Nein, er hätte wohl – Meister moderner Materialien und Konstruktionsmethoden – eine moderne Kathedrale gebaut, die aber, wie Le Corbusiers Kirche in Ronchamp oder Henri Matisses Kapelle in Vence, in Architektonik, Farbe und Ornamentik mehr als nur Modernes, Rationales, Zweckmäßiges, Sachliches, eben etwas ganz Anderes, etwas »Transzendent-Religiöses« hätte erahnen lassen.

Niemand kann indessen übersehen, daß das Wort »Postmodern« nach allen Seiten brauchbar oder mißbrauchbar ist: Neokonservative, die wollen, daß alles wieder wird, wie es einmal war, können sich ebenso damit schmücken wie Gesellschaftskritiker, die wollen, daß alles, was noch nicht ist, endlich sein wird; Alternative, die auf der Suche sind nach einem anderen Lebensstil und anderen Zeitgenossen, ebenso wie Zyniker, die alle Bewegungen und Gegenbewegungen durchschaut, die alle Moden als verbraucht und alle neuen Sitten als erlaubt ansehen ...

Postmoderne ist für mich weder ein alles erklärendes Zauberwort noch ein polemisches Hieb- und Stichwort, sondern ein heuristischer Begriff: ein »Such-Begriff« zur Charakterisierung einer Epoche, die bei näherer Betrachtung – trotz aller Reaktionsbewegungen von rechts und links – schon vor Jahrzehnten eingesetzt hat, jetzt aber allgemein ins Bewußtsein der Massen rückt.

Das Wort »*modern*« ist alt und stammt aus der Spätantike, wurde freilich erst in der französischen Frühaufklärung des 17. Jahrhunderts als positive Bezeichnung für ein neues Zeitgefühl benutzt – als Ausdruck des Protests gegen das antikebezogene, zyklische Geschichtsbild der Renaissance, die (bei aller jetzt einsetzenden Distanz zur christlichen Vorzeit des dunklen »mittleren Alters«) »modern« gerade nicht als Epochenbegriff benutzte. Dazu war die Re-Naissance viel zu sehr »rückwärts« auf die Antike hin gewandt. Erst jetzt im 17. Jahrhundert kam es zu einem neuen Überlegenheitsgefühl, gegründet in den Erfolgen der »modernen« Naturwissenschaft und Philosophie seit Kopernikus und Descartes. Es fand seinen Niederschlag in einer rund zwanzig Jahre andauernden Polemik über die »Querelle des Anciens et des Modernes«, die auf eine berühmt gewordene Sitzung der Académie Française von 1687 zurückgeht[2]. Heute wird denn auch dasselbe Wort »modern« vielfach für ein im Grunde überholtes Zeitalter gebraucht und »postmodern« als Chiffre für eine eben erst in unseren Jahrzehnten begonnene, in ihrem Eigenwert erkannte, aber noch nicht genau faßbare Epoche.

Symptomatisch (und indirekt eine Bestätigung für unsere Periodisierung) ist die Tatsache, daß sich die für die Moderne so charakteristische säkulare *Fortschrittsidee*[3] (nochmals im Gegensatz zur rückwärts gerichteten Renaissance) ebenfalls erst im 17. Jahrhundert ausprägt und im 18. Jahrhundert, jetzt als zeitliches Muster aller Geschichte, auf sämtliche Lebensbereiche ausgedehnt wird; erst jetzt also kommt es zur neuen Wortprägung »der Fortschritt«, gleichzeitig auftauchend mit »die Geschichte«. Im 19. Jahrhundert schließlich wird der Fortschrittsglaube auf dem Höhepunkt der wissenschaftlich-technisch-industriellen Entwicklung geradezu zur modern-säkularen Ersatzreligion für Liberale wie Sozialisten, Indikator und Faktor einer politischen Bewegung zugleich. Dann aber gerät – nach kritischen Vorläufern wie Kierkegaard, Baudelaire und Nietzsche – schon um die Jahrhundertwende die quasi-religiöse Fortschrittsgewißheit in eine Krise, die spätestens nach dem Ersten Weltkrieg breite Massen in den westlichen Ländern erfaßt.

Damit ist aber auch schon deutlich: Es geht mir hier in keinem Fall um eine Apologie des heute vielfach aufgeblähten *Wortes* »postmodern«. Auch nicht um die Benennung eines eher kurzlebigen künstlerischen *Stils* und damit um eine Einmischung in den Streit der Literatur- und Kunstkritik. Es geht um unser *Zeitalter*, und vermutlich läßt das Wort sich einmal durch ein anderes ersetzen, wenn wir uns über die Eigenart unseres Zeitalters klarer geworden sein werden (»Nachaufklärung« oder »Posthistoire« jedenfalls sind nicht besser). Wäre persönliches Wunschdenken gestattet, würde ich diese unsere heraufkommende Epoche lieber als »ökumenisch« (im Sinn eines neuen globalen Einverständnisses der verschiedenen Konfessionen, Religionen und Regionen) bezeichnen – wäre die religiös-theologische Herkunft dieses Begriffes nicht allzu deutlich und hätte diese »Oikumene«, diese »bewohnte Erde«, nicht einen so hohen Grad der Unbewohnbarkeit erreicht, was nun freilich wesentlich mit der »modernen« Entwicklung zusammenhängt. Eine Krise, die heute manche apokalyptisch als End-Zeit, andere aber nicht ganz ohne Hoffnung als Wende-Zeit verstehen wollen.

Ein Blick in den Sammelband »Postmoderne. Zeichen eines kulturellen Wandels«[4] läßt nicht nur die verwirrende Vielfalt des Begriffs »Postmoderne«, sondern auch die *terminologischen Ungleichzeitigkeiten* je nach Erfahrungsbereich erkennen: In Kunst und Literatur wird mit »Moderne« in der Regel die Periode um die Jahrhundertwende bezeichnet, in der man aber, gesamtkulturell betrachtet, nach dem Einschnitt Erster Weltkrieg durchaus den Anbruch der Postmoderne erkennen kann; »Postmoderne« wiederum wurde zunächst auf die sechziger und siebziger Jahre bezogen; die gesellschaftlichen und kulturellen Phänomene aber, auf die diese ja reagieren, sind tiefgreifender und haben sich langfristiger über Jahrzehnte hin vorbereitet.

Es ist verständlich, daß eine vertiefte Reflexion auf die Krise der Moderne und auf die Ansätze zu einer »Postmoderne« diesen Begriff historisch immer weiter nach hinten und allmählich bis zum *politisch-kulturellen Zusammenbruch und Umbruch des Ersten Weltkriegs* zurückschob. Davon geht – im Anschluß an amerikanische Soziologen und Kritiker – auch der mit übermäßig kompliziertem Theorieaufwand (aus System-, Kommunikations- und Gesellschaftstheorie) erstellte »Bericht«, besser Essay, des französischen Philosophen Jean-François Lyotard »Das postmoderne Wissen«

aus – nach manchen ein »Schlüsseltext« für die Diskussion um die Postmoderne. Postmodern bezeichnet jedenfalls auch für ihn »den Zustand der Kultur nach den Transformationen, welche die Regeln der Spiele der Wissenschaft, der Literatur und der Künste seit dem Ende des 19. Jahrhunderts getroffen haben«.[5] Dabei wird oft übersehen: Die Kunst, mehr abhängig als etwa die Philosophie, Naturwissenschaft oder Staatstheorie von ihren Auftraggebern in Staat und Kirche, hatte einen verspäteten Start in die Moderne – erst nach dem Ende des Ancien Régime um 1800. Doch war der Durchbruch mit dem Impressionismus einmal geschafft, erreichte sie – in Malerei, Plastik, Architektur und Musik – unheimlich rasch ihren modernen Höhepunkt (»Klassische Moderne«), wurde aber schließlich in die Krise der Moderne mit hineingezogen und sucht heute tastend nach postmodernen Wegen. Schwellenerfahrungen als Anzeichen für Epochenschwellen? Wir werden auf die Problematik historischer (wertneutraler) Periodisierung im allgemeinen und die der Postmoderne im besonderen im Verlauf dieses Buches eingehen. Für jetzt mögen einige vorläufige Bestimmungen die allgemeine Richtung angeben:

2. *Krise und Aufbruch zu Neuem*

Es geht mir zur Grundlegung einer ökumenischen Theologie positiv um die Analyse des langfristig-komplexen *sozio-kulturellen Umbruchs*, der nach Auffassung vieler zeitkritischer Interpreten ein Doppeltes besagt:

(1) Jene, in der Renaissance zwar vorbereitete, aber durch die Rückorientierung auf die Antike als normgebendes Vorbild auch aufgehaltene und erst im 17. Jahrhundert in einem neuen Vertrauen zur Vernunft durchgebrochene *Moderne*: diese Moderne der Rationalität und der Aufklärung, der Naturwissenschaft und Technik, des Nationalismus und Imperialismus, der Menschenherrschaft über sich selbst und die Welt und die damit heraufgeführte Naturlosigkeit und Gottlosigkeit befindet sich *in der Krise*. In der modernen Architektur (nur ein *Beispiel* und nur *ein* Beispiel!) wird diese kritische Situation allenthalben mit Worten wie Wohnkisten, Behälter-

architektur, Betonwüste, ja, Kälte, Entfremdung, Umweltverwüstung, Ausbeutung bezeichnet.

(2) Mitten in der Verabschiedung der Moderne sind wir schon *im Übergang zu einem Neuen.* Wir können es noch nicht genau greifen und begreifen, überschauen und benennen. Aber wir können etwas ahnen, wenn in der »postmodernen« Architektur Stichworte wie diese fallen: Backsteine statt Beton, Schiefer statt Eternit, bunte Farbe statt Grau in Grau, oder auch: Wärme statt Nüchternheit, Vielfalt statt Monotonie, Menschlichkeit statt Seelenlosigkeit.

Freilich: wie in Architektur und anderen Künsten eine kurzlebige Popmoderne noch keine epochale Postmoderne macht, so in Politik und Gesellschaft nicht jede intellektuelle Mode oder jeder ideenpolitische Trend ein neues Zeitalter. Wer also des Philosophen und Soziologen Jürgen Habermas' »philosophischen Diskurs der Moderne«[6] gelesen und seine Feststellung einer »neuen Unübersichtlichkeit«[7] samt seiner Polemik gegen das Wort »postmodern« zur Kenntnis genommen hat, der möge beruhigt sein und wissen: in diesem Buch meint »postmodern« gewiß nicht, wie Habermas befürchtet, *Abschied von der Moderne als Rückkehr zum Vormodernen,* meint also nicht eine anti-moderne Opposition und Fluchtreaktion. Wer das sucht, lese Kardinal Ratzingers »Glaubensrapport«, wo der Geistigkeit von Patristik und Mittelalter gegenüber unserer dekadenten Neuzeit und einer sie einleitenden Reformation entschieden der Vorzug gegeben wird[8]. Nein, »postmodern« meint hier eine immanente Kritik der Moderne, meint eine Aufklärung über die Aufklärung, meint statt eines kurialen Krebsganges (nach der Devise »vorwärts, wir müssen zurück«) den der Zukunft zugewandten nüchtern-aufrechten Gang nach vorn. Aber wie soll dies möglich sein?

3. Die Funktion von Religion in der Postmoderne

Es kann, scheint mir, angesichts der »neuen Unübersichtlichkeit« der Über- und Einsicht nur helfen, wenn man die Frage der *Religion,* die doch auch in der Moderne im Modus der Verdrängung[9] eine Rolle gespielt hat, *nicht* wie so viele zeitgenössische Vordenker von Heidegger über Popper bis zu den Neuen Linken (darin nun freilich ganz »modern«) *ausklammert, sondern* wenn man sie, *»postmodern«*, in die Betrachtung *miteinbezieht*: Religion freilich nicht als eine *un*geschichtlich-ewige Größe, sondern als Ausdruck einer *trans*geschichtlich-transsozialen Wirklichkeit in sich wandelnder geschichtlich-gesellschaftlicher Verwirklichung. Tolerierung durch Ignorierung genügt nicht! Religion bedarf der ernsthaften Analyse genauso wie alles andere von der Architektur bis zur Politik, wenn man überhaupt »die geistige Situation der Zeit« (so hat Karl Jaspers seine berühmte Schrift von 1931 genannt) verstehen will. Dabei gehe ich davon aus, daß 1. die seit dem Ersten Weltkrieg sichtbare und von Jaspers und vielen anderen diagnostizierte *geistige Krise* unserer Zeit von der *religiösen* Krise entscheidend mitbestimmt ist; und daß 2. ohne Diagnose und Bewältigung der religiösen keine Diagnose und Bewältigung der geistigen Situation der Zeit gelingen und keine neue Übersichtlichkeit zu erreichen sein wird.

Doch: ist man nicht schlicht neokonservativ, reaktionär, wenn man heute für Religion eintritt? Dazu ist grundsätzlich zu sagen:

– Einem pauschalen *Anti-Modernismus*, einer programmatischen Gegen-Aufklärung, wie man sie nicht nur kirchlicherseits heute wieder mit allen Mitteln zu fördern trachtet, ist entschieden zu wehren. Der Theologe wird sich hüten, sich für die aus der Mode gekommene Parole vom »Tode Gottes« jetzt nachträglich mit der Parole vom »Tod der Moderne« zu revanchieren. Das »Projekt Moderne« also in Ehren.

– Aber umgekehrt löst ein apologetischer *Modernismus*, eine schlicht reproduzierte Aufklärung, jene »Perspektive einer radikalisierten Aufklärung«[10], die Krise der Moderne ebenfalls nicht. Die Vernunft läßt sich nun einmal nicht durch Vernunft aufheben, die Grunddefizienzen der Wissenschaft und Großschäden der Technik lassen sich nicht einfach durch noch mehr Wissenschaft und Technik beheben, wie in merkwürdiger Koalition mit den »unnachgiebigen Aufklärern« auch die Macher in Wirtschaft und Politik meinen. Nicht nur die neuen religiösen Bewegungen in Christentum, Judentum, Islam, in den indischen und fernöstlichen Religionen, auch die Friedens- und Ökologiebewegung, die mannigfaltigen Versuche der Selbstfindung und Selbstverwirklichung, das eingeklagte Sinndefizit und die Forderungen nach einer neuen Ethik: dies alles kann man nicht in seiner ganzen Tiefe diagnostizieren, wenn man die spezifisch religiöse Problematik ausschaltet.

Warum gibt man es nicht offen zu – auf der kritischen Linken ebenso wie auf der positivistischen Rechten? Das in der Spätmoderne – seit den Diagnosen und Prognosen Feuerbachs, Marx' und Nietzsches – *erwartete Absterben der Religion ist nicht erfolgt*, so sehr der unaufgeklärte Kinderglauben Ungezählter (mit Recht) infrage gestellt wurde! Nicht die Religion, sondern ihr Absterben war die große Illusion[11]. Religion ist auch in den westlichen Gesellschaften wieder präsent und dies (gegen alle funktionalistischen Religionstheorien von einer Privatisierung der Religion) auch öffentlich: in West und Ost, Nord und Süd, in Kultur und Subkultur, in der wissenschaftlichen Diskussion und in den Medien, in kleinen Zirkeln (Jugendgruppen, Intellektuellenkreisen, Basisgemeinden) und in großen religiös-politischen Bewegungen sowohl konservativer wie progressiver Tendenz von Polen bis USA, von Israel bis Südafrika, vom Iran bis zu den Philippinen. Wissenschaftliches Weltbild und religiöse Wirklichkeitsorientierung, politisches Engagement und religiöser Glaube werden heute zumindest in den fortgeschrittenen Gesellschaften des Westens nicht mehr als Gegensätze empfunden.

Nach den kurzlebigen Trends der fünfziger, sechziger und siebziger Jahre ist vielen deutlich geworden: »In dürftiger Zeit« geht es nicht nur um »Seinsvergessenheit« (Martin Heidegger), sondern um Gottvergessenheit, »Gottesfinsternis« (Martin Buber). Der »eindimensionale Mensch« (Herbert Marcuse) kann sich die Dimension der Transzendenz nicht selbst ver-schaffen, und ein »Transzendieren ohne Transzendenz« (Ernst Bloch), ein »Prinzip Hoffnung« muß ohne letzten Grund und Sinn leer bleiben. Und »strategische« Planung der Zukunft allein mit Hilfe von mathematischen Formeln, Kurven und Gleichungen wird heute selbst von einsichtigen Ökonomen als rationaler Aberglaube durchschaut und jetzt ein Gespür für gesellschaftliche Verhaltensweisen gefordert. Es ist bedenkenswert, daß sogar ein kühl analysierender Systemtheoretiker wie Niklas Luhmann die durch den Säkularisierungsprozeß autonom gewordenen Lebensbereiche »ohne religiösen Halt« und deshalb ihre Strukturen als »inhärent paradox« ansieht, »wenn sie nicht in religiösen Begriffen neuformuliert werden können«[12]. Oder daß ein amerikanischer Soziologe wie Daniel Bell der Meinung ist, daß angesichts der kulturellen Widersprüche des Kapitalismus die sittlichen Grundlagen der säkularisierten Gesellschaft nur wiederhergestellt werden können, wenn es zu einer Erneuerung gerade des religiösen Bewußtseins kommt: »die große Erneuerung: Religion und Kultur im nachindustriellen Zeitalter«[13]. Warten auf *Gott* oder warten, vergebliches, sinnloses Warten auf *Godot* – das ist heute die Alternative.

Um thesenhaft meine eigene Position zu markieren: Postmoderne kann nicht einfach auf Gegenaufklärung reduziert und mit Neokonservativismus identifiziert werden. Weder um schwärmerische Apologetik noch um eine selbstsichere Verurteilung der Moderne geht es. Für mich

– ist die Moderne weder wie für die Neokonservativen ein »erledigtes Programm« (das Haus der Moderne wurde ja nun doch nicht fertiggebaut),
– noch ist sie wie für Habermas ein »unvollendetes Projekt« (das Haus der Moderne ist, mit den beiden Weltkriegen, zumindest im Faschismus und Stalinismus, bis auf die Grundmauern abgebrannt),
– vielmehr ist sie ein im Übergang befindliches *altgewordenes Paradigma*, das im dreifachen Hegelschen Sinn neu aufzubauen, »aufzuheben« ist! Das heißt:

(1) zu *bewahren* gilt es die *kritische Kraft* der Aufklärung gegenüber gesellschaftlichen Verdinglichungen und intellektuellen Verdunkelungen aller Art;
(2) zu *negieren* aber ist der *Reduktionismus* der Moderne hinsichtlich der tieferen spirituellen und religiösen Schichten der Wirklichkeit, zu negieren sind auch der Vernunft-, Wissenschafts- und Fortschrittsaberglaube der Moderne sowie alles das, was sie an selbstzerstörerischen Kräften (auch des Nationalismus, Kolonialismus, Imperialismus) im Prozeß der Geschichte freigesetzt haben;
(3) zu *transzendieren* schließlich, zu übersteigen ist die Moderne, *hinaufzuheben* in ein Paradigma der Postmoderne hinein, in der die

verdrängten und verkümmerten Dimensionen, nicht zuletzt auch die der Religion, eine neue, befreiende, bereichernde Wirkung erzielen.

Ob man es deshalb nicht bedauern sollte, daß Jürgen Habermas, letzter überragender Vertreter der Kritischen Theorie der Frankfurter Schule, in diesem Punkt die entscheidenden Einsichten und Impulse seiner Frankfurter Lehrer nicht aufgenommen, ausgewertet, weitergedacht hat? Insbesondere die von *Max Horkheimer*, der sich angesichts der Aporien der Moderne, anders als sein Freund Theodor Adorno, nicht auf die ästhetischen Erfahrungen moderner Kunst als einer unabhängigen Quelle der Einsicht zurückzog, sondern der sich der religiösen Problematik entschlossen gestellt hat – von Schopenhauer und Nietzsche zugleich überwältigt und enttäuscht? Gewiß, Max Horkheimer konnte, Jude, der er von Haus aus war, ähnlich wie Adorno, angesichts des Holocausts nicht zum alten Glauben seiner Väter zurückkehren. Er, Horkheimer – in einer großen Anstrengung alttestamentliches Bilderverbot, Kants Erkenntniskritik und modernen Agnostizismus verbindend – konnte und wollte nicht positiv benennen, was das Absolute ist. Doch bis zu seinem Tode war er davon überzeugt[14]:

– daß es ohne »das ganz Andere«, ohne »Theologie«, ohne den Glauben an Gott, keinen die pure Selbsterhaltung transzendierenden Sinn im Leben gibt;

– daß ohne Religion keine begründete Unterscheidung zwischen Wahr und Falsch, Liebe und Haß, Hilfsbereitschaft und Profitgier, Moral und Unmoral gefunden werden kann;

– daß ohne das »ganz Andere« die Sehnsucht nach vollendeter Gerechtigkeit unerfüllt bleiben und der Mörder schließlich über das unschuldige Opfer triumphieren müßte;

– daß ohne eine allerletzte-allererste wirklichste Wirklichkeit, die wir Gott nennen, auch, um den Begriff von Habermas aufzunehmen, unser »Bedürfnis nach Trost« ungestillt bliebe – in Zeit und Ewigkeit. Ob hier die Philosophie – um nur von ihr zu reden – nicht auf Religion verwiesen bleibt? Der französische Philosoph Emmanuel Lévinas, gläubiger Jude, dürfte recht haben: »Die Religion weiß viel besser Bescheid. Die Religion glaubt, viel besser Bescheid zu wissen. Ich glaube nicht, daß die Philosophie trösten kann. Das

Trösten ist eine völlig andere Funktion; es ist eine religiöse Funktion«.[15]

Keine Frage: viel Unausgegorenes und Widersprüchliches charakterisiert jede Zeit des Übergangs zu einer neuen Gesamtkonstellation, einem neuen Makroparadigma. Widersprüchlich sind insbesondere Phänomene und Bewegungen, die eine »Wiederkehr der Religion« oder eine »neue Religiosität«, eine Rückkehr der verlorengegangenen Religion oder neue individuelle und kollektive religiöse Erfahrungen signalisieren[16]. Doch wenn nicht alle Zeichen trügen, so dürfte die in der Moderne (aus durchaus verständlichen Gründen) ignorierte, tolerierte, verdrängte, ja verfolgte Religion im postmodernen Paradigma wieder eine wichtige, wenngleich diffusere Rolle spielen. Ist doch die neue religiöse Sensibilität zu einem schönen Teil außerhalb der institutionellen Religionen und Kirchen oder zumindest in Gegenbewegung gegen ihre offizielle Linie aufgebrochen. Und nach jedem epochalen Paradigmenwechsel ist dieselbe Religion eine andere.

Gerade eine *Kirche* wie die katholische, die bis zum Zweiten Vatikanum ihr mittelalterlich-gegenreformatorisches Paradigma mit autoritären Verordnungen, disziplinarischen Sanktionen und politischen Strategien zu bewahren versuchte und die angesichts der Bedrohung durch die Moderne im 19. Jahrhundert, Liberalismus und Sozialismus vor allem, in die (an sich typisch moderne!) Zentralisierung und Bürokratisierung geflüchtet war, wird es wohl bedenken müssen: Ist eine (auch nach dem Vatikanum II) von der Kurie weitergeführte autoritär-inquisitorische Durchsetzung der hierarchisch-bürokratischen Organisationsstruktur, die auf dem Vatikanum I (1870) durch sakrale Legitimierung faktisch zum Glaubensgegenstand erhoben wurde, ist die heute wieder betriebene Re-Sakralisierung (Betonung des Mysteriencharakters) dieser an sich vormodernen feudalen Kirchenstrukturen die richtige Antwort auf die neue postmoderne religiöse Situation, in der das geschlossene kulturelle Milieu des Katholizismus weitgehend abgeschmolzen ist[17]? Umfragen zeigen überdeutlich, wieweit sich die zwar höchst finanzkräftige, aber wenig geliebte, weithin anonyme Kirchenbürokratie, die sich im 19. Jahrhundert noch auf eine starke volkskirchliche Basis, ein geschlossenes katholisches Milieu stützen konnte, von den Gläubigen, der jungen Generation zumal, entfernt hat. Diese Entfernung aber pflegt sie nicht sich selber, sondern dem »Zeitgeist« und der Schuld der Gläubigen anzulasten.

Freilich gibt es – unter dem Einfluß des Zweiten Vatikanischen Konzils – starke Gegenbewegungen: konziliare Momente, synodale Organe, basiskirchliche Strukturen. Und doch wird wohl auf die Dauer die gegenwärtige Janusköpfigkeit einer »winterlichen Kirche« (Karl Rahner) der Eindeutigkeit weichen müssen, und es wird sich entscheiden, ob die katholische Kirche auf lokaler wie universaler Ebene im Geist des Vatikanum I hierarchisch-bürokratisch oder aber im Geist des Vatikanum II basisnah sein will: ob sie zentralistisch oder aber pluralistisch, dogmatistisch oder dialogisch, naiv-selbstsicher oder aber bei allen Zweifeln des Glaubens wahrhaft gewiß die Zukunft bestehen wird.[18]

Die *Theologie* – ob katholisch, evangelisch, orthodox – sieht sich in einer solchen Situation vor gewaltige Aufgaben gestellt. Und mit den Auseinandersetzungen um die Befreiungstheologie in Lateinamerika, Afrika und Asien, um Moraltheologie und Sexualethik in den Vereinigten Staaten und um dogmatische Glaubensfragen in Europa (Unfehlbarkeit, Ämterstruktur, Christologie) ist auch der großen Öffentlichkeit klar geworden, daß die Diskussionen um die Interpretation der Bibel und der christlichen Tradition im Kontext der gegenwärtigen gesellschaftlichen Wirklichkeit keine harmlosen intellektuellen Sandkastenspiele, sondern theoretische Reflexionen mit höchst relevanten praktischen Konsequenzen sind. Es ist meine Überzeugung: Nur wenn die Theologie die seit der Reformation anstehenden »Klassischen Konflikte« (Teil A) gelöst hat, ist sie fähig, theoretisch und praktisch »Perspektiven nach vorn« (Teil B) zu entwickeln und von der christlichen Ökumene her einen »Aufbruch zu einer Theologie der Weltreligionen« (Teil C) zu wagen.

A. KLASSISCHE KONFLIKTE

I. Ökumenische Theologie zwischen den Fronten

Konsequenzen aus dem Streit zwischen Rom, Luther und Erasmus

90:10 standen im Dezember 1549 – drei Jahre nach Luthers Tod – die Wetten in Rom: Wer würde der Nachfolger Pauls III., des Farnese-Papstes? Nachfolger eines Pontifex, der persönlich mit seinen vier Kindern und drei (schon im Alter zwischen 14 und 16 Jahren zu Kardinälen gemachten) Enkeln ein Mann der Renaissance geblieben war, später aber durch die Ernennung fähiger, tadelloser Kardinäle (darunter der Laiendiplomat Contarini), durch die Unterstützung eines Ignatius von Loyola und die Einberufung des Trienter Konzils die Wende zur Reform der Kirche eingeleitet hatte. Wer? Niemand anderes – so meinte man in Rom – als der liebenswürdig-fromme, humanistisch außerordentlich gebildete Engländer Kardinal *Reginald Pole*, ein Vetter Heinrichs VIII. Und Pole, 1500 in London geboren, war »Erasmianer«: kam aus dem englischen Freundeskreis des *Erasmus von Rotterdam*, zu dem so bedeutende Humanisten wie der Lordkanzler Thomas Morus, der gelehrte Dean von St. Paul's John Colet, der Gräzist Thomas Linacre und andere gehörten. Er schien der richtige Nachfolger eines solchen Papstes in solch schwieriger Zeit!

1. *Chancen für eine Dritte Kraft?*

Welch eine Perspektive: drei Jahre nach Luthers Tod – *ein erasmianischer Reformer* dieses Formats *auf dem Stuhle Petri*! Endlich! Kein Papsttum mehr im Zeichen der Venus wie unter Alexander VI. Borgia, keines mehr im Zeichen des Mars wie bei Julius II. della Rovere, auch keines mehr im Zeichen des Apollon wie unter Leo X.

Medici und schließlich auch keines im Zeichen des Kompromisses aus Heidentum und Christentum wie bei Paul III. Farnese. Aber ebenfalls – umgekehrt – keines im Zeichen der finster-asketischen rückwärtsgerichteten Zelanti, Zeloten, Eiferer, die in der »heiligen Stadt« nach dem verheerenden Sacco di Roma 1527 immer zahlreicher geworden waren. Sondern schließlich und endlich doch: ein zukunftsorientierter Papst aus dem Geist des evangelischen Humanismus im Zeichen Jesu selbst?

Den kurialen Ängsten vor Poles zu erwartenden Reformen entsprach das Ausmaß der *Verleumdungen*, die vor und während des Konklave gezielt gegen ihn ausgestreut wurden: »Lutheranismus«, »Häresie«, »Vater eines illegitimen Sohnes« ... Und doch erhielt Reginald Pole im ersten Wahlgang am 3. Dezember 1549 21 und am darauffolgenden Tage sogar 24 Stimmen. Weil aber 28 Stimmen notwendig waren und diese gegen die Opposition der französisch gesinnten Kardinäle unmöglich zusammenzubringen waren, setzten seine Freunde von der kaiserlichen Partei alles daran, um Pole noch in der darauffolgenden Nacht »per modum adorationis«, auf jene Weise der »Huldigung« zu wählen, die seinen Gegnern Zustimmung zur Wahl ohne ein formelles Ja ermöglicht hätte. Doch die große Überraschung: Reginald Pole, gefragt, ob er die Wahl – mitten in der Nacht »per adorationem« – annehme, schwieg und ging »stumm wie ein Ochse« (so sagte er später selber) in seine Zelle. Am nächsten Tag aber fehlte ihm die eine versprochene entscheidende Stimme. War Pole also, so darf man fragen, vielleicht doch auch darin Erasmianer, daß er sich in einer entscheidenden Stunde als unentschiedener »Cunctator«, Zögerer, erwies und den Zeitpunkt zum Handeln verpaßte? Vielleicht! Erasmianer war er zumindest darin, daß er, statt die Wahl anzunehmen und die Reform persönlich und praktisch in die Hand zu nehmen, während des sich nun zwei volle Monate hinziehenden Konklaves in seiner einsamen Zelle ein – *Buch* schrieb. Worüber? Über Macht und Aufgabe des Papstes!

Und wie der Gang der Dinge so ist: die verpaßte Gelegenheit kam nicht wieder, wiewohl Pole am 71. Konklavetag noch immer die gleiche hohe Stimmenzahl hatte wie am Anfang. Der aber wohl am meisten zur Verhinderung seiner Wahl beigetragen und der den erst 49jährigen Ausländer Pole öffentlich der Häresie besonders in Sachen Rechtfertigung und Trient angeklagt hatte, war selber Kandidat (der Franzosen): der anmaßend-hochfahrende Gründer des strengen Theatiner-Ordens, *Gian Pietro Carafa*. Exponent der konservativ-restaurativen Gruppe und Begründer der zentralen römischen Inquisition (»Sacrum Officium Sanctissimae Inquisitionis« 1542), der er war, gewann Carafa schließlich doch sechs Jahre später als 80jähriger – nach dem reformunwilligen Julius III. und dem reformwilligen, aber nach 20 Tagen bereits verstorbenen Marcellus II. – die Gunst des Kardinalkollegiums: 1555 – das Jahr des Augsburger Religionsfriedens (»Cuius regio, eius religio«) und Beginns des konfessionalistischen Zeitalters – wurde er als *Paul IV.* gekrönt, und bald gefürchtet[1].

2. *Die Restauration der Gegenreformation*

Unter diesem mächtigen päpstlichen Reaktionär, der gegen alle Reformversprechen gleich nach seiner Wahl sich einen prächtigen Hofstaat und nichtsnutzige Nepoten (zwei von ihnen unter Carafas Nachfolger als Verbrecher hingerichtet) zulegte, sich dann auch noch in einem verblendeten, erfolglosen Kampf gegen Spanien und den Kaiser stürzte, bekam der antireformatorische Kampf eine andere Richtung: jetzt entschieden gegen die Reformer im eigenen Lager. Je näher beim Heiligen Stuhl, desto gefährlicher der Feind: Protestanten sind gefährlicher als Türken, kritische Katholiken gefährlicher als Protestanten – damals wie heute! Die Inquisition wurde zur Lieblingsbehörde Pauls IV.: Verdächtigt wurden zahllose Unschuldige und angeklagt gerade humanistische Reformkardinäle wie Pole und Morone, der zwei lange Jahre in die Engelsburg eingesperrt und erst nach dem Tod dieses Papstes befreit wurde.

»Selbst wenn mein eigener Vater Häretiker wäre, würde ich das Holz zusammentragen, um ihn verbrennen zu lassen«, so ließ der frühere Großinquisitor und Papst verkünden. Kein Wunder, daß dieser Paul IV. auch den ersten *Index verbotener Bücher* aufstellen ließ. Kein Wunder auch, daß er in die »erste Klasse«, zwischen all den Erzhäretikern, deren Schriften allesamt zu vernichten seien,

Erasmus von Rotterdam setzte, der als einziger noch den Zusatz erhielt: »mit all seinen Commentaren, Anmerkungen, Scholien, Dialogen, Briefen, Zensuren, Übersetzungen, Büchern und Schriften, auch wenn dieselben gar nichts gegen die Religion oder über die Religion enthalten«[2]. Der Tübinger Pädagoge Andreas Flitner hat in seiner Basler Dissertation »Erasmus im Urteil seiner Nachwelt«[3] über diese ganze Auseinandersetzung umfassend berichtet. Noch 1890 findet man Erasmus auf dem Index, erst 1900 ist er plötzlich verschwunden.

Keine Frage: mit Pauls IV. antierasmianischem Pontifikat (der unglücklichste seit den Tagen des heiligen Petrus – nach den Worten des sterbenden Papstes selbst) hatte sich Rom endgültig festgelegt: nicht nur gegen die protestantische Reformation der Reformatoren, sondern auch gegen eine zukunftsoffene innerkatholische Reform im Geist der Erasmianer. Festgelegt auf eine *mittelalterlich-gegenreformatorische Restauration!* Abschaffung der offenkundigen Mißstände gewiß, und in diesem Sinn »innerkatholische« (besser »systemimmanente«) Reform: Reform also nicht als Mittel zur ökumenischen Verständigung und Versöhnung, Reform als gegenreformatorisches Kampfprogramm und Kampfmittel. Und dies setzt voraus: Primat nicht der Schrift, des Evangeliums, sondern des Papstes; unbedingte, unkritische Konformität mit Rom; Ablehnung der reformatorischen Reformanliegen; Reinerhaltung der Lehre durch Inquisitionsmethoden, weltliche Konfessionspolitik, zur Not auch »Religions«kriege. Ziel war in jedem Fall die Repristination des mittelalterlichen »römisch-katholischen« Status quo ante.

3. Der ungeliebte Erasmus

Hätte aber nicht gerade das *Reformprogramm des Erasmus*, wäre es von Papst Leo X. Medici und den Bischöfen rechtzeitig aufgenommen worden, vielleicht doch die *Kirchenspaltung* verhindern können? Kirchenhistoriker in beiden konfessionellen Lagern haben da ihre Zweifel. Aber ob man ihrer historischen Objektivität, angesichts nicht selten durchbrechender konfessioneller Ressentiments, immer so ganz trauen darf?

Erstaunlicherweise haben selbst so ausgezeichnete Kenner des Spätmittelalters wie der frühere Tübinger Reformationshistoriker *Heiko A. Oberman* die Sprengkraft etwa von Erasmus' »Enchiridion militis Christiani« (des auf Wunsch der Frau eines Militärs am burgundischen Hof geschriebenen »Handbüchlein des christlichen Soldaten« 1503), das zum theologischen Bestseller auch in Übersetzungen wurde, unterschätzt und es als »das langweiligste Buch in der Geschichte der Frömmigkeit« bezeichnet[4]. Solches Urteil hängt offensichtlich mit dem Vorurteil vieler protestantischer Historiker zusammen, für die Erasmus – als der unentschiedene, ängstliche, feige, vieldeutige Theologe, Diplomat, Verräter – die willkommene dunkle Folie abgibt, die den Glaubenshelden Dr. Martinus Luther um so heller erstrahlen läßt.

Auffällig ist nur, daß Erasmus auch bei den konfessionell-katholischen Kirchenhistorikern keine gute Presse hat, gern in seiner Bedeutung verschwiegen oder dann negativ abgestempelt wird. Man lese nur im katholischen Lexikon für Theologie und Kirche den Erasmus-Artikel des katholischen Münsteraner Reformationshistorikers *Erwin Iserloh*[5], der es noch anno 1984/85 für ein wichtiges Anliegen hält, eine ganze Sammlung zweitrangiger antilutherischer Kontroverstheologen unter dem Titel »Katholische Theologen der Reformationszeit«[6] der Öffentlichkeit zu präsentieren – natürlich ohne Erasmus einzuschließen, der unmittelbar vor der Reformation im Zenith seines Ruhmes (»Doctor universalis«, »Fürst der Wissenschaft« und »Beschützer der ehrlichen Theologie« genannt) stand und seinesgleichen unter »katholischen Theologen« gar nicht hatte. Iserlohs Umgang mit Erasmus (ganz auf der Linie seines Lehrers Joseph Lortz) ist typisch für eine konfessionalistisch römisch-katholische Kirchengeschichtsschreibung: Psychologisierend und moralisierend wird die (schließlich dem Zölibatszwang zuzuschreibende!) dunkle Herkunft des Erasmus – er, das uneheliche Kind mit ungewissem Geburtsdatum aus einer Verbindung des Priesters Rotger Gerard mit einer Arzttochter, mit circa 14 Jahren Vollwaise und von den Vormünden ins Kloster gesteckt – ausgebeutet: »Der Makel seiner Geburt, den er nie verwand, und das Fehlen von Familie und Heim erklären bei ihm weithin Unrast, argwöhnisches Ausweichen, Angst, sich festzulegen, Empfindlichkeit und Geltungsbedürfnis.« Vorsicht also vor diesem Mann! Das dogmatische Verdikt des Historikers am Ende, hier des Zitierens nicht wert, wird so schon an der Wiege vorbereitet. Gerechtigkeit ist Erasmus, dem Lehrer der Lehrer, schließlich doch auch von katholischen Theologen (Franz Xaver Funk, später Alfons Auer, Rudolf Padberg u. a.) widerfahren.

Lassen wir uns also als Ökumeniker nicht entmutigen, des armen Erasmus zwischen den Fronten zu gedenken, der ja – zum Priester geweiht, aber von den Mönchsgelübden befreit, zum Kaiserlichen Rat ernannt und doch in finanziellen Nöten – seinen beschwerlichen Lebensweg mit erstaunlicher Konstanz und nicht geringem Mut ging und eine allseits bewunderte vielschichtige wissenschaftliche Tätigkeit entfaltete: ein Universitätslehrer und noch mehr ein kosmopolitischer Privatgelehrter, der sich (von längeren Aufenthalten in Paris und Italien abgesehen) vor allem in England und in Basel (weniger in Löwen und Freiburg) zu Hause fühlte: Er war Stefan Zweig zufolge »der erste bewußte Europäer, der erste streitbare Friedensfreund, der beredteste Anwalt des humanistischen, des welt- und geistesfreundlichen Ideals«, aber auch, was in Zweigs ansonsten brillantem Essay »Triumph und Tragik des Erasmus von Rotterdam«[7] entschieden zu kurz kommt, ein vom Evangelium zutiefst bewegter Christ ist.

Deshalb ganz unverdrossen nochmals die Frage: Hätte das Reformprogramm des Erasmus von Rotterdam, wäre es rechtzeitig aufgenommen worden, die Kirchenspaltung nicht verhindern können? Auf den Spuren der frühen kongenialen Erasmus-Biographie des Holländers *Johan Huizinga* aus dem Jahr 1923 hat der heute vielleicht beste Erasmus-Spezialist, der Holländer *Cornelis Augustijn,* die so kontrastierende deutsche, französische und englische Forschung – Erasmus, der unentschlossene Anti-Luther, der rationalistische Frühaufklärer, der klassische Humanist – in seiner Erasmus-Biographie[8] aufgenommen, an die man sich bezüglich der wichtigsten historischen Fakten und Umstände getrost halten kann. Für Augustijn ist das Zentralthema seines großen Landsgenossen, das sich schon ganz früh abzeichne: »Wie kann man ehrlichen Gewissens Kulturmensch und zugleich Christ sein?«[9] In Verbindung also von Bildung und Frömmigkeit, Kultur und Religion, Antike und Christentum ein echtes Menschsein durch Christsein und Christsein durch Menschsein!

4. *Ein Reformer vor den Reformatoren*

Werke wie das berühmte *Enchiridion* (1503), in welchem der Humanist unter dem Einfluß seiner englischen Freunde eine deutliche Wende zur biblischen Frömmigkeit vollzogen hat und das nach dem amerikanischen Erasmus-Biographen Roland H. Bainton »am meisten von all seinen Werken dazu beitrug, ihn zum Sprecher der liberalen katholischen Reformbewegung, zum Ratgeber der Päpste und zum Mentor Europas zu machen[10], muß man nach Augustijn »mit den Augen der Zeitgenossen« lesen, dann würde man merken: »Es ist nicht ›Langeweile‹, die sie empfanden, sondern Betroffenheit.« Worüber? »Über die Geringschätzung, wenn nicht gar Ablehnung eines großen Teils der äußeren Struktur der Religion, des Zeremoniells, der kirchlichen Vorschriften und Bräuche, der Sonderstellung von Geistlichen und Mönchen, und das alles zugunsten des inneren Gehalts, worauf nun aller Nachdruck gelegt wird.«[11] In der Tat: in den Auseinandersetzungen seiner Zeit hat sich Erasmus verstanden »als Verteidiger der wahren Freiheit, die von Christus gebracht und vor den Pharisäern beschützt worden war, die Paulus gegen die Judaisten verteidigt hatte, die die Kirche des ersten Jahrhunderts wieder zum Judentum zurückführen wollten«[12]. »Judentum« hier – nicht ungefährlich – verstanden gewiß nicht als Volk oder Religionsgemeinschaft, sondern als eine Haltung veräußerlichter Religiosität. Erasmus war zutiefst davon überzeugt, damit den Kern der biblischen Botschaft getroffen zu haben (so viele dieser Gedanken auch bei Autoren der Antike wiederzufinden seien). *Ziel* seiner Arbeit wird jetzt *die Erneuerung von Kirche, Theologie und Volksfrömmigkeit,* fundiert in der Bibel. Nicht der abstrakte bildungsbürgerliche Gymnasial-Humanismus des 19./20. Jahrhunderts, sondern eine christlich durchwirkte Antike und ein vereinfachtes, veredeltes Christentum: »christlicher Humanismus« oder »biblischer Humanismus« (J. Lindeboom[13]) nennt man dies.

Was im »Enchiridion« – den Meinungen der Autoritäten, wie er selbst vermerkt, oft zuwider – anklingt und im »Lob der Torheit« in kritischer Satire wirkungsvoll konkretisiert wird, das wird von ihm, dem viele »genera litteraria« perfekt beherrschenden Schriftsteller, verdeutlicht:

– in der neuen Ausgabe der *»Adagia«* (1515), jener so populären, von ihm glänzend kommentierten klassischen *Sprichwörtersammlung*: In diesen Essays setzt sich Erasmus nicht nur für die Förderung der klassischen Wissenschaften (der »bonae litterae«) ein, sondern plädiert in aller Schärfe gegen die Tyrannei der Fürsten und die Übel der Kriege, für Veränderungen in Kirche und Gesellschaft; zwei Jahre später macht er in seiner bewegenden Antikriegsschrift »Querela pacis«, Klage des in allen Ländern verfolgten Friedens«, (umsonst) den Vorschlag eines europäischen Friedensvertrags zwischen Deutschem Reich, Spanien, Frankreich und England;

– dann in der *»Institutio principis Christiani«* (1516), ein antimacchiavellinischer *Fürstenspiegel*, dem späteren Kaiser Karl V. gewidmet: Erasmus fordert, der Fürst habe ein Freund der Philosophie zu sein, damit er befreit sei von allen populären, aber falschen Meinungen und üblen Leidenschaften: Philosoph und Christ in einem, fähig, nach dem Vorbild der ewigen Gottheit zu regieren über die Menschen, die allesamt frei geschaffen wurden (von einem Widerstandsrecht ist allerdings bezeichnenderweise nicht die Rede);

– schließlich im gleichen Jahr 1516 – alles in allem eine ungeheure Arbeitsleistung dieses zierlichen, scheinbar schwachen und immer um seine Gesundheit und Hygiene besorgten feinnervigen Mannes – das »Instrumentum Novi Testamenti«, die kühne (nicht umsonst Leo X. gewidmete) *erste griechische Druckausgabe und lateinische Neuausgabe des Neuen Testaments* (samt Einleitungsschriften): Sie verbessert – unter Protest der sich auf die Unfehlbarkeit der Kirche berufenden Traditionalisten – die jahrhundertelang gebrauchte lateinische Vulgata und wird bereits von Luther zur Grundlage seiner deutschen Bibelübersetzung genommen.

Aus diesen Schlüsselpublikationen, die den Basler Gelehrten zum gefeiertsten Wissenschaftler dieses Jahrzehnts vor der Reformation (»Licht der Welt«) und zum Mittelpunkt des ganz Europa umspannenden Netzes christlicher Humanisten (»Fürst der Humanisten«) machen, wird zugleich das *Reformprogramm* dieses christlichen Humanismus deutlich:

(1) Erasmus geht es um eine *andere Bibelwissenschaft*: Zwar hat er, geschult vor allem an Origenes, grundsätzlich nichts gegen eine allegorische, geistliche Auslegung des Neuen Testaments, wenigstens solange dies nicht – bei Predigern besonders! – in Willkür und Abstrusitäten ausartete. Aber man könne in neuer Zeit nicht ständig die mittelalterliche Auslegung (vor allem die Glossa Ordinaria aus dem 12. Jahrhundert) wiederholen und auf die Vulgata schwören. Nein, die Bibel ist ein literarisches Werk, und Grundlage ihrer Interpretation müsse – wie im übrigen schon für Origenes und Hieronymus – die Philosophie sein, die Bemühung nicht primär um einen möglichst tiefsinnigen, übertragenen Spiritualsinn, sondern um den wörtlich genommenen *Literalsinn der Schrift*. Die Kenntnis der alten Sprachen sei dafür unerläßlich, aber auch – jahrhundertelange Gewohnheiten in Theologie und Gottesdienst hin oder her – eine neue genauere Bibelübersetzung, ins Lateinische zuerst, dann auch in die Volkssprachen: »Wenn doch der Bauer mit der Hand am Pflug etwas davon vor sich hinsänge, der Weber etwas davon mit seinem Schiffchen im Takt vor sich hinsummte und der Wanderer mit Erzählungen dieser Art seinen Weg verkürzte!«[14]

(2) Erasmus geht es um eine *andere systematische Theologie*: Nicht genug spotten konnte er – bei aller Persiflage auch auf die Philosophen, Dichter, Rhetoren und Kaufleute – in dem seinem Freund Thomas Morus, dem Autor der zeitkritischen »Utopia«, gewidmeten »Moriae encomium«, »Lob der Torheit«, über die nurgelehrten Theologen, diesen (ähnlich den Lehrern) eingebildeten und reizbaren Menschenschlag, der Gottes unergründliche Geheimnisse meint ergründen zu können und dabei auf die allerunmöglichsten Fragen kommt (hätte Gott auch in die Gestalt eines Weibes, eines Teufels, eines Esels, eines Kürbisses, eines Kiesels eingehen können?). Auch von einer Transsubstantiation in der Eucharistie, von der unbefleckten Empfängnis Mariens und anderen »quaestiones disputatae« haben die Apostel nichts gewußt. Bei aller

Hochachtung vor Petrus Lombardus und Thomas Aquinas: die scholastische Sprache (welch' stellenweise barbarisches Latein!) ist der neuen Zeit ebensowenig angemessen wie die oft willkürlich deduzierende scholastische Methode. *Zurück zu den Quellen*, das ist die Devise! Christentum und Antike, »sacrae litterae« und »bonae litterae« schließen sich nicht aus! Diese neue Zeit braucht eine Theologie, die wie die ganz alte die Heilige Schrift als einzige Richtschnur anerkennt, die sich in ihrem Schriftverständnis statt an der Scholastik an den Kirchenvätern orientiert und die so die ursprüngliche christliche Botschaft verständlich in die Gegenwart hinein übersetzt. Fragen, die mit der Bibel nichts zu tun haben und absurd sind, gehören nicht in die Theologie. Voraussetzung des Theologiestudiums muß das Schriftstudium sein, zusammen – gut katholisch – mit dem Studium der Väter, das Erasmus unermüdlich durch kritische Texteditionen der wichtigsten Kirchenväter zu ermöglichen und fördern trachtet. In solcher Theologie wird die *Exegese zur theologischen Basiswissenschaft*: vom Bibeltext her wird kirchliches Dogma, kirchliches Recht, kirchliche Praxis der Kritik unterzogen, alles nicht auf metaphysische Spekulationen, sondern auf Christi Heilswerk und der Menschen Heilsweg konzentriert.

(3) Erasmus geht es zugleich um eine *andere Volksfrömmigkeit*: Ob das Herplappern von Gebeten oder die Anrufung der vierzehn Nothelfer (Apollonia bei Zahnweh, Antonius bei verlorenen Gegenständen usw.), ob quantitativ immer mehr gesteigerte Messen und Wallfahrten oder lukrative Wundergeschichten, ob Beichtmißbräuche oder kostspielige Ablässe: kein Aberglaube und kein Mißstand bleibt von seiner Ironie, Satire und biblisch begründeten Kritik verschont. Nicht zuletzt deshalb empfinden viele, Kleriker und Mönche vor allem, seine Kritik als subversiv, ja destruktiv. Mut mit List verbindend, spricht er oft mit Spott und Hohn durch allegorische Figuren – »die Torheit«, »der Friede«. Aber was im »Lob der Torheit« der Natur der Sache nach nicht ausgeführt werden kann und was in den »Colloquia familiaria«, den »Vertrauten Gesprächen«, jenen herrlichen Genreszenen aus dem Europa des 16. Jahrhunderts, hinter Spott und Hohn verborgen ist, es wird aus anderen Schriften des Erasmus unmißverständlich deutlich, worauf sich

auch die Frömmigkeit des Volkes positiv ausrichten soll: auf die biblische Botschaft, genauer, auf den Jesus der Evangelien, wie er angesichts falscher Schriftgelehrter und heuchlerischer Priester seinen Weg – uns zum Vorbild – gegangen ist. Des Rotterdamers populäre »Paraphrasen« der neutestamentlichen Bücher sollen vor allem den *Gebildeten unter den Laien* den Weg zum *Verständnis des wahren Jesus* ebnen.

(4) Erasmus geht es um einen *anderen Klerus*: »Als ob es außerhalb der Kutte kein Christentum gäbe . . . !« So am Schluß des Enchiridion. Nichts wird von Erasmus – seine eigenen Lebenserfahrungen schlagen hier immer wieder durch – so unerbittlich kritisiert wie das Mönchtum. Die dummdreisten Mönche: niemand tut sich mehr durch Ungebildetheit, Aberglauben, lächerliches Pathos und Possen in den Predigten hervor! Für sie ist der Bauch, das Geld oder die Ehre wichtiger als die Nachfolge Jesu, sind die Ordensregeln bedeutsamer als das Evangelium, der Ordensname entscheidender als die Taufe, das Ordensgewand mehr wert als alles andere. Wahrhaftig: in diesem »langweiligen« Enchiridion wird nicht mehr und nicht weniger als das *bisherige Ideal der Frömmigkeit radikal infrage gestellt*: Mit Berufung auf die eine und selbe Taufe wird der wesentliche Unterschied zwischen Klerus und Laien aufgehoben, werden alle traditionellen Äußerlichkeiten und geistlosen Zeremonien relativiert und wird zugunsten einer zeitgemäßen, für alle geltenden, auf das Christlich-Jesuanische konzentrierten nüchternen Alltagsfrömmigkeit plädiert. Der Zölibat wird zwar nicht total abgelehnt, aber unter den gegebenen Umständen als unerwünscht bezeichnet und ihm gegenüber – im »Encomium matrimonii« 1518 – die Ehe (zum größten Ärger der klerikalen Löwener Professoren und mancher Prediger) hochgepriesen.

(5) Erasmus ging es auch um eine *andere Hierarchie*: Die Diskrepanz zwischen dem hohen Anspruch der »Nachfolger der Apostel« und der Wirklichkeit ihres so wenig apostolischen Lebens wird unerbittlich aufgezeigt. Kreist bei den Hierarchen nicht alles primär um die eigene Ehre, Macht und Herrlichkeit, um Kirchenrecht, Kirchenpracht und Kirchenprunk? Welch eine Bürokratie mit unge-

zählten Funktionären! Statt Communio Exkommunikation, statt Verkündigung des Evangeliums Bannflüche und Interdikte. Und bei allen – bei niederem oder höherem Klerus gleich – das Geld, die Einnahmen und Ausgaben, im Zentrum! Ja, »aber wenn erst die Päpste, die Stellvertreter Christi es versuchen wollten, ihm nachzuleben, nämlich seiner Armut, seiner Arbeit, seiner Lehre, seinem Kreuz, seiner Todesbereitschaft, ... wessen Herz wäre da bedrückter als das ihre?«[15] Der sofort dem Erasmus zugeschriebene anonyme Dialog »Julius exclusus e coelis« – der gottvergessene kriegerische Papst Julius II., der die falschen Schlüssel (die zu seiner Schatzkammer) eingesteckt hat und der nun an den Türen des Himmelreiches von Petrus, dem ersten Papst, abgewiesen wird – wurde vom ganzen gebildeten Europa wegen der Konfrontation von Papst und Evangelium nicht nur als Zeitsatire, sondern als scharfe theologische Kritik verstanden. Wie wird das, fragt man sich, weitergehen?

Immer deutlicher war es Erasmus in diesen entscheidenden Jahren aufgegangen, wie ungeheuerlich die Kluft geworden war zwischen den »Nachfolgern der Apostel« und den Aposteln selbst, zwischen der triumphalistischen Kirche der Gegenwart und der einfachen der Urzeit, kurz, zwischen dem Christentum heute und dem Christus Jesus damals. Kirche und Papst statt Hilfe ein Hindernis auf dem Weg zu Gott! Und immer klarer war ihm geworden, was wahres Christentum heute heißt: Es heißt, sich statt auf Kirchenrecht, Kirchendogma, Kirchensystem auf die Heilige Schrift und ihren lebendigen Christus einzulassen, statt auf eine hohe Christologie, auf die sich dann die hohe Hierarchie mit ihren hohen Ansprüchen gar leicht berufen kann, wieder auf den menschlichen, erniedrigten Jesus der Evangelien, der es in Demut und Sanftmut mit den Niedrigen und Verachteten hält, der die Welt nicht mit Syllogismen, Geld und Krieg überwunden hat, sondern mit seiner Dien-mut und Liebe. Dieses praktische Christentum in Demut, Sanftmut, Toleranz, Friedfertigkeit, Liebe war es, was Erasmus – wohl im Anschluß weniger an Plutarch und Cicero (A. Renaudet[16]) als vielmehr an die griechischen Kirchenväter (L. Bouyer[17]) – »Philosophie von Christus« oder »christliche Philosophie« genannt hat. Könnte einem solchen, an der Bibel orientierten Reformprogramm, so viele Jahre vor Luther, Zwingli und den übrigen Reformatoren vorgetragen, wenn es rechtzeitig aufgenommen würde, nicht die Zukunft gehören?

Diese Frage erübrigt sich, werden manche sagen. Denn niemand könne leugnen: des Erasmus Reformprogramm – hier ohnehin kompakter vorgetragen als von ihm selbst je formuliert – ist von den politisch entscheidenden Leuten nie akzeptiert worden. In kürzester Zeit, wie oft in schwülen Sommertagen, waren schwere Gewitterwolken aufgezogen und hatte sich der Horizont fast völlig verdunkelt. Und dann brach der Sturm los, wie man ihn in der Christenheit seit Menschengedenken noch nie erlebt hatte; von einem Goldenen Zeitalter wie am Anfang des Pontifikats Leos X. sprach bald niemand mehr; man sah jetzt apokalyptische Zeiten heraufkommen.

5. Der Ernstfall: Wittenberg contra Rom

In *Rom* dachte der Mediceer-Papst, ein großer Herr von Herkunft und Position, nicht im Traum daran, die Reformforderungen des verehrten gelehrten Erasmus und überhaupt die Gravamina nationis Germanicae ernst zu nehmen. Die ganze Renaissance-Herrlichkeit aufgeben? Auf den Genuß des Papsttums, das Gott nun einmal gegeben, verzichten? Die ganze römische Kurie umkrempeln, das Finanz- und Regierungssystem umstellen und sich nüchtern in Wort und Tat in die Spuren des Herrn und Meisters begeben? Was für eine Zumutung an ihn, den Heiligen Vater und Herrn der Christenheit! Und wenn da ein unbekanntes Mönchlein in den teutonischen Nebeln des Nordens meint, zur radikalen Umkehr blasen zu müssen, so würde man in tausendfach bewährter Manier – mit Hilfe der Exkommunikation und des starken säkularen Armes, der ebenfalls keine Unruhe brauchen kann – mit ihm rasch fertig werden.

In *Deutschland* aber dachte der kleine unbekannte Mönch, ein unbändiger Kämpfer von Natur und Geist, ebenfalls nicht im Traum daran, von seiner ihm erst durch lange Gewissensqualen hindurch aufgegangenen Erkenntnis des wahren Evangeliums abzugehen, die ihn ja im Entscheidenden mit dem großen Erasmus verband, und damit auf die theologischen, religiösen und politischen Forderungen zu verzichten. Was für eine Zumutung an ihn, den Gewissensmenschen! Zwar hatte man noch vor eben hundert Jahren den böhmischen Reformer Jan Hus trotz kaiserlicher Zusicherung freien Geleits auf dem Konzil von Konstanz verbrannt. Aber wenn da die Römer jetzt wieder, ohne rechtlich Gehör und fairen Prozeß, gleich die Exkommunikation androhen und sogleich nach der Wahl Kaiser Karls V. zu seiner, Martin Luthers Exkommunikation, zur Bücherverbrennung und zur Forderung an den Kaiser nach Exekution der Reichsacht schreiten, so würde man ja sehen, wer im Heiligen Römischen Reich deutscher Nation schließlich und endlich das Sagen hat: ob denn Jesu Christi neu entdecktes Evangelium sich nicht durchzusetzen vermöge in dieser Endzeit, in der sich der Papst durch seine Verweigerung der Reform und Verleugnung des Evangeliums jeden Tag klarer als Antichrist demaskiert ...

Gleichsam über Nacht war aus dem humanistischen Gelehrtengespräch und den folgenlosen Theologendiskussionen der *Ernstfall* geworden, wo es für jedermann, ob er es wollte oder nicht, um Kopf und Kragen ging, wo man sich nicht mehr mit erasmianischen Mahnungen zur Geduld und mit Warnungen, den Papst und die Fürsten doch ja nicht zu reizen, begnügen konnte, wo man sich – pro oder kontra – entscheiden mußte. Und gerade *entscheiden* wollte sich *Erasmus auf gar keinen Fall*. Sein Wahlspruch »nulli concedo« – »ich weiche keinem« – konnte ja von ihm, dem Ängstlich-Übervorsichtigen, Konfliktscheu-Harmoniebedürftigen, zur Not auch so verstanden werden: »Ich entscheide mich für keinen!« Nein, gewiß nicht nur aus Schwäche, gar Feigheit, wie man damals und später oft meinte, sondern letztlich doch aus der Überzeugung und dem Willen, sich die geistige Unabhängigkeit, Grundlage seiner Existenz, für die er sein ganzes Leben genug gelitten, geschrieben und gekämpft hatte, zu bewahren – um der Wissenschaft und schließlich auch um der Kirche willen. Er – als Kirchenkritiker und Schrifttheologe in der Öffentlichkeit als Gesinnungsgenosse, ja, geistiger Ziehvater Luthers angesehen, der das Ei legte, das Luther ausgebrütet hat – wollte über den Parteien bleiben. Er, der freie Geist, wollte frei bleiben auch im Streit. Er, Mann der Mitte und allen Extremen abhold, wollte beide Seiten hören und vermitteln. Er wollte das »Et – et«, das Einerseits – andererseits.

Einerseits: keine Verurteilung Luthers ohne eingehende Untersuchung. In der Sache konnte der Rotterdamer dem Wittenberger weithin zustimmen; wollte man die gesamte Lehre Luthers unterdrücken, müßte man einen guten Teil des Evangeliums unterdrükken. Er ist nicht bereit, Luther einen Häretiker zu nennen, und beharrlich verweigerte er sich allen römischen und sonstigen kirchlichen Aufforderungen, gegen Luther zu schreiben. Beharrlich überging er auch alle drängenden Einladungen – selbst die des Mediceer-Nachfolger Hadrians VI., Erziehers Karls V. und ersten niederländischen Papstes, der Luthers Werke freilich von Anfang an als höchst schädlich ansah – nach Rom zu kommen, um dort eine Aufgabe zu übernehmen. Nein, zum kurialen Hoftheologen und Kardinal war Erasmus, der große Unabhängige, nicht geboren.

Andererseits aber: keine Identifikation mit Luther, diesem – wie es ihm schien – in der Art deutscher Landsknechte in Theologie und Kirche um sich schlagenden massigen Kraftmenschen, der so vieles umwarf, was man hätte stehen lassen sollen. Ihn schreckte die deutsche Konsequenz. Wenn er, Erasmus, anfangs Luther billigte, heiße dies doch nicht, daß er alles, was Luther seither geschrieben habe, billigen müsse. Nein, sich mit diesem maßlosen Glaubensfanatiker identifizieren, das konnte und wollte er, die hochgebildete, reservierte, sensible, letztlich unkämpferische Gelehrtennatur, auf keinen Fall. Worin Luther recht hatte, darin stimmte er ihm bei; worin aber unrecht, da konnte man Zustimmung von ihm nicht erwarten; da hielt ein Erasmus sich letztlich lieber an Papst und Kaiser.

Mit solch höchst ambivalenter Politik und diplomatischen Kunst gerät man *zwischen die Fronten*. Wie aber? Hatte Desiderius Erasmus von Rotterdam nicht vielleicht allein recht – gerade weil er beiden recht und unrecht gab und wie kein zweiter für Frieden durch Mäßigung, Einsicht und Freundlichkeit eintrat?

6. Zwischen Rom und Wittenberg: Neutralität statt Engagement?

Daß ihm, dem stets reflektierenden, differenzierenden Gelehrten und komplexen, auch widersprüchlichen Charakter, den Huizinga so treffend analysiert hat, *strategische und taktische Fehler* unterlaufen sind, die für ihn katastrophale Folgen haben mußten, läßt sich kaum leugnen. Man bedenke einige nicht unbekannte Fakten:
– Hätte der Vielbeschäftigte jene Nachricht Spalatins, des Sekretärs des sächsischen Kurfürsten schon vom 11. Dezember 1516 (ein Jahr vor Luthers Ablaßthesen!) nicht als *erstes Warnsignal* ernst nehmen sollen, es sei da in der Stadt Wittenberg ein junger ungenannter Augustiner-Mönch, großer Verehrer des Erasmus zwar, aber bezüglich Gottes Gerechtigkeit und Erbsünde doch anderer Meinung: Man würde nicht gerecht, weil man, wie Aristoteles meine, gerecht handle. Nur wenn man – in seiner Person umgewandelt – gerecht sei, könne man auch richtig handeln.
– Hätte Erasmus, als er im März 1518 mit zwei anderen Schriften auch jene »Thesen über den Ablaß« an seinen Freund, den Lordkanzler Thomas Morus, nach London schickte (ohne den Autor beim Namen zu nennen), nicht wittern müssen, was man zumindest in Rom sofort merkte, daß es hier nicht um eine beliebige Streitfrage, sondern um einen *Generalangriff auf das römische System* ging? Hätte er sich mit der Bemerkung an John Colet begnügen dürfen: »Die Kurie in Rom ist von jeglichem Schamgefühl verlassen. Denn was ist unverschämter als die ewigen Ablässe«[18]?
– Hätte Erasmus, der die ersten Schriften Luthers für legitim, wenngleich provokativ hielt, aber fürchtete, die Sache könne in Aufruhr münden, nicht die Publikation eines fast 500seitigen Sammelbandes lutherischer Schriften durch seinen Basler Verleger und Freund Hieronymus Froben (das Buch wurde ein Riesenerfolg) dulden und (der Anklage seiner Gegner, er sei selber Lutheraner, ja, der Lehrmeister Luthers zum Trotz) nicht Farbe bekennen müssen: in eindeutiger, wenngleich differenzierter *Frontstellung gegen herkömmliche Theologie und Frömmigkeit*, gegen all die unbeschreiblichen Zustände und Mißstände eintreten für eine radikale Erneuerung und Reform der Kirche an Haupt und Gliedern?

– Hätte der jetzt bereits 50jährige trotz eigener Gefährdung an der Universität Löwen (mit Köln das Zentrum antilutherischer Aktivitäten) je mit Berufung auf sein Neutral-sein-Wollen und seinen Dienst an der Wissenschaft *die Hand des Jüngeren zurückweisen* dürfen, als der ihm selbst 1519 zum erstenmal geschrieben hatte mit den Worten: »So erkenne denn, mein verehrter Erasmus, liebenswerter, denn auch, wenn Du willst, dieses Brüderchen (fraterculum) in Christo an.«[19]

– Hätte er nicht allerspätestens im Entscheidungsjahr 1520, als die päpstliche Exkommunikations-Bulle (von Erasmus durchaus als Torheit und Tragödie zugleich erkannt) in den Niederlanden eintraf und Luthers Bücher zum ersten Mal in Löwen öffentlich verbrannt wurden, *in die Öffentlichkeit gehen* müssen? Weder sein sich von Luther distanzierender Brief an den Papst noch sein persönliches Plädoyer vor den deutschen Fürsten in Köln für ein Schiedsgericht aus Theologen hatten ja irgendeinen Erfolg! Hätte er die ironische Antwort, die er privatim dem Kurfürsten von Sachsen auf die Frage, welche Irrtümer Luther begangen habe, nicht auch ernsthaft publice geben müssen: »Luther sündigte in zweierlei: Er hat die Krone des Papstes und die Bäuche der Mönche angetastet«[20]?

Im *Entscheidungsjahr 1520* – dem Jahr von Luthers drei großen Programmschriften »An den christlichen Adel«, »De captivitate babylonica ecclesiae« und »Von der Freiheit eines Christenmenschen« – konnte niemand mehr darüber im unklaren sein: jetzt ging es nicht mehr um einen Theologen- oder gar nur Kirchenstreit, jetzt ging es um eine *welthistorische Machtprobe*: ob es beim bisherigen mittelalterlichen römischen System, seinem Machtgefüge, seinen Institutionen und Sakramenten – für Luther die »Babylonische Gefangenschaft« – bleiben soll oder nicht. Wie konnte da Erasmus zwischen Rom und Luther neutral bleiben wollen, am Papst nur Machtmißbrauch und schlechte Sitten tadelnd, an Luther die Anmaßung und Heftigkeit kritisierend? Der Schlachtenlärm stieg, und des friedliebenden Erasmus leise Stimme, zu Mäßigung, Toleranz und Versöhnung mahnend, wurde immer weniger gehört. Seine Empfehlung einer allgemeinen Amnestie, eingeschränkter Druckfreiheit und verschiedener Reformen war illusorisch. Seine Unterscheidung zwischen »fundamenta«, wesentlichen Dogmen, und

»adiaphora«, unwesentlichen Dogmen, sollte erst später Früchte tragen ...

Für viele trat Erasmus, der Initiator der Reformbewegung, jetzt ganz hinter Luther, ihrem Exekutor, zurück, der Reformer hinter dem Reformator. Der Sämann des Windes schien Angst vor dem Sturm zu haben? Nach Rom war Erasmus nicht gegangen, aber auch zum Reichstag nach Worms 1521 war er – gegen seine ursprüngliche Absicht – nicht gekommen. Er, ohnehin immer in Sorge vor Pest, Syphilis und Schnupfen, hatte sich ins »neutrale« Basel zurückgezogen und verweigerte dort 1523 sogar – diplomatisch, aber nicht klug – dem gebannten und geächteten Reichsritter und jetzt bitterarmen, todkranken, ihn hartnäckig um Gehör bittenden antirömischen Kämpfer Ulrich von Hutten ein Gespräch – mit dem Ergebnis, daß der enttäuschte Hutten, Parteigänger erst Reuchlins, dann Luthers, schließlich von Sickingens, Erasmus in einer vielgelesenen Expostulatio vor der ganzen deutschen Öffentlichkeit hinstellte als einen feigen und schwachen Opportunisten, der eh und je im richtigen Moment von den Besiegten zu den Mächtigen übergelaufen sei. Tief getroffen reagierte Erasmus. Seine Antwort aber kam unglücklicherweise wenige Tage, nachdem Hutten im Schutze Zwinglis auf der Ufenau im Zürcher See gestorben war, in die Öffentlichkeit und schadete Erasmus mehr, als sie ihm nützte. Den Ruf der Halbherzigkeit, Doppelzüngigkeit, des Opportunismus bekam er nicht mehr los!

Und als Erasmus nach jahrelanger Weigerung, gegen Luther zu schreiben, sich schließlich doch von Luther aufreizen ließ und Herbst 1524 gegen ihn ohne viel Lust die vornehm sachliche »Diatribe de libero arbitrio« veröffentlichte, auf die Luther (für den die Prädestination und Willensfreiheit keine akademische Kontroversfrage, sondern eine persönliche Existenz- und theologische Grundfrage war) mit einer leidenschaftlichen prädestinatianischen Gegenschrift »De servo arbitrio« antwortete (Dezember 1525), da hatte Erasmus die meisten Lutheraner definitiv verloren und die Katholiken, die ihn lutherischer Gesinnung verdächtigten, auch nicht gewonnen. Zu verschieden war da die Grundeinstellung von Luther und Erasmus: Und wer theologisch die besseren Argumente hatte, scheint mir bis heute eine offene Frage zu sein.

Erasmus – zuerst beliebt und bewundert, von beiden Seiten dann umworben und begehrt, schließlich in beiden Lagern mißtrauisch beargwöhnt, verleumdet und verhöhnt – imponierend an ihm ist und bleibt: Wenngleich pessimistischer, wohl auch konservativer geworden und um einige Illusionen ärmer, hält er doch bis zum Ende seinen moderaten mittleren Kurs ein. In gelassener Resignation, Einsamkeit nicht scheuend, bleibt er in jedem Fall vermittelnd und versöhnend. »Unglücklich segelt der nicht, der zwischen zwei gegensätzlichen Übeln einen mittleren Kurs einhält (medium cursum tenet)«, hatte er Luther geantwortet[21]. Eine Via media wahrhaftig nicht zwischen Gott und Belial, das hätte er als gottlos angesehen, wohl aber zwischen Skylla und Charybdis: zwischen Rom und Wittenberg. Beiden verbunden, keinem verkauft!

In der öffentlichen Antwort an Hutten (»Spongia« meint »Schwamm« zum Abwischen der Huttenschen Vorwürfe 1523) legt Erasmus seinen Standpunkt nochmals präzise dar. Er habe immer die Tyrannei und die Laster der Kirche und die Anmaßung Roms mißbilligt, aber auch immer Aufruhr und Zwiespalt abgelehnt. Sterben: für das Evangelium Jesu Christi – wenn es sein muß und die Kraft reicht – ja; aber für Luthers Paradoxien – nein. Kein Martyrium für Martin Luther! Auch kein Martyrium für Rom, wenn es bloß um Gegenstände scholastischer Auseinandersetzungen geht und nicht um eigentliche Glaubensartikel, die vom »Consensus Ecclesiae«, dem Glaubenszeugnis der ganzen Kirchengemeinschaft, getragen werden. Und wieviel, was da in der römischen Kirche gelehrt wird, sind doch Gegenstände, über die man diskutieren, wegen denen man nicht sterben sollte: ob der Primat des römischen Bischofs von Christus eingesetzt wurde, ob das Amt der Kardinäle in der Kirche notwendig ist, ob die Beichte von Christus angeordnet wurde, ob die Bischöfe mit ihren Satzungen zu einer Todsünde verpflichten können, ob der freie Wille zur Erlösung beiträgt, ob man irgendein menschliches Werk gut nennen kann, ob die Messe als ein Opfer bezeichnet werden kann, ob der Glaube allein die Erlösung bewirkt ... »Was wird das Ende sein«, so heißt es am Schluß seiner Apologie, »wenn die eine Partei nichts hat außer Tumulte, Streit und Gezänk, die andere aber nichts als Zensuren, Bullen, Dogmen und Scheiterhaufen. Was für eine Großtat soll es denn sein, ein

Menschlein, das ohnehin sterben wird, ins Feuer zu werfen? Zu bekehren und zu überzeugen, das ist eine Großtat.«[22]

Wurde Martin Luther von den Lutheranern im Norden (von Melanchthon abgesehen) immer weniger gehört, so doch noch immer von den Reformatoren im Süden, zumeist seine Schüler, die auf ihn sich beriefen: in Zürich Huldrych Zwingli, in Basel Johannes Ökolampad, in Straßburg Martin Bucer. Heftig angefeindet von katholischen Kollegen in Löwen, verurteilt mehrfach durch die Sorbonne (1525–31), wurde er auch in Spanien, wo erasmianischer Einfluß erstaunlich stark, gestützt – gegen Franziskaner und Dominikaner – von Großinquisitor, Primas und König; eine Konferenz von Valladolid (1527) zur Überprüfung seiner Auffassung – und interessanterweise hatte man gerade dort die kritischen Fragen der Trinitätslehre und der Christologie aufgegriffen – wurde nach mehreren Wochen wegen drohender Pestgefahr vertagt und nie wieder einberufen.

Nach 1525 trat zum Streit zwischen Katholiken und Lutheranern immer mehr der *Streit zwischen Lutheranern und »Lutheranern«*: Der große Abendmahlsstreit – kulminierend 1529 im Marburger Gespräch zwischen Luther und Zwingli – entzweite Lutheraner und Schweizer (später »Reformierte«) definitiv. Und als im selben Jahr die Reformation auch in Basel unter Bildersturm, Ratsumsturz und Messeabschaffung eingeführt wurde, emigrierte der nun 60jährige Erasmus, in Basel trotzdem feierlich verabschiedet, ins katholische Freiburg – freilich ohne sich dort je wohl zu fühlen. Er war jedenfalls froh, daß er nach 6 Jahren, im Mai 1535, wenngleich krank, einsam, mehr denn je mißtrauisch und nicht mehr ganz leistungsfähig, in sein geliebtes Basel zurückkehren konnte. Es war für ihn Abend geworden: viele seiner Gegner befördert in Kirche und Welt, viele seiner Freunde gestorben; sein Übersetzer und Schüler Berquin in Paris zum Feuertod verurteilt, Zwingli im ersten »Religionskrieg« erschlagen, dann gevierteilt und verbrannt, Ökolampad, von dieser Nachricht tief erschüttert, kurze Zeit später verschieden, Kanzler Thomas More und Kardinal John Fisher auf Befehl Heinrichs VIII. gerade in diesen Wochen hingerichtet ...

Doch unermüdlich arbeitete und publizierte Erasmus für den Consensus, die Concordia. 1533 war seine letzte Friedensschrift –

zwar nicht seine allerletzte Schrift, aber doch so etwas wie sein Schwanengesang – erschienen mit dem Titel »Über die wiederherzustellende Einheit der Kirche« und löste konkrete Einigungsbestrebungen aus. Noch ein gutes Jahr zu leben war ihm, dem bald 70-jährigen, jetzt in Basel gegeben. Und immer wieder, selbstkritisch und selbstbezogen wie er war, fragte er sich: War er auf dem richtigen Weg gewesen? Hätte er nicht vieles nicht schreiben oder anders schreiben sollten? Aber: was hatte er doch alles getan, geduldig, übergeduldig Tag für Tag, um Konflikte durch Begreifen zu entschärfen, gefährdete Kontakte auf dem Korrespondenzenweg aufrechtzuerhalten, überallhin verständige (und oft widersprüchlich erscheinende) Antworten auf verschiedene Fragen und Situationen zu schicken und so Unversöhnliches und Unversöhnliche durch Bibel und Vernunft zu überzeugen! Und was Luther betrifft?

7. Der Schuldanteil Martin Luthers

Was Luther betrifft, so war Erasmus überzeugt, zumindest im Prinzip richtig gehandelt zu haben: daß er – bei allem Eintreten gegen Mißstände und Mißbräuche für Reform und Erneuerung nach dem Evangelium längst vor Luther – Luther doch die Gefolgschaft verweigerte. Die *Hauptschuld* trug *Rom*, keine Frage. Und *Konformität* mit Rom (Hoftheologie und Kardinalat inklusive), nein, das war nicht seine Position. Aber, wer könnte es übersehen, einen *Schuldanteil* trug auch der ungestüm zornmütige *Luther* , der »simul iustus et peccator« in persona:

– Hatte Luther, der Maßlose, seine berechtigten Forderungen nicht höchst undifferenziert, verallgemeinernd und in unnötig schrillen Tönen, in jedem Fall *aggressiv* und manchmal auch *demagogisch* vorgetragen? War es notwendig, die Androhungsbulle samt päpstlichen Dekretalen in Wittenberg öffentlich zu verbrennen? Wie kam er dazu, in jedem Gegner (wahrhaftig nicht nur im Papst) buchstäblich den Teufel zu sehen?

– Hatte Luther nicht den *Schwärmern*, als sie sich, Karlstadt und Thomas Münzer allen voran, ihm gegenüber auf ihre persönliche Schriftinterpretation und den Heiligen Geist beriefen, die Freiheit eines Christenmenschen, die er selber in Anspruch genommen hatte, energisch abgesprochen?

– War Luther an der *Bauernrevolution* quer durch das Deutsche Reich samt ihren katastrophalen Folgen nicht mitschuldig? Hatte er die revolutionären Bauern, die gerade in Südwestdeutschland zunächst nur Rechte einforderten, die die nahen Eidgenossen schon lange besaßen, nicht obendrein im Stich gelassen, ja, in Tod und Elend gestoßen, als er die Fürsten leidenschaftlich »wider die mörderischen und räuberischen Rotten der Bauern« (1525) zum schonungslosen blutigen Durchgreifen aufhetzte: Luther jetzt auch unter Protestanten unpopulär als der (immer konservativere) »Fürstenknecht« der Landesfürsten, die mit seiner Hilfe ein Landeskirchentum auf- und ausbauten, wo der Landesherr, jeder selbst ein kleiner Papst, auch noch über die Religion der Landeskinder bestimmen konnte: eine neue »Captivitas babylonica«?

– Und hatte der Wittenberger schließlich nicht auch ihn, *Erasmus*, der geduldig und ruhig-akademisch argumentierend auf Luther eingegangen war, *angefallen wie ein wildes Tier*? Hatte er ihn nicht, obwohl seine Argumente für Freiheit und Verantwortlichkeit des Menschen doch wahrhaftig gut aus der Schrift begründet waren, beschimpft als Dummkopf, Libertinist und Skeptiker, als einen neuen Heiden, Verächter der Schrift, Feind des Christentums und Vernichter der Religion?

– Alles in allem: Hat sich die *Reformation* mit all dem Blut, Schweiß und Tränen, der ganzen Zerrüttung und vielfacher Verwüstung des Gemeinwesens wirklich *gelohnt*? Waren die Menschen jetzt so viel frommer geworden und die Kirchen so viel christlicher? Hatte es nicht vielleicht auch objektive geschichtliche Gründe, wenn von den Depressionen des älter gewordenen Luther berichtet wird?

– Und drohte nicht jetzt obendrein das schrecklichste aller Übel, das über die Menschheit kommen kann: der *Krieg*? Der große Krieg in Deutschland zwischen dem Schmalkaldischen Bund der Protestanten (1531) und den kaisertreuen Katholiken, nur vorläufig hinausgezögert wegen der Türkengefahr durch den Nürnberger Waffenstillstand (der faktisch nur bis zu Luthers Todesjahr 1546 anhalten sollte)?

Hatte also der vorsichtige Gelehrte Erasmus, dem alle Zurschaustellung der Innerlichkeit zuwider war, nicht Recht mit seinem ständigen Eintreten für Sachlichkeit, weitestmögliche Toleranz, zur Not auch Anerkennung der Unterschiede in der Einheit, in jedem Fall Verständigung und Frieden, gegen Emotionalisierung, Haß, Fanatismus und Tumulte? Wahrhaftig: der unberechenbare Tatenmensch Luther, der allzu oft Argumente durch Inbrunst und Zorn zu ersetzen schien, hatte seiner Kirche und jedem einzelnen in der Kirche einiges zugemutet mit ungeheuerlichen Folgen für Staat und Gesellschaft, so daß eine Totalidentifikation sich schon von daher verbot. Mit einem Wort: *Reform ja, Revolution nein* – das war des Erasmus Position.

Ja, das arme Europa: was wäre ihm alles erspart geblieben, wenn man mehr auf ihn, Erasmus, statt auf Luther gehört hätte, wenn in Europa die *Dritte Kraft*, die er verkörperte, die Kraft der Verständigung und der Toleranz, in Rom zuerst, aber schließlich auch im Lager der Reformation, wo er so viele Freunde hatte, zum Zuge gekommen wäre? Die Geschichte jedoch, Luther, Rom (und Machiavelli) folgend, schien über Erasmus, den Verlierer, hinwegzugehen. Erst in einer späteren Zeit, als nach all den Religionskriegen, dem furchtbaren Dreißigjährigen Krieg und dem Zeitalter des Konfessionalismus ein neuer Paradigmenwechsel – von der Reformation zur Moderne, zur Aufklärung – fällig war, haben sich viele erasmianische Ideen schließlich doch durchgesetzt. Von erasmianischem Geist bewegt waren etwa Hugo Grotius, antimachiavellistischer Förderer des Völkerrechts, der internationalen Rechtsidee, und der lutherische Theologe Georgius Calixtus, der als unermüdlicher Förderer der Einigung der Konfessionen auch Leibniz inspirierte. Wieder viel gelesen wurde Erasmus im 18. Jahrhundert der Aufklärung. Für Nietzsche, der die Reformation als Reaktion gegen die frühe »Aufklärung« der Renaissance kritisierte, trug die »Fahne der Aufklärung«, die er weitertragen wollte, »drei Namen: Petrarca, Erasmus, Voltaire«[23].

Der österreichische Historiker Friedrich Heer, der »Die Dritte Kraft« zum Thema eines ebenso weitausholenden wie engagierten Buches machte[24] – den gleichzeitigen Umbruch in der katholischen Kirche durch den Amtsantritt Johannes XXIII. und die Konzilsankündigung konnte er noch nicht ahnen –, hat für die einzelnen Länder Europas nach dem Scheitern der Dritten Kraft folgende traurige Bilanz gezogen: »*Das Unterliegen der Dritten Kraft bedeutete:* für Deutschland den hundertjährigen Bürgerkrieg, der im Dreißigjährigen Krieg gipfelt; für Frankreich den hundertfünfzigjährigen bald kalten, bald heißen Bürgerkrieg zwischen der ›königlich-katholischen Religion‹ und den Hugenotten, der mit der Vernichtung beziehungsweise Austreibung einer Blüte französischen Adels, französischen Bürgertums, französischer Intelligenz endete; für Spanien die innere Abtrennung von Europa, durch die Vernichtung beziehungsweise Vertreibung seiner erasmianischen Humanisten, seiner Juden, Maranen, Protestanten; für Italien die Austreibung der religiösen Nonkonformisten, die Einschnürung in die Ghettostaaten des sechzehnten bis neunzehnten Jahrhunderts, die mit ihren Staatspolizeien und Inquisitionen das innere Leben ersticken, zumindest verzweifelt bedrängen; für England die endgültige Distanzierung, als ein ›alter orbis‹, von Europa, als einem anderen ›Kontinent‹. Für Europa im ganzen: die bis zum zwanzigsten Jahrhundert endgültige Fixierung als ›Abendland‹, als Westeuropa, scharf abgesetzt gegen den Osten, Rußland, die Ostkirche, gegen die eigenen Massen, das Niedervolk, gegen den Untergrund der Person.«[25]

Ich frage: Steht also angesichts dieser monströsen Schuldgeschichte Desiderius Erasmus von Rotterdam nicht vor der Geschichte da wie ein Gerechtfertigter? Im Todesjahr des Erasmus – und damit kommen wir am Ende des historischen Bogens, bevor wir einen Blick in die Gegenwart werfen, noch einmal auf den Anfang zurück – wurden Reginald Pole und Pietro Carafa zu Kardinälen ernannt. Jener Paul III., der sich mit Gedanken an ein Konzil trug und Erasmus zur Zusammenarbeit eingeladen hatte, berief schließlich die berühmte neunköpfige Kommission ein, deren prominenteste Mitglieder zusammen mit dem Laienkardinal Contarini jene beiden – so unterschiedlichen – Kardinäle Pole und Carafa wurden und deren erstaunlich freimütiges »Gutachten über die Kirchenreform« (Consilium de emenanda Ecclesia) allgemein als Wende im Vatikan zur Erneuerung der Kirche angesehen wurde. Für Erasmus kamen alle diese Initiativen zu spät. Er starb in der Nacht vom 11.

zum 12. Juli 1536 bei vollem Bewußtsein mit Psalmworten und schließlich in der Sprache seiner Kindheit holländisch »Lieve God« (»Lieber Gott«) auf den Lippen und wurde, bis zum Ende ein katholischer Theologe, vom evangelischen Pfarrer der Stadt unter Anwesenheit des evangelischen Bürgermeisters und Rates, der Professoren und Studenten der Universität im evangelischen Münster zu Basel feierlich beigesetzt. War er, der Zartbesaitete, frage ich mich, unter den wenig zarten Heroen seiner Zeit – Luther, Zwingli, Calvin, Ignatius von Loyola – vielleicht doch der einzige souveräne Ökumeniker? Und doch zögere ich:

8. Über die Verantwortung der Theologie in der Stunde der Wahrheit

Ich sage es direkt: Erasmus von Rotterdam bleibt zwiespältig. *Zwiespältig* nicht so sehr, wie Cornelis Augustijn (von dessen Interpretation ich so viel lernen durfte) meint, wegen der (unbestreitbaren) »Verinnerlichung und Spiritualisierung«, die die »wichtigsten Eigenschaften« der Erasmianischen Ideen seien[26]; schließlich hat ihn das an sehr realistischer Kirchenkritik, Kirchenreform und Kirchenpolitik keineswegs gehindert. Zwiespältig scheint er mir – bei allem Verständnis für seine individuelle Situation, bei allem Wissen um die Katastrophen, vor denen er zu Recht gewarnt hatte – aus dem einen Grund: Es gibt nun einmal eine *unausweichliche, unaufschiebbare, unabtretbare Verantwortung* des Christen in der *Stunde der Wahrheit*, die durch kein Argument wegzurationalisieren, durch kein Taktieren und Lavieren zu umgehen ist, und diese Stunde der Wahrheit schlug für den katholischen Theologen Erasmus mit dem Auftritt des Augustinermönches Martin Luther! Nein, es ist keine nachträgliche Rechthaberei oder gar Aburteilerei, wenn wir den Protest des Erasmus im Namen des Evangeliums gegen die römische Tyrannei in dieser Stunde der Wahrheit vermissen und einklagen. Den *eindeutigen, öffentlichen Protest* wider die Unchristlichkeit der römischen Kurie und des römischen Systems, ein Protest, der aber gleichzeitig auch die Einseitigkeiten und Kurzschlüssigkeiten von Person und Theologie Martin Luthers namhaft macht.

In *privaten Briefen* (die betreffenden sind in keine seiner veröffentlichten Briefsammlungen aufgenommen) konnte er durchaus *deutlich reden*: »Ich sehe in ›des Römischen Hohepriesters Monarchie‹ (diese Worte vorsichtshalber griechisch) die Pest der Christenheit; ihm schmeicheln die Dominikaner in allen Dingen auf schamlose Weise.« Aber, fügt er sofort hinzu, »ich weiß nicht, ob es gut ist, dieses Geschwür offen zu berühren. Das war eine Aufgabe der Fürsten; doch fürchte ich, diese werden mit dem Papst zusammenarbeiten und die Beute teilen. Ich weiß nicht, was Eck in den Sinn gekommen ist, daß er Luther so angreift.«[27] Gewiß stimmt, was Werner Kaegi in seiner Basler Gedenkrede vom 17. Juni 1969 ausführt: »Nicht in den Vaterländern und Staaten ist Erasmus zu Hause gewesen, sondern in der Kirche. Weil er sie liebte, hat er sie so bitter kritisiert.«[28] Aber, so fragt man sich, warum hat er dann in entscheidender Stunde nicht aus Liebe entschieden geredet und gehandelt mit äußerstem persönlichen Einsatz wie Luther? Statt eines ewig zaghaften Pendelns zwischen Ja und Nein ein mutiges Vortreten und Stellungbeziehen?

Oder war eine Reform der Kirche ohne Spaltung der Kirche von vornherein nicht realisierbar? Zugegeben: die Geschichte wird nicht einfach von Individuen gemacht, sondern von den diese Individuen bestimmenden Strukturen, Bewegungen, Situationen. Trotzdem möchte ich dem Satz nicht zustimmen, der in der deutschen Nationalkirche in Rom über dem Grab des (bis in unsere Tage hinein) letzten nichtitalienischen Papstes, des Niederländers Hadrian VI., steht: »Proh dolor, quantum refert in quae tempora vel optimi cuisque virtus incidat« (Wehe, wieviel kommt doch darauf an, in welche Zeit auch des besten Mannes Wirken fällt). Allzu leicht wird hier mit den »schlechten Zeiten« das Versagen geschichtlicher Persönlichkeiten entschuldigt, in diesem Fall Hadrians, jenes während seines Pontifikats (gut anderthalb Jahre) völlig isolierten, politisch ungeschickten früheren Löwener Professors und Erziehers wie Ratgebers Karls V., der nicht einmal italienisch sprach und auch nicht Kontakt zur italienischen Reformpartei suchte.

Erasmus war für viele damals durchaus realistisch Gesinnte (und zwar in beiden Lagern) der einzige, der die Kirchenspaltung vielleicht hätte verhindern können, indem er mit Autorität nach beiden Seiten sprach. Es ist deshalb keineswegs unrealistisch, darüber nachzudenken:

– was geschehen wäre, wäre es Erasmus gelungen, auch nur den jungen *Karl V.*, dessen »Rat« er war, mit der Autorität seiner ganzen Person auf seine reformerische Linie zu bringen, einen kaum 20jährigen Mann (1500 – Jahrgang auch von Reginald Pole) der, von Hadrian streng katholisch erzogen, für die lutherischen Anliegen nicht das geringste innerliche Verständnis mitbrachte und statt dessen versuchte, überall den »alten Glauben«, faktisch die »mittelalterliche Kirche«, zu retten?

– Was hätte geschehen oder verhindert werden können, wenn Erasmus rechtzeitig mit *klaren Vorschlägen zu praktischen Lösungen* hic et nunc an die Öffentlichkeit getreten wäre, wenn er etwa das berühmte Drei-Monarchen-Treffen in Calais im Sommer 1520 – Heinrich VIII., Franz I. und Karl V., in dessen Begleitung er reiste – für eine solche Initiative genutzt hätte oder im Jahr darauf den Reichstag zu Worms, wo Erasmus als Berater des Kaisers, Jugendfreund des päpstlichen Legaten Aleander und Gesinnungsgenosse der Evangelischen eine einzigartige Mittlerstelle innegehabt hätte?

– Was wäre geschehen, wenn es unter dem Eindruck eines solchen entschiedenen öffentlichen Eintretens des Erasmus, der zwischen 1515 und 1525 in Europa über ein unvergleichliches Prestige, über Schüler und Anhänger in allen Ländern verfügte, gelungen wäre, auch nur *Volkssprache, Laienkelch, Priesterehe den Protestanten zuzugestehen?* Hätte dann die Rechtfertigungslehre noch diese kirchenspaltende Kraft entwickeln können?

– Hat Erasmus mit dem *Reichstag zu Augsburg 1530*, zu dem er vom Kaiser nachdrücklich eingeladen worden war und wo die Lutheraner nicht von Luther, sondern von dem in vielem erasmianisch gesinnten Melanchthon angeführt waren, nicht die letzte, wahrhaft historische Chance verpaßt, um als persönlich präsenter Vermittler sowohl die gedemütigten Päpstlichen (Sacco di Roma 1527, Ausbreitung der Reformation in Holland, Skandinavien, England) sowie die ernüchterten Lutherischen (Bauernkrieg, Gegenkirchen Zwinglis, der Schwärmer, der Wiedertäufer) in erasmianischem Geist mit Hilfe der gemäßigten »Confessio Augustana« zu versöhnen?

– Hat in der Folge *England* nicht bewiesen, daß man das paulinisch-lutherische Rechtfertigungsverständnis ernst nehmen, daß man sogar Volkssprache, Laienkelch und Priesterehe einführen und doch (was Luther ursprünglich ja auch wollte) die presbyterial-episkopale Struktur und die Kontinuität der jetzt reformierten mit der mittelalterlichen Kirche bewahren kann?

– *Keine neue Kirche* also (mit einem menschlichen Namen verknüpft: »lutherische« oder »erasmianische«), *sondern die alte Kirche erneuert:* »Ecclesia catholica reformata – Ecclesia catholica semper reformanda«!

Ich frage: Hätte in einer solchen *Stunde der Wahrheit* der Professor nicht zum Confessor werden müssen – »opportune importune«, gelegen oder ungelegen, mit welchem Erfolg oder Mißerfolg auch immer! Gerechtfertigt wird der Mensch ohnehin durch den Glauben, immer! Gerechtfertigt wird der Mensch ohnehin durch den Glauben, nicht den Erfolg! Daß Erasmus nun einmal lateinisch schrieb und sich an eine Elite wandte, daß er weder Kanzel noch Katheder hatte (was Augustijn alles richtig hervorhebt), kann kaum zur Erklärung dienen, warum Erasmus nicht Farbe bekannte. Hier unbeteiligter Zuschauer, neutraler Beobachter sein zu wollen, war illusorisch. Seine einflußreichen Anhänger überall in Europa haben zu Recht erwartet, daß er, statt endlos Briefe nach allen Seiten zu schreiben, mit einer großen, ebenso deutlichen Stellungnahme wie Luther in die Öffentlichkeit geht: mit Luther vereint im klaren Protest gegen das römische System, zugleich jedoch Luthers Einseitigkeit und Maßlosigkeit korrigierend und so Zeugnis gebend für die große katholische Kontinuität und Universalität!

Ja, es gibt in der Stunde der Wahrheit einen *Status confessionis*, der nicht mehr der Casus disputationis sein kann! Aber gerade zum Confessor, gar zum Propheten fühlte sich Erasmus nicht geboren, sah er sich weder von seinem Charakter noch von seiner Theologie her prädestiniert. »Wenn Erasmus doch den Entschluß hätte, so unerschrocken zu schreiben und so scharf zu kommentieren wie Luther; und darüber hinaus, wenn sich Luther doch die Redegabe, Schreibkunst, Bescheidenheit und Klugheit des Erasmus zugelegt hätte: Welch vollkommeneres Lebewesen hätten die Götter schaffen können? Beiden bin ich zugetan, Erasmus ziehe ich vor«, sagte damals der berühmte Freiburger Jurist Ulrich Zasius[29]. Hatte Erasmus also zu wenig, wovon Luther zu viel hatte? Zu wenig prophetisches Protestpotential gegen angemaßte priesterliche Autorität? Zu wenig Widerstandskraft und Risikobereitschaft aus der Freiheit eines Christenmenschen gegen unchristliche Zwangsherrschaft? Zu wenig paulinisches den Petrus »öffentlich Ansprechen« und »Ins-Angesicht-Widerstehen«, weil er und die Seinen »heuchelten« und »nicht richtig wandelten nach der Wahrheit des Evangeliums« (Gal 2,11–14)?

9. Ökumenische Theologie zwischen Aggressiv- und Fluchtverhalten

Es war offenkundig, daß wir im Fall von Erasmus keine antiquarische Geschichtsschreibung betreiben konnten: Zu sehr schlägt die Dramatik von damals bis heute durch. Zu stark wirken die Grundkonflikte zwischen Theologie und Kirche nach. Zu identisch sind die theologischen Inhalte, um die damals wie heute gestritten werden muß. Für die Grundlegung einer ökumenischen Theologie geht es hier um einen exemplarischen Grundkonflikt.

Angesichts des kirchlichen Establishments und seiner Theologie (der römischen, deutschen, römisch-deutschen Hoftheologien), die allesamt *Konformität* verlangen, verkörpern Luther und Erasmus zwei innerkirchliche Konfliktverhaltensweisen in der Stunde der Wahrheit: *Aggressivität* oder *Neutralität*, *Angreifen* oder *Flüchten*! Die Verhaltensforschung macht uns darauf aufmerksam, daß Aggressionsverhalten und Fluchtverhalten angesichts drohender Gefahr im gleichen analytischen Kontext beschrieben werden müssen: »Aggressivität« bedeutet, das bedrohende Ereignis, die bedrohende Person oder Institution von sich zu entfernen, »Flüchten« aber, sich selbst von dem bedrohlichen Ereignis, der bedrohlichen Person oder Institution zu entfernen. Beide Verhaltensweisen aber, stark affektbedingt, sind letztlich Panikreaktionen.

Gibt es ein *Drittes* zwischen feindseligem Anfallen und verdrücktem Ausweichen, zwischen Angreifen und Flüchten? Erasmus, wiewohl er wie die meisten Theologen nördlich der Alpen nichts hielt von der päpstlichen Unfehlbarkeit, hat in seinem »Fürstenspiegel« bei aller Kritik am Machiavellismus nicht erwähnt und auch nie geübt, was ein Thomas von Aquin – angesichts von Tyrannen – durchaus kennt und was mit vielen anderen noch der Thomist Kardinal Cajetan de Vio, mit dem es Luther im ersten Verhör zu Augsburg 1518 zu tun haben wird, in seinem Traktat über die Autorität von Papst und Konzil 1511 klar bejaht hatte: das »ius resistendi«! Aktiver Widerstand: jeder Christ habe die Pflicht, auch dem Papst ins Angesicht zu widerstehen, wenn dieser der Kirche öffentlich Schaden zufüge. Dies ergibt sich für die ganze katholische Tradition aus dem Wort, das im Zusammenhang mit dem Verhalten des Paulus gegenüber Petrus in Antiochien bereits zitiert wurde: »angesichts aller« (Luther übersetzt zu Recht: »vor allen öffentlich«) »ansprechen«, »ins Angesicht *widerstehen*«. Also weder Anfallen noch Ausweichen, sondern Widerstehen, oder wie Horst Eberhard Richter als Alternative zum Flüchten formulierte: »*Standhalten*«! Standhalten: in Treue zur christlichen Sache, unbestechlich und ohne Angst vor Repressalien.

Deshalb können Erasmus und Luther heute ökumenisch gesinnten Theologen angesichts erneuter römischer Reaktion und Restauration als historische Modellfälle dienen für das Wohl und Wehe, die Siege und die Niederlagen, kurz für »Triumph und Tragik« (St. Zweig) einer Theologie der Reform. Hier können sie ein Stück Selbsterkenntnis und Trauerarbeit, aber auch Selbsteinschätzung und Strategie betreiben – für eine ökumenische Theologie heute von eminenter politisch-praktischer und theologisch-spiritueller Bedeutung. Angesichts struktureller (geistlich-weltlicher) Gewalt auch in der Kirche verkörpern beide, Luther und Erasmus, jeder auf seine Weise, das Schicksal einer Reformtheologie, die damals wie heute – wenn der Ernstfall eintritt – in eine Zerreißprobe geraten kann zwischen kirchenspaltendem Protest und widerstrebender Anpassung. In solcher Zerreißprobe gilt:
– der *lutherischen Aggressivität*, die, ungehemmt ausgelebt und rasch eskaliert, zur Revolution führt und schließlich zur Spaltung,
– wie der *erasmianischen Flucht*, die, bei sich und anderen, zur

Resignation führt und bei vielen doch wieder zum Konformismus, – ist entgegenzusetzen das *paulinische Widerstehen* und *Standhalten*, das über temporäre loyale Opposition schließlich doch ohne Bruch zu Veränderung und Erneuerung von innen heraus führen kann. Das Zweite Vatikanische Konzil bleibt für mich Modell für grundlegende Reformen »sine tumultu«, »ohne Aufruhr«, ohne Gewalt, Spaltung und Krieg, vorbereitet und dann durchgetragen von denen, die in schwieriger Zeit zuletzt noch unter Pius XII. allen römischen Schikanen zum Trotz standgehalten haben.

Betonen möchte ich, daß dieses Widerstehen und Standhalten im Raum der Kirche keineswegs nur sozialpsychologisch, sondern spirituell zu verstehen ist. Es entspricht durchaus den spirituellen Erfahrungen vieler ökumenisch engagierter Menschen in unseren Kirchen, was Paulus formuliert hat und was auf die »Bedrängnisse« sowohl der Reformationszeit wie der Gegenwart zutrifft: »Wir wissen: Bedrängnis bewirkt Geduld, Geduld aber Bewährung, Bewährung Hoffnung. Die Hoffnung aber läßt nicht zugrundegehen« (Röm 5,3–5).

Wir sind nun vorbereitet, am Schluß die Gedanken zu bündeln und – von Erasmus und Luther zugleich belehrt – Konsequenzen für die Zukunft zu ziehen? Ich fasse zusammen:

(1) Ein ganzes Jahrzehnt lang, von 1510 bis 1520, war *Erasmus* der umstrittene, aber unanfechtbare Exponent katholischer Reformtheologie in ökumenischer Weite, der in einer Kirche lebte, die immer weniger katholisch und immer mehr römisch geworden war. Er war die überragende Führerpersönlichkeit einer *anderen* (nicht »römischen«) *Katholizität*, einer lebendigen Synthese aus humaner Universalität und evangelischer Christozentrik, ein großer Vertreter der loyalen evangelisch gesinnten Opposition in seiner Kirche aus eigener Autorität und eigener Würde. Erasmus und seine Freunde verkörperten damals die *Zweite Kraft*, die Gegenkraft zur kurial-römischen Kirche: ein Ärgernis gewiß, kritisiert und beargwöhnt, aber innerhalb der Bandbreite katholischer Reformopposition tolerabel und toleriert.

(2) Mit dem *Auftreten Luthers* aber war plötzlich alles anders geworden: Rasch, zu rasch und willkürlich, durch die ungeheure Schuld Roms und gegen den Willen des Erasmus, exkommuniziert, wurde nun in den zwanziger Jahren *Luther* mit seinen Anhängern zur *Zweiten Kraft*, zur wahren Gegenkraft gegen die Papstkirche: Des Papstes Exkommunikation war Ursache für Luthers Aggression. Noch bevor die Auseinandersetzung mit Luther innerkatholisch geführt werden konnte (wofür Erasmus, der Luther nie als Häretiker betrachtete, konstant plädierte), wurde Luther als unkatholisch gebrandmarkt. Aus der umstrittenen, aber eindeutigen und respektierten Zweiten Kraft, der erasmianischen, wurde jetzt eine ipso facto zwiespältige, zweideutige *Dritte Kraft zwischen den Fronten*, zur Äquidistanz gezwungen sowohl zu Rom wie zu Wittenberg.

(3) Daß die Auseinandersetzung mit Luther durch Roms übereiltes, unverantwortliches und unchristliches Eingreifen nicht mehr auf innerkatholischem Boden geführt werden konnte, mußte die katholische Reformtheologie in größte Schwierigkeiten stürzen. Rom zwang ihr eine Option auf, die sie gerade hatte vermeiden wollen: sich mit Rom voll konform zu identifizieren, die angeblich »katholische« Lehre integralistisch zu vertreten und zugleich die Reformanliegen in Gestalt der Reformation zu diskreditieren. In der Auseinandersetzung zwischen Papst und Luther wurden die katholischen Reformtheologen von Rom so zu einer *Irrsinnsalternative* gezwungen: Rom *oder* Wittenberg, römische Kirche oder deutsche Kirche. Die sich aber wie Erasmus weder mit Rom noch mit Wittenberg, weder mit römischer noch mit deutscher Kirche total identifizieren konnten und wollten, mußten in der Stunde der Wahrheit »flüchten«. Und auf dieser Flucht verlor die Dritte Kraft schließlich alles, was sie hatte: ihre Kraft. Die erasmianische Reformbewegung ging unter, sosehr die erasmianischen Reformideen sich untergründig erhielten und in der Aufklärung ihre Wiederkehr feierten – für die katholische Kirche, mit der bekannten Phasenverschiebung erst im Vatikanum II, das nun schließlich doch Volkssprache im Gottesdienst, Laienkelch und vieles mehr, 450 Jahre zu spät, zugestand.

(4) Dies ist nun aber *heute* der *Ernstfall* speziell der katholischen Theologie: Solange sie sich systemimmanent verhält, solange sie Pastoral statt Programmatik betreibt, subjektive Gewissensforschung statt objektive Grundlagenforschung, solange sie fragt und nicht hinterfragt, interpretiert und adaptiert statt analysiert und konfrontiert, solange sie dialektisch Widersprüche versöhnt statt durch Entschiedenheit aus der Welt zu schaffen, solange sie Oberflächenkosmetik statt radikale Kritik betreibt, solange sie für ungefährliche, die Autoritäts- und Machtstruktur nicht gefährdende Reformen plädiert, solange sie in »politischer Theologie« das innerkirchliche Reformpotential nach außen, auf die Gesellschaft, ableitet: solange wird sie von den Hierarchen zugelassen, geduldet, bisweilen gehätschelt und zu Kommissionen, Konferenzen, Katholikentagen und gar nach Rom geladen. Dann darf sie für Päpste und Bischöfe als »Holy-Ghost-writer« fungieren, darf auf folgenlosen Synoden folgenreiche Papiere erarbeiten, darf mutige Vorlagen machen, über die wenig mutige Bischöfe und Kurie befinden, darf wissenschaftliche Gutachten schreiben und Expertisen erstellen, ja, sie darf schließlich sogar Katechismen verfassen, die freilich allesamt systemkonform zu sein haben ... Der Ernstfall? Nein, der Ernstfall ist dies alles nicht, bestenfalls die Spielwiese katholischer Theologie.

Der Ernstfall tritt dann ein, wenn es ein katholischer Theologe wagt, der Katze die Schelle umzuhängen, die Wahrheit in Wahrhaftigkeit zu fordern, mit der Grundlagenforschung eine Grundlagenänderung zu betreiben, das System und seine Ansprüche zu testen und gut paulinisch »öffentlich ins Angesicht zu widerstehen« und einen »Wandel nach der Wahrheit des Evangeliums« zu fordern – selbst wenn er dafür mit dem Ausschluß aus der Gemeinschaft katholischer Theologen offiziell bestraft wird. Dann, ja dann geht es plötzlich nicht nur für ihn, sondern für alle katholischen Theologen um Kopf und Kragen, geht es um die Entscheidungsfrage nach der eigenen Zugehörigkeit angesichts des Dilemmas zwischen kirchlicher Amtsanmaßung und dem Eigenrecht der Theologie. Dann geht es um die Grundfragen: Reden oder Schweigen? Standhalten oder Flüchten? Wer bestimmt, was ein katholischer Theologe ist? Wer legt fest, was innerkatholisch legitim und was illegitim ist?

Wer hat das Recht zu zensurieren, zu exkommunizieren? Und was bedeutet das Recht zu widerstehen, das »ius resistendi«, »the right to dissent«? Die Geschichte zeigt, daß Rom – nach Phasen zugelassener liberaler Teilidentifikation – katholische Theologen immer wieder mit dieser Irrsinnsalternative (entweder in allem konform mit Rom – oder nicht katholisch) erpreßt und zur Totalidentifikation gezwungen hat. Die Geschichte zeigt aber auch, daß Rom nach manchen gewonnenen Schlachten doch den Krieg verlor und – von Luther und Galilei bis zum Vatikanum II – sich schließlich und endlich doch immer wieder von der Geschichte hat korrigieren lassen müssen. »Historia docet«: ob man je aus der Geschichte lernen wird? Die Ketzerprozesse des 16. (Luther) und 17. (Galilei) Jahrhunderts versucht die römische Kurie heute ohne allzu deutlichen Gesichtsverlust zu revidieren, die Ketzerprozesse des 20. Jahrhunderts aber führt sie – mit wenig verfeinerten Methoden – weiter.

(5) In der theologischen Landschaft der Gegenwart sind die Fronten längst nicht mehr mit den Linien zwischen Rom, Wittenberg und Basel identisch. Die Lage ist differenzierter geworden, Fronten und Lager überschneiden sich. Einerseits macht die vor allem seit dem 19. Jahrhundert erfolgte kirchliche Bürokratisierung, Zentralisierung und zugleich Sakralisierung Kritik und Reform eher noch schwieriger als zuvor. Andererseits hat sich die volkskirchliche Basis, das geschlossene kulturelle Milieu des Katholizismus – Voraussetzung für eine erfolgreiche Restauration des zentralistisch-bürokratischen Herrschaftssystems heute – weithin aufgelöst. Die *Grundhaltung ökumenischer Theologie katholischer oder evangelischer Provenienz,* die die Interdependenz zwischen Befreiung in der Welt und Befreiung in der Kirche, zwischen Menschenrechten und Christenrechten erkannt hat, läßt sich so skizzieren:

– Mit *Erasmus und Luther* teilt eine ökumenische Theologie die *Distanz* zum römischen System, seinem Juridismus, Triumphalismus, Konformismus, Integralismus, Infallibilismus. Es wird gegenwärtig wieder überall auf der Welt restauriert. Mit konservativen Bischofsernennungen will man gegen Basisbewegungen angehen, mit Staatskirchenrecht (in Deutschland) unbotmäßige Kindergärtnerinnen und Religionslehrer, Krankenschwestern und Ärzte,

Kapläne und Pfarrer, Doktoranden, Habilitanden und Professoren disziplinieren und so einen Kirchenstaat im Staat etablieren. Integralistische Geheimorganisationen aus der Ära des Diktators Franco wie das »Opus Dei« genießen allerhöchste Gnade und Förderung; kuriale Finanzskandale, welche die damaligen (mit deutschen Bischöfen und den Fuggern) weit übersteigen, können nicht dementiert werden. Nein, Desiderius Erasmus würde heute – käme er wieder – im gegenwärtigen Pontifex ex Polonia kaum einen Erasmianer erkennen (vom Nachfolger des Großinquisitors Carafa ex Bavaria ganz zu schweigen).

– Mit *Luther*, aber anders als Erasmus, fordert ökumenische Theologie die Notwendigkeit theologischer *Grundlagenklärung*: jener typisch »römisch-katholischen« Ansprüche, jenes Dogmatismus, Papalismus und Marianismus, der weder im Neuen Testament noch in der alten Kirche, sondern in Mittelalter, Gegenreformation oder 19. Jahrhundert zu Hause ist.

– Mit *Erasmus*, aber anders als für Luther, ist eine *Kirchenspaltung* für eine ökumenische Theologie keine Option mehr. Der Spaltungen und der Spaltungen der Spaltungen sind genug! Wo Kirchenspaltung in unserer Zeit auf dem Spiel stand (Holland), ist sie zum Nutzen aller Beteiligten – von den Betroffenen selbst, freilich mit großen Opfern – abgewehrt worden. Und was den heutigen Protestantismus angeht: Die Attraktivität vieler »leitender« Nachfolger Martin Luthers besonders in Deutschland ist gegenwärtig kaum dazu angetan, katholische Reformtheologen in die Versuchung einer Konversion zu bringen. Eine zweite »Kraft« gegenüber Rom sind die bürgerlichen Erben des Reformators heute kaum noch; haben doch die protestantischen Kirchenleitungen allen Protest kritischen Katholiken überlassen: Protestloser Protestantismus posiert gerne mit dem Pontifex zum – photographieren ... Mit den römisch-katholischen Machthabern ein sehr fragwürdiges pseudoökumenisches Macht-Kartell, immer eins, wenn es um gemeinsame Interessen (Kirchensteuer) und Forderungen an Staat und Gesellschaft geht (Geld und Moral), aber nie eins, wenn es – nach bald 500 Jahren – um das Erleichtern der kirchlichen Lasten auf den Schultern der Menschen geht: um Mischehen, Geschiedene und zölibatäre Priester, um die Abschaffung der Hindernisse und die Aufhebung der Exkommunikation zwischen den Ortskirchen und die endliche Wiederherstellung der Communio (Zulassung gemeinsamer Abendmahls- oder Eucharistiefeiern und deshalb auch ökumenischer Treffen und Kirchentage wie Augsburg Pfingsten 1971!). Heilige, nein, unheilige, unökumenische Allianz! Widerstandsarbeit, zäh und entschlossen, ist geboten gegen die erneute Verengung und Verängstigung, Entmündigung und Verdummung[30].

Was wir heute mehr denn je brauchen, ist eine Theologie und Kirche, die das Beste von Luther *und* Erasmus lebendig zur Gestaltung bringen: Martin Luthers prophetische Kraft, aber ohne Fanatismus und Aggressivität. Zugleich des Erasmus universelle Offenheit und friedliebende Toleranz, aber ohne neutrale Unentschiedenheit und Fliehen von Engagement und Risiko.

Eine ökumenische Grundhaltung also, die in der je anderen Theologie und Kirche auf keinen Fall mehr den Gegner, sondern den Partner sieht. Eine ökumenische Theologie, die statt auf Trennung auf Verständnis aus ist. Verständigung nach zwei Richtungen: *ad intra* (was für den Reformator Luther die Perspektive war) im Bereich der zwischenkirchlichen, innerchristlichen Ökumene; aber auch (wofür der Humanist Erasmus ein besonderes Sensorium hatte): Verständigung *ad extra* im Bereich der außerkirchlichen, außerchristlichen Weltökumene mit ihren verschiedenen Kulturen, Wissenschaften und Religionen. Und dies alles durchaus zum Dienst an der *Sendung* der Kirche in dieser Gesellschaft; denn keine ökumenische Kirche ohne eine ökumenische Theologie! Solange indessen ein solches Fernziel nicht erreicht ist, mag uns zum Trost ein Satz gelten, den Erasmus in seiner Replik an Luther ein Jahrzehnt vor seinem Tod geschrieben hat: »Fero igitur hanc Ecclesiam donec videro meliorem: et eadem me ferre cogitur, donec ipse fiam melior«. Auf deutsch: »Ich ertrage also diese Kirche, bis ich eine bessere sehe, und sie ist gezwungen, mich zu ertragen, bis ich selber besser werde.«[30]

II. Die Bibel und die Tradition der Kirche

Unbewältigtes zwischen Katholizismus, Protestantismus und Orthodoxie

Die bekannten Arrangements im Museum des theologischen Geistes sollen hier neu beleuchtet werden. Der welthistorische Kampf um die *Reformation der Kirche* war grundlegend ein Kampf um den Primat der Heiligen Schrift gegenüber der kirchlichen Tradition. Luther und Erasmus haben das deutlich gemacht. Anderthalb Jahrtausende Kirchengeschichte hatten der Kirche des Westens noch mehr als der des Ostens, die in der altkirchlich-byzantinischen Gesamtkonstellation, im hellenistischen Paradigma verblieben war, eine ungeheure Masse mehr oder weniger verbindlicher Traditionen in Kirchenlehre, Kirchenliturgie und Kirchendisziplin beschert – von den Ablässen und der Anrufung ungezählter »Heiliger« angefangen bis hin zur Behauptung der Einsetzung einer Beichte, eines Ehesakraments, einer Priesterweihe und eines römischen Jurisdiktionsprimats durch Jesus Christus selber.

In zahllosen Glaubensbekenntnissen, konziliaren, bischöflichen und päpstlichen Dokumenten, theologischen Bibelkommentaren und Handbüchern, Gottesdienstformularen und Heiligenlegenden hatte sich diese »mündliche Tradition« niedergeschlagen. Zustände und Mißstände, Bräuche und Mißbräuche aller Art, die das ganze Leben sowohl der Gemeinden wie der einzelnen von der Wiege bis zum Grab und vom Morgen bis zum Abend regelten: Nach Luther eine »babylonische Gefangenschaft der Kirche«, aus der es nur eine Befreiung geben kann: Rückkehr zu den christlichen Ursprüngen, zum Evangelium Jesu Christi selber, wie es sich glücklicherweise ein für allemal schriftlich in den Dokumenten des Neuen Testaments niedergeschlagen hat. »Sola Scriptura«, »allein die Schrift« also als *oberste Norm* für kirchliches Dogma und Ethos, für Gottesdienst, Kirchenrecht und Volksfrömmigkeit. Angesichts des im Mittelalter aufgebauten gewaltigen Kirchengebäudes hatte *Luthers Forderung nach dem Primat der Schrift* faktisch – nachdem sich der Papst als Herr des Hauses dieser Forderung von vornherein total verschloß – revolutionäre Wirkung. Sie führte so – aufgrund der Reformunwilligkeit Roms, aber auch der Maßlosigkeiten und des Fanatismus Luthers – zur zweiten großen Kirchenspaltung, die auch ein Erasmus nicht verhindern konnte: nach der zwischen Ost- und Westkirche jetzt auch (vereinfacht gesagt) zwischen dem protestantischen Norden und dem katholischen Süden, quer durch Deutschland, durch Europa, dann auch die Neue Welt.

1. Schrift »und« Tradition: die katholische Antwort auf Luther

Von Spanien und Italien ging die Gegenreformation aus, die – nach anfangs versöhnlichen Tendenzen im Sinne des Erasmus von Rotterdam – immer mehr zu einer reaktionären Bewegung wurde, die primär die Restauration des mittelalterlichen Status quo ante zum Ziel hatte. In der Kirchenversammlung von Trient (im heutigen Südtirol) hat sie ihre kirchenhistorische, kirchenrechtliche Kodifizierung erfahren. Durchaus logisch legte das Konzil bereits im ersten Dekret 1546 (im Todesjahr Luthers) die *Gleichrangigkeit von Schrift und Tradition* lehramtlich fest, was Karl Barth in unserem Jahrhundert »das verdammte katholische Und« genannt hat: »Die heilige Kirchenversammlung weiß, daß diese Wahrheit und Ordnung erhalten ist in den geschriebenen Büchern *und* (»et!«) den ungeschriebenen Überlieferungen ... « Daraus folgt: »Mit gleicher frommer Bereitschaft und Ehrfurcht« (»pari pietatis affectu ac reverentia«) wie die Bücher des Alten und Neuen Testaments seien anzuerkennen und zu verehren »die Überlieferungen, die Glauben und Sitte betreffen«.[1]

Nun war es aber für die alte und mittelalterliche Exegese noch selbstverständlich, daß alle Glaubens- und Sittenwahrheiten der Kirche in zumindest eingeschlossener Weise (implizit) in der Bibel enthalten seien: die Schrift als »divinae traditionis caput et origo«. Nach dem Konzil von Trient aber haben einflußreiche Theologen wie Petrus Canisius und Robert Bellarmin als Auffassung des Konzils verbreitet, die göttliche Offenbarung sei *»teils«* (»partim«) in der Schrift – *»teils«* (»partim«) in der Tradition enthalten. Und genau dies sollte nach der Absicht der römischen Kurie und ihrer Hoftheologen auf dem Zweiten Vatikanischen Konzil möglichst genau definiert werden. Doch: wie verhält es sich mit jenem bequemen »teils in der Schrift, teils in der Tradition«, womit sich leicht alle römischen Bräuche und Mißbräuche rechtfertigen lassen?

Schon vor dem Zweiten Vatikanum hatten katholische Theologen – zuerst der Spanier E. Ortigues und dann vor allem der Tübinger J. R. Geiselmann – aufgewiesen, daß das »teils – teils« ein glattes Mißverständnis des Trienter Dekrets darstellt. Aus den Akten läßt sich nämlich erhellen, daß die Teils-teils-Formulierung gestrichen und durch ein *»und«* (»et«) ersetzt wurde, und zwar auf den Einwand von Konzilvätern hin, die der Überzeugung waren, die ganze evangelische Wahrheit sei in der Bibel niedergelegt, und nicht etwa nur ein Teil von ihr. Das heißt: die inhaltliche Unvollständigkeit der Heiligen Schrift ist in keiner Weise vom Trienter Konzil approbiert worden, sondern stellt – wenn wir von Melchior Cano als einem vereinzelten vortridentinischen Theologen absehen – eine gegenreformatorische Zuspitzung der römischen Kontroverstheologie dar. Dagegen läßt sich durchaus der Standpunkt vertreten: Die verschiedenen kirchlichen Dokumente und Monumente der Tradition – Glaubenssymbole, päpstliche, konziliare und bischöfliche Entscheidungen, Werke der Kirchenväter und Theologen, Katechismen, Liturgie, kirchliche Frömmigkeit und Kunst – sind zu verstehen als Instrumente der Interpretation der ursprünglichen biblischen Botschaft. Nicht mehr und nicht weniger.

2. Schrift »oder« Tradition: schwacher Kompromiß des Vatikanum II

Es ist ein Problem von größter praktischer Tragweite, daß das Vatikanum II – 400 Jahre nach Trient! – sich noch immer nicht imstande sah, das Verhältnis von Schrift und Tradition, welches die theologische Forschung gerade in unserem Jahrhundert eingehend untersucht hat, klar und sauber zu bestimmen, auch nicht in seiner Offenbarungskonstitution »Dei Verbum« 1965. Ganz unter dem Eindruck jener ungeschichtlichen, gegenreformatorischen Auffassungen und aus durchsichtigen kirchenpolitischen Interessen hatte die kuriale Vorbereitungskommission des Konzils jene *Zwei-Quellen-Theorie* von Schrift *und* Tradition vertreten. Zu mehr als einem Kompromiß kam es leider auch auf dem Konzil selbst nicht. Denn das Konzil ließ unter dem Druck der kurialen Minderheit, die den konziliaren Apparat beherrschte, die Verhältnisbestimmung von Schrift und Tradition schließlich offen: »In Schrift *oder* (»vel«) Tradition« sei die Offenbarung niedergelegt, heißt es jetzt im Text.

Man empfand es als »Fortschritt«, was kaum ein Fortschritt war: Schrift und Tradition, statt getrennt, nun so nah wie möglich zusammenzubringen und in eins münden zu lassen – ungefähr so wie in moderner Ausführung Warm- und Kaltwasser durch einen Hahn auslaufen. Dies erlaubt ein Mischen, das im Alltag recht praktisch sein mag, in Theologie und Kirche aber schädlich ist: Was die Schrift nicht hergibt, muß die Tradition ergeben. Für beides aber funktioniert als der konkret (»proxime«) bestimmende Mund das kirchliche Lehramt – faktisch unkontrolliert. Denn dieses verkündet selbstherrlich, was in der Tradition verbindlich und wie die Schrift zu verstehen ist – bis hin zu den neuesten Marien- und Papstdogmen. In der Offenbarungskonstitution wird dieses ungeklärte theologische Problem mit einer *quasitrinitarischen Formel* eher verschleiert. Unter Lobpreis einer selbstfabrizierten Harmonie (was im Lateinischen noch wohlklingender tönt als im Deutschen) wird die »Norma normans«, die Schrift also in ihrer alles normierenden Funktion, mit Berufung auf Gottes weisen Ratschluß faktisch überspielt: »Es zeigt sich also, daß die heilige Überlieferung, die Heilige Schrift und das Lehramt der Kirche gemäß dem weisen Ratschluß Gottes so miteinander verknüpft und einander zugesellt sind, daß keines ohne die anderen besteht und daß alle zusammen, jedes auf seine Art, durch das Tun des einen Heiligen Geistes wirksam dem Heil der Seelen dienen« (Art. 10).

So litt denn das Vatikanum II vom ersten bis zum letzten Tag darunter, daß die *Frage, was oberstes Kriterium* für das Lehramt, was letzte und oberste Norm für die Erneuerung der Kirche sei, *unentschieden* geblieben war. Daß »das Lehramt nicht über dem Wort Gottes (ist), sondern ihm dient« (Art. 10), bleibt insofern zweideutig, als »Wort Gottes« hier nicht allein die Schrift, sondern Schrift *und* Tradition (also auch die päpstlichen Verlautbarungen) meint, so daß der Circulus vitiosus nicht durchbrochen wird. Ja, die gesamte katholische Theologie und Praxis leidet bis heute darunter. Nutznießer des konziliaren Kompromisses war einmal mehr jener Machtkomplex, der eine Entscheidung zugunsten des Neuen Testaments aus begreiflichen Gründen zu verhindern trachtete: die römische Kurie, ihr Lehramt und Kirchenrecht. Wer es als Konzilstheologe täglich miterlebt hat, dem mußte es als ein leeres Ritual erscheinen, daß in jede Konzilssitzung ein großes kostbares Evangeliar in feierlicher Prozession mit Kerzen durch die ganze Peterskirche getragen und am Altar aufgestellt wurde. Ein Trost war nur, daß man im letzten Kapitel jener Offenbarungskonstitution schließlich doch nicht die Tradition und nicht das Lehramt, sondern eben *allein die Schrift* als *»die Seele der Theologie«* bezeichnet hat. Man kann dieses Wort nicht genug zitieren.

3. Schrift – wortwörtlich: Unfehlbarkeit auf protestantisch

Wer solch römisch-katholischen Kompromiß so offen kritisiert, steht der nicht in Gefahr, ins protestantische Lager überzusiedeln und protestantische Maßstäbe und Denkmodelle zu verabsolutieren? Kaum! Denn die im Laufe der protestantischen Theologie und Kirchengeschichte erfolgte Ablösung des römischen Lehramtes durch das »Lehramt« der Bibel erzwingt ebenso kritische Rückfragen. Ist nicht vielfach an die Stelle der Infallibilität (Unfehlbarkeit) des römischen Bischofs oder des ökumenischen Konzils die Infallibilität eines »papierenen Papstes« getreten?

Der katholischen Betonung der Tradition und der Unfehlbarkeit bestimmter kirchlicher Sätze hatte man im Protestantismus schon früh eine Unfehlbarkeit der Sätze der Bibel entgegengestellt. Aber durch die antikatholische Polemik wurde auch hier die Problemstellung schief. Die Reformatoren hatten in ihrem Kampf gegen die überkommenen Traditionen der Kirche noch nicht die Unfehlbarkeit der Schrift, sondern die Sache der Schrift ins Feld geführt. Calvin hatte philologische und historische Kritik geübt, Luther gelegentlich (vor allem am Jakobusbrief oder an der Apokalypse) auch Sachkritik nicht gescheut. Die lutherische und reformierte Orthodoxie aber baute im 17. Jahrhundert die von den Reformatoren wie vom Konzil von Trient zwar geteilte, aber nicht forcierte Inspirationsauffassung systematisch zu einer wortwörtlichen Inspiration, zu einer *Verbalinspiration* der Schrift aus.

Die Folgen? Die Offenbarung wird jetzt identifiziert mit der damaligen, einmaligen, im biblischen Autor durch den Heiligen Geist sich ereignenden Wirkung des Schriftwortes. Der Verfasser der biblischen Bücher wird so zu einem ungeschichtlich-schemenhaften Wesen, durch das der Heilige Geist unmittelbar alles diktiert. Jedes Wort der Schrift hat somit Teil an der Vollkommenheit und Irrtumslosigkeit Gottes selbst! Was heißt: menschliche Unvollkommenheit und Irrtumsfähigkeit sind gänzlich ausgeschaltet. Denn: Unvollkommenheit und Irrtum müßten ja dem Geist Gottes selber, der nicht täuschen und sich nicht täuschen kann, angelastet werden. So wird die Inspiration und daraus abgeleitet die Irrtumslosigkeit (Inerranz) der Schrift in rigoroser Systematik auf alle einzelnen Worte der Bibel ausgedehnt: *Verbalinspiration fordert die Verbalinerranz.* Eine Lehre, noch heute vertreten – aber noch heute gültig?

Bekanntlich wurde die Theorie von Verbalinspiration und Verbalinerranz durch die Aufklärung zutiefst erschüttert. Die historisch-kritische Fragestellung, mit der man nun auch an die biblischen Bücher heranging, hatte deren echte Menschlichkeit und Geschichtlichkeit ans Licht gebracht. Auch die Irrtumsfähigkeit der biblischen Verfasser wurde dabei mehr als deutlich. Doch gegen diese unbestreitbare Einsicht kann man sich abschotten und abkapseln: Die Idee einer Verbalinspiration hat sich nicht nur in zahlreichen Sekten, sondern auch in manchen protestantischen Kirchen, vor allem im modernen amerikanischen Fundamentalismus und in manchen Strömungen des europäischen Pietismus durchgehalten: »Bibelgläubige« statt »Christgläubige«! *Der Biblizismus ist eine ständige Gefahr der evangelischen Theologie geblieben.* Eigentlicher Grund des Glaubens ist nicht mehr die christliche Botschaft, ist nicht mehr der verkündigte Christus selber, sondern das infallible Bibelwort als solches. Wie manche Katholiken weniger an Gott und seinen Christus als an »ihre« Kirche und »ihren« Papst glauben, so glauben viele Protestanten an »ihre« Bibel. Der Apotheose der Kirche entspricht die Apotheose der Schrift!

Was aber ist zur Inspirationslehre aus heutiger kritischer ökumenischer Sicht zu sagen? Zunächst läßt sich nicht übersehen, daß die Inspirationslehre eine alte Tradition hinter sich hat und – von hellenistischen Inspirationstheorien beeinflußt – schon in der alten Kirche ausgebildet wurde: Die biblischen Autoren, gleichsam die Sekretäre des diktierenden Heiligen Geistes, als derart »Inspirierte«, verglich man bisweilen sogar mit der (willenlosen) Flöte des Flötenspielers. Es war dann vor allem Augustin, der den Menschen nur als Werkzeug des Heiligen Geistes sah: Der Geist allein bestimme Inhalt und Form der biblischen Schriften. Es könne deshalb nicht anders sein, als daß die ganze Bibel von Widersprüchlichkeiten, Fehlern und Irrtümern frei sein müsse. Und wenn nötig, muß sie eben vom Interpreten durch Harmonisierung, Allegorese oder Mystifizierung von allem Widersprüchlichen frei gehalten werden! Augustins Einfluß blieb durch das Mittelalter hindurch bis in die Neuzeit hinein bestimmend. So erklärte auch Trient die Bücher der Bibel und der Traditionen als »entweder mündlich von Christus oder vom Heiligen Geiste diktiert«[2].

4. *Inspiriert, also irrtumslos? Das Vatikanum II und die Bibel*

Freilich: von Irrtumslosigkeit der Bibel als Folge der Inspiration ist in Trient nicht die Rede. Denn Verbalinspiration wurde nur im Protestantismus mit rigoroser systematischer Konsequenz behauptet und durchdacht. Erst gegen Ende des 19. Jahrhunderts machten sich die römischen Päpste diese protestantische Lehre zunutze, um – unter dem Eindruck einer »destruktiven« historisch-kritisch ansetzenden Exegese – ihre eigene Politik zu machen. Eine bemerkenswerte Phasenverschiebung. Noch das Vatikanum I (1870), das von einer Inspiration der biblischen Schriften spricht (»unter der Inspiration des Heiligen Geistes geschrieben, haben sie Gott als Urheber«), macht hier eine eher indirekte und zurückhaltende Anmerkung: Die biblischen Schriften würden »die Offenbarung (!) ohne Irrtum enthalten«[3]. Doch seit Leo XIII. und insbesondere in Abwehr des Modernismus wurde in päpstlichen Verlautbarungen die völlige und absolute Irrtumslosigkeit der Schrift, selbst in historischen und naturwissenschaftlichen Dingen, immer wieder explizit und programmatisch verteidigt.

Wer das Zweite Vatikanische Konzil als Konzilsperitus mitgemacht hat, weiß, daß die kuriale Vorbereitungskommission des Schemas über die Offenbarung dem Konzil auch diese Auffassung aufdrängen wollte. Im ursprünglichen Entwurf dieser Vorbereitungskommission konnte man denn auch von einer »*absoluten Irrtumslosigkeit der ganzen Heiligen Schrift*« lesen, die auf den ganzen religiösen und profanen Bereich ausgedehnt und obendrein noch als alte und konstante Überzeugung der Kirche bezeichnet wird. Glücklicherweise hat das Konzil in seiner ersten Session 1962 diese theologische Konstruktion mit überwältigender Mehrheit abgelehnt. Von Johannes XXIII. in einer persönlichen Intervention von der Tagesordnung abgesetzt, wurde das Schema über die Offenbarung jedoch – nach dem allzu frühen Tod dieses ersten großen ökumenischen Papstes – von seinem lavierenden Nachfolger Paul VI. zur Überraschung aller erneut auf die Tagesordnung der dritten Session gesetzt.

Es lohnt sich, den Veränderungen im einzelnen nachzuspüren, die dieses Schema in der dritten Konzilssession erfahren hat. In der Frage der *Inspiration* bedeutete diese Session zweifellos einen *Wendepunkt*. Die ursprünglich langen sechs Artikel waren nun zu einem einzigen kurzen Artikel zusammengezogen worden: nicht (apologetisch) Inerranz, sondern (konstruktiv) Inspiration wurde zur Kapitelüberschrift. Der jeweilige Verfasser der neutestamentlichen Schriften (»Hagiograph«) wird nicht mehr als »Instrument« Gottes, sondern als »wahrer Autor« bezeichnet, Gott nicht mehr als der »hauptsächliche Autor«, sondern einfach als »Autor«. Theologische Beobachter und Interpreten des Konzils haben deshalb recht mit ihrer Beobachtung, daß das Vatikanum II keinerlei Ausschaltung, Hemmung oder Ersetzung der menschlichen Aktivität bei den »Hagiographen« gelehrt haben wollte. Ein Zurück zu alten Theorien von Verbalinspiration sollte vermieden werden und damit auch jede Form einer unpersonalen, mechanistischen Deutung der Entstehung der Schrift.

Für die Frage der *Irrtumslosigkeit* der Schrift war die Rede des Wiener Kardinals Franz König über konkrete *Irrtümer in der Heiligen Schrift* grundlegend. König wies freimütig darauf hin, »daß in der Heiligen Schrift die historischen und naturwissenschaftlichen Angaben bisweilen von der Wahrheit abweichen (a veritate quandoque deficere)«. Beispiele? Mk 2,26 zufolge hätte David unter dem Hohenpriester Abiathar das Haus Gottes betreten und die Schaubrote gegessen; in Wahrheit freilich geschah dies gemäß 1 Sam 21,1 ff. nicht unter Abiathar, sondern unter dessen Vater Abimelech. Oder in Mt 27,9 werde die Erfüllung einer Prophetie des »Jeremias«berichtet, die aber in Wahrheit eine Prophetie des Zacharias (11,13) sei, und so weiter. Kardinal König wollte, daß über die Frage der Irrtumslosigkeit »aufrichtig, unzweideutig, ungekünstelt und furchtlos geredet werde«. Denn ein Abweichen von der Wahrheit in historischen und naturwissenschaftlichen Fragen gefährde die Autorität der Schrift keineswegs. Gott nehme vielmehr den menschlichen Autor mit all seinen Schwächen und seinen Versehen an – und komme dennoch zum Ziel: den Menschen die »Wahrheit« der Offenbarung zu lehren.

Unter dem Einfluß der stark kurial besetzten theologischen Kommission ging das Konzil selbst freilich auch in diesem Fall einen schwachen *Kompromiß* ein. Eine klare Lösung wäre gewesen – nach dem Vorschlag Königs – den Ausdruck »ohne jeden Irrtum« (»sine ullo errore«) *wegzulassen* und dafür positiv zu formulieren, daß die biblischen Bücher »die Wahrheit unversehrt und unerschütterlich (integre et inconcusse) lehren«. Die Kommission aber nahm die beiden positiven Worte (»firmiter et fideliter«), die ihr paßten, auf und ließ das »ohne jeden Irrtum« stehen! Nur daß man statt »ohne jeden Irrtum« (»sine ullo errore«) jetzt nur noch »ohne Irrtum« (»sine errore«) sagte! Ob man solches Reden »aufrichtig, unzweideutig, ungekünstelt und furchtlos« nennen kann? In Artikel 11 der Offenbarungskonstitution heißt es jetzt: »Da also alles, was die inspirierten Verfasser oder Hagiographen aussagen, als vom Heiligen Geist ausgesagt zu gelten hat, ist von den Büchern der Schrift zu bekennen, daß sie *sicher, getreu und ohne Irrtum* die Wahrheit lehren, die Gott um unseres Heiles willen in heiligen Schriften aufgezeichnet haben wollte« (Kursivierungen vom Vf.). Anders gesagt: Wie die Verhältnisbestimmung von Schrift und Tradition, so harrt auch das Problem von Inspiration und Inerranz einer konstruktiven theologischen Lösung in ökumenischem Geist. Jedenfalls:

Nachdem das Konzil in feierlicher Weise in Artikel 12 der Offenbarungskonstitution die *Notwendigkeit der historisch-kritischen Auslegung der Schrift* bejaht und sie dem Exegeten zur Pflicht gemacht hat, dürfte es noch schwieriger sein, an den überholten Vorstellungen von Verbalinspiration und Verbalinerranz festzuhalten.

5. *Die ökumenische Lösung: Schrift als Zeugnis der Offenbarung*

Wie aber kann in ökumenischem Geist vom Verhältnis von Schrift und Offenbarung gesprochen werden? Ich gehe davon aus, daß über zwei Grunderkenntnisse heute unter informierten katholischen und evangelischen Christen Einmütigkeit besteht:

(1) *Keine historisch-anthropologische Reduzierung der Schrift.* Es ist ein ernstzunehmendes *Anliegen* der alten Inspirationslehre, der Erkenntnis zum Durchbruch zu verhelfen: Gott selber handelt durch das Menschenwort der biblischen Schriften an den Glaubenden; er läßt dieses Menschenwort in der Verkündigung Werkzeug seines Geistes sein und bewegt so zum Glauben.

(2) *Ernstnehmen der historisch-anthropologischen Relativität der Schrift.* Es ist die *Grenze* jeder Inspirationslehre, daß die biblischen Schriften zugleich ganz und gar menschliche Schriften von menschlichen Verfassern sind. Sie müssen an ihren Gaben und Beschränktheiten, Erkenntnis- und Irrtumsmöglichkeiten gemessen und relativiert werden, so daß Irrtümer verschiedenster Art nicht von vornherein ausgeschlossen werden können.

Sind beide Einsichten überhaupt versöhnbar? Nur dann, wenn man erkennt, daß Gott auch auf krummen Zeilen gerade schreibt und seine Ziele ohne alle Vergewaltigung der Menschen durch *die Menschlichkeit und Geschichtlichkeit hindurch* erreichen kann.

Nur durch alle menschliche Gebrechlichkeit und die ganze geschichtliche Bedingtheit und Beschränktheit der biblischen Verfasser hindurch, die oft nur in stammelnder Sprache und mit unzureichenden Begriffsmitteln zu reden vermögen, geschieht es, daß Gottes Anruf, wie er im Volk Israel und schließlich in Jesus laut geworden ist, wahrhaft gehört, geglaubt, verstanden und verwirklicht wird.

Wie also wäre *Inspiration* schrift- und zeitgemäß zu verstehen? Wie es falsch wäre, die Wirkung des Gottesgeistes in der Kirche (im Sinne einer »assistentia«) auf irgendwelche bestimmte Definitionsakte eines Papstes oder Konzils zu fixieren, so falsch wäre es, sie bei der Heiligen Schrift (im Sinn einer »inspiratio«) auf irgendwelche bestimmte Schreibakte eines Apostels oder biblischen Schriftstellers zu begrenzen. Der *gesamte* Ablauf der Entstehung, Sammlung und Überlieferung des Wortes, der gesamte Vorgang der gläubigen Aufnahme und der verkündigenden Weitergabe der biblischen Botschaft steht – für die Glaubenden! – unter der Führung und Fügung des Geistes. Anders gesagt: Inspiration wird nur dann richtig verstanden, wenn nicht nur die Geschichte der Niederschrift, sondern die gesamte Vorgeschichte und Nachgeschichte der Schrift als vom Geist »inspiriert« verstanden wird: nicht vom Geist diktiert, sondern *geistdurchwirkt* und *geisterfüllt*. Nicht um ein Mirakel geht es, wie etwa beim Koran, der – so die traditionelle Auffassung – als ein heiliges, irrtumsfreies Buch mit lauter infalliblen Sätzen vom Himmel (durch Engel) dem Propheten direkt geoffenbart wurde: ein Buch, das somit wörtlich akzeptiert werden muß und deshalb nicht einmal interpretiert und kommentiert werden darf. Bevor man die Bibel in die Hände nimmt, muß man nicht die Hände waschen. Nirgendwo beanspruchen die Schriften des Neuen Testaments, direkt vom Himmel gefallen zu sein, vielmehr betonen sie des öfteren ganz unbefangen ihre menschliche Herkunft (neben den apostolischen Briefen besonders aufschlußreich bezüglich der Entstehung der Evangelien Lk 1,2). Und wenn sich die Zeugen schon vom Heiligen Geist bewegt wissen, dann wird den Hörern oder Lesern gegenüber nicht etwa ein anzuerkennender Inspirationsakt geltend gemacht, sondern es wird schlicht vorausgesetzt, daß jedes Empfangen und Verkündigen des Evangeliums von vornherein »im Heiligen Geist« geschieht (1 Petr 1,12; 1 Kor 7,40).

Die Offenbarung des Alten und Neuen Testaments kann also auf keinen Fall einfach mit der Schrift identifiziert werden: *Die Schrift ist nicht Offenbarung, sie bezeugt Offenbarung*: Sie ist Offenbarungs-Zeugnis. Nur indirekt und verborgen ist Gott hier am Werk. Nur im *Glauben* wird das verkündigte Evangelium als in Wahrheit Gottes eigenes Wort an die Menschen erfahren (vgl. 1 Thess 2,13). Aber wenn Menschlichkeit, Eigenständigkeit und Geschichtlichkeit der biblischen Schriftsteller gewahrt werden, dürfen *ihre* Schriften als Zeugnis des Wortes *Gottes* verstanden werden. Die Wirkung des Geistes schließt weder Mängel noch Fehler, weder Verhüllung noch Vermischung, weder Beschränktheit noch Irrtum aus. Die neutestamentlichen Zeugnisse sind weder gleichmäßig noch gleichwertig. Es gibt hellere und dunklere, deutlichere und undeutlichere, stärkere und schwächere, ursprünglichere und abgeleitete Zeugnisse. Zeugnisse, die divergieren, kontrastieren und sich teilweise widersprechen können. Zusammengehalten werden sie durch das Grundzeugnis, daß Jesus Christus den an uns handelnden Gott geoffenbart hat.

6. *Ist die orthodoxe Tradition der Schrift gemäß? Die ostkirchliche Problematik*

Es gibt keine ökumenisch belangreiche Frage an die katholische Kirche, die nicht ihre Rückfrage in sich trüge. Bisher haben wir das Problem Schrift und Tradition, Schrift und Offenbarung im Kontext katholischer und protestantischer Theologie kritisch diskutiert. Wie aber steht es mit der orthodoxen Theologie der Ostkirchen? Auf welche Autorität beruft sie sich bei der Festsetzung der Wahrheit, wenn die katholische Theologie sich auf die Autorität der Kirche und die protestantische sich auf die Autorität der Schrift stützt?

Orthodoxe Theologie beruft sich weder auf ein Lehramt der Kirche noch auf die Schrift allein, sondern auf die *orthodoxe Tradition*, wie sie von den »Patres«, der »Patristik«, von den griechischen »Kirchenvätern«, der »Vätertheologie«, verkörpert wird. Dies geschieht mit vollem Recht, insofern diese Theologen des christlichen Altertums, in vielem den christlichen Ursprüngen näher als etwa die mittelalterliche Scholastik, die biblische Botschaft bezeugen und für ihre Zeit interpretieren. Freilich ist hierbei eine Überbewertung einzelner Kirchenväter oder der Kirchenväter überhaupt unverkennbar: Ihre Autorität und Lehre spielen faktisch oft eine größere Rolle als die ursprüngliche biblische Botschaft. Und oft werden ihre Aussagen naiv mit der biblischen Botschaft gleichgesetzt, statt sie kritisch an ihr zu messen. Hinzu kommt eine Überbewertung insbesondere der *ökumenischen Konzilien*, deren Dekrete gleichsam göttlich inspiriert seien und deren Satzunfehlbarkeit faktisch angenommen, wenn nicht gar grundsätzlich behauptet wird.

Einer solchen Überbewertung der Väter oder der Konzilien gegenüber sollte deutlicher beachtet werden, was auch manche orthodoxe Theologen sagen:

– daß nicht nur die Kirchenväter, sondern auch die ökumenischen Konzilien sich oft gegenseitig desavouieren, ausdrücklich verwerfen oder faktisch korrigieren;

– daß also auch die ökumenischen Konzilien die Wahrheit nicht von vornherein für sich haben; daß diese vielmehr erst dadurch offenbar wird, daß ihre Aussagen von der Gesamtkirche »rezeptiert«, anerkannt wurden;

– daß die Konzilien selbst gar keine neuen Lehren konstituieren, sondern nur die Übereinstimmung einer Lehre mit dem ursprünglichen apostolischen Glaubenszeugnis konstatieren und konfirmieren wollten.

Ja, ökumenische Konzilien *können* Ausdruck der Wahrheit in der Kirche sein! Aber sie sind es nicht von vornherein, etwa kraft des Willens der Einberufenen oder Teilnehmenden, denen der Geist Gottes nach Wunsch und Gebet für ihre Aussagen a priori Wahrheitsgarantie geschenkt hätte. Sie sind es vielmehr im nachhinein: *wenn* und *insofern* sie die Wahrheit des Evangeliums authentisch bezeugen. Dies ist die klassische orthodoxe und katholische Konzilauffassung des großen theologischen Repräsentanten des ersten ökumenischen Konzils, Athanasios, sowie vieler griechischer Väter und schließlich auch des führenden Theologen des Westens, Augustin. Für Athanasios war der Wahrheitsanspruch des Konzils von Nikaia nicht von dessen Ökumenizität abhängig, sondern davon, daß Nikaia inhaltlich den apostolischen Glauben, das schriftlich fixierte Kerygma zur Sprache bringt. Das Konzil von Nikaia sagt nach ihm die Wahrheit, nicht, weil ein ökumenisches Konzil aufgrund eines Beistands des Heiligen Geistes nicht irren könnte, sondern weil es die wahre christliche Überlieferung hinter sich hat, weil es den ursprünglichen Glauben der Apostel überliefert, weil es »die Schrift atmet«, also das Evangelium authentisch und glaubwürdig zur Geltung bringt. In dem Maße, wie Konzilien dergestalt »paradosis«, »Überlieferung«, vollziehen, das heißt, die »überlieferte Lehre« de facto weitergeben, haben sie Autorität und Gültigkeit. Auch Konzilien können also nicht über die Wahrheit Christi verfügen; aber sie können und dürfen sich um sie bemühen; dazu ist den Bischöfen und den Konzilsteilnehmern, wie jedem Christen auch, der Geist Christi verheißen, gegeben.

Es mag geschichtlich begreiflich sein, daß man die Konzilien mit der ihnen eigenen Autorität und Akzeptanz später theologisch aufzuwerten versuchte. Mit Hilfe verschiedener Theologumena: So wurde Nikaia später hochstilisiert zu einer Versammlung von Märtyrern und Bekennern; Affirmation einer »sententia divina«; »Inspiration« des Konzils oder Kaiser Konstantins, der das Konzil einberufen hatte; die Gegenwart Jesu auf dem Konzil; schließlich besonders die Anwendung der mystischen (aber nicht historischen) Zahl 381 auf die Väter von Nikaia ...

Da gilt es theologisch nüchtern zu bleiben. Gegenüber diesen späteren mystischen und juristischen *byzantinischen »Konzilsaufwertungen«* und dann vor allem gegenüber den seit den Päpsten des 5. Jahrhunderts sich deutlich durchsetzenden *spezifisch römischen* und auf dem Vatikanum I dogmatisierten *römisch-katholischen* Ausprägungen ist festzuhalten an der klassischen orthodoxen und katholischen Konzilsauffassung. Und aus dieser folgt, daß alle Aussagen der Kirchenväter und der Konzilien stets kritisch an der ursprünglichen christlichen Botschaft zu messen sind. Eine historisch-kritische Schriftexegese erfordert heute eine *historisch-kritische Patrologie*. Das ursprüngliche neutestamentliche Zeugnis von Jesus Christus, das Neue Testament, muß die normierende Norm (»norma normans«) für alle nachbiblischen Traditionen bleiben. Diesen Traditionen – und besonders ihren verbindlichen konziliaren Äußerungen – kann gewiß ebenfalls normativer Charakter zukommen, aber von ihrer Natur her eben in nur abgeleiteter Weise: als vom Evangelium selbst normierte Norm (»norma normata«).

7. Ja zu Bibel, Tradition, Autorität: Nein zu Biblizismus, Traditionalismus, Autoritarismus

Um einer unzweideutigen Grundlegung willen soll die Position einer ökumenischen Theologie, die protestantisches, orthodoxes und katholisches Erbe kritisch-konstruktiv zu integrieren versucht, noch einmal präzise bestimmt werden. Jede Konfession soll das Gute ihrer eigenen Tradition wahren. Ihre konfessionalistische Beschränktheit aber soll sie überwinden und das Gute der anderen Konfessionen aufnehmen:

a) Mit der *protestantischen Theologie* ist die *Bibel als bleibende und unerschütterliche Grundlage* einer jeden ökumenischen, wahrhaft christlichen Theologie zu bejahen. Die Bibel hat eine bleibende normative Autorität und Bedeutung als der von der gesamten Kirche anerkannte, schriftliche Niederschlag des ursprünglichen, grundlegenden Zeugnisses von Jesus Christus.

Ein Ja also zur Bibel, aber – mit vielen protestantischen Theologen – ein ebenso entschiedenes Nein zu jenem *Biblizismus*, der den Bibelbuchstaben vergötzt und jede Kritik der Bibel um einer vermeintlich protestantischen Rechtgläubigkeit willen als unevangelisch verwirft. Auch der protestantische Theologe hat nicht nur das Recht, sondern die Pflicht, in der Bibel zu unterscheiden zwischen deutlichen und weniger deutlichen, stärkeren und schwächeren, ursprünglichen und abgeleiteten, zentralen und peripheren, hellen und dunklen Zeugnissen, die nun einmal bei allem Gemeinsamen in vielem divergieren, kontrastieren, sich teilweise widersprechen können.

Auch der protestantische Theologe – aber wahrhaftig nicht er allein – hat also das Recht und die Pflicht zur gewissenhaften *Bibelkritik*: zu Text- und Literaturkritik, zur historischen und theologischen Kritik. Die Autorität der Bibel wird auf diese Weise nicht geschwächt, sondern neu zum Leuchten gebracht.

b) Mit der *orthodoxen Theologie* ist die *kirchliche Tradition* zu respektieren: die christliche Wahrheit, wie sie in der Kirche weiterlebt, wie sie die Kirche früherer Zeiten, oft in großer Not, mit Grenzpfählen und Gefahrenzeichen, Bekenntnissen und Definitionen zu schützen versuchte; jene christliche Wahrheit, die schon unsere Väter und Mütter, Brüder und Schwestern in der Theologie erforschten und lehrten, die aber nicht nur in den Entscheidungen der Konzilien und den Schriften der Theologen, sondern auch in der alltäglichen Verkündigung unserer Pfarrer und Laien, im Gottesdienst, in den Sakramenten und besonders im gelebten, praktizierten Zeugnis der einzelnen Christen und Gemeinden an der Basis weiterlebt.

Ein Ja also zur Tradition, aber – mit vielen orthodoxen Theologen – ein ebenso entschiedenes Nein zu jenem *Traditionalismus*, der die Tradition vergötzt und jede Kritik der Tradition als unorthodox verwirft. Auch der orthodoxe Theologe hat das Recht und die Pflicht, die gelehrte und gelebte Tradition in Verkündigung, Theologie, Liturgie und Kirchendisziplin nicht nur auf Kontinuität, sondern auch auf Diskontinuität genauestens abzuhören und zu unterscheiden zwischen klarer und weniger klarer, kraftvoller und schwacher, guter und schlechter Interpretation der christlichen Botschaft: zu unterscheiden zwischen

– einer *evangeliumsgemäßen* Entwicklung (evolutio secundum evangelium), die gefördert zu werden verdient (z. B. die Ausbildung eines Bischofsamtes, von Synoden),
– einer *außerevangelischen* Entwicklung (evolutio praeter evangelium), die geduldet werden kann (z. B. bestimmte liturgische Kleider, Instrumente, Bräuche), und schließlich
– einer *unevangelischen* Entwicklung (evolutio contra evangelium), die abzulehnen ist (z. B. jeglicher Paternalismus, Klerikalismus, Triumphalismus).

Der Theologe wird hierbei auch die verbindlichen, weithin rezipierten und wirkungsgeschichtlich so überragenden Festlegungen der ökumenischen Konzilien – insbesondere der gemeinsam ökumenischen von Nikaia und Chalkedon – ernst nehmen und sie nach der Norm der neutestamentlichen Botschaft kritisch verantworten lernen. Jegliches »Traditionsprinzip« muß sich so vom »Schriftprinzip« einholen und von ihm her rechtfertigen lassen.

Auch der orthodoxe Theologe – aber gewiß nicht er allein – hat das Recht und die Pflicht zur differenzierten *Traditionskritik*: zur Dogmen-, Theologie-, Verfassungs- und auch Liturgiekritik. Die Autorität der Tradition wird auf diese Weise nicht geschwächt, sondern in gereinigter Form neu zur Geltung gebracht.

c) Mit der *katholischen Theologie* ist die *kirchliche Autorität* zu respektieren: die pastorale Autorität der Kirchenleitung auf lokaler, regionaler, universaler Ebene; die Autorität insbesondere – sofern man als katholischer Theologe ökumenische Theologie treibt – der Bischöfe und auch die des Bischofs von Rom. Auch ihr »Lehramt« kann eine sinnvolle Funktion in der Kirche haben, wenn es sich als pastorales Verkündigungsamt, ausgeübt nach der Norm des Evangeliums, versteht und wenn es seine eigenen funktionalen Grenzen, insbesondere gegenüber der wissenschaftlichen Theologie, erkennt.

Ein Ja also zur Autorität, aber – mit vielen katholischen Theologen – ein ebenso entschiedenes Nein zu jenem *kirchlichen Autoritarismus*, der die Autorität vergötzt und jede Kritik der Autorität um einer vermeintlich katholischen Rechtgläubigkeit willen als unkatholisch ablehnt und unterdrückt. Statt konkret von Papst und Bischöfen redet man dann abstrakt und anonym vom »Lehramt« (»magisterium«): ein Terminus, der weder in der Schrift noch in der alten Tradition begründet ist, der die völlig unbiblische Unterscheidung zwischen lehrender Kirche (»Ecclesia docens«) und lernender Kirche (»Ecclesia discens«) voraussetzt und der erst im Zusammenhang mit der Infallibilitätsdoktrin des Vatikanum I im vergangenen Jahrhundert neu eingeführt wurde.

Auch der katholische Theologe hat das Recht und die Pflicht zur öffentlichen *Kirchenkritik*: Er hat die Pflicht, ehrlich und deutlich begründete Bedenken anzumelden und zur Not wie Paulus dem Petrus »ins Angesicht zu widerstehen«, wenn in offizieller Verkündigung, in Lehrbüchern und Katechismen, Enzykliken und Hirtenbriefen und überhaupt in Seelsorge und Glaubensleben der Gemeinschaft und der Einzelnen die biblischen Akzente bewußt oder unbewußt verschoben, die ursprünglichen Proportionen verzeichnet werden und so Nebensächliches zum Hauptsächlichen und Hauptsächliches zu Nebensächlichem gemacht wird; wenn die christliche

Wahrheit von der kirchlichen Autorität selbst verdeckt oder vergessen und die eigenen Irrtümer und Halbwahrheiten ignoriert, abgestritten oder gar weiterverbreitet werden. Immer wieder wird der Theologe hier mit allen Mitteln und überall auf die Hauptsache, die »Hierarchie der Wahrheiten«, die »Mitte der Schrift«, hinweisen und wird so versuchen, die Botschaft Jesu Christi umfassend und differenziert zugleich zur Sprache zu bringen. Die Autorität der Kirche wird auf diese Weise nicht untergraben, sondern neu glaubwürdig dargestellt.

8. An was Christen glauben

An was also glauben Christen eigentlich? Was ist der Grund des christlichen Glaubens? Ist es die Kirche, die Tradition oder die Bibel? Antwort: Es ist weder die Kirche noch die Tradition noch die Bibel:

– Auch der protestantische Christ glaubt nicht an die Bibel, sondern an den, den sie bezeugt.

– Auch der orthodoxe Christ glaubt nicht an die Tradition, sondern an den, den sie überliefert.

– Auch der katholische Christ glaubt nicht an die Kirche, sondern an den, den sie verkündet.

– Das unbedingt Verläßliche, an das der Mensch sich für Zeit und Ewigkeit halten kann, sind nicht die Bibeltexte und nicht die Kirchenväter, ist auch nicht ein kirchliches Lehramt, sondern ist *Gott selbst, wie er für die Glaubenden durch Jesus Christus gesprochen* hat. Die Bibeltexte, die Aussagen der Väter und kirchlicher Autoritäten wollen – in verschiedener Gewichtigkeit – nicht mehr und nicht weniger als Ausdruck dieses Glaubens sein.

Jesus als der Christus Gottes also bleibt der Herr über kirchliche Autorität, über die Tradition und die Schrift. Die Schrift selbst aber, insofern sie von Jesus Christus Zeugnis gibt, ist Quelle und Maß von Glaube und Theologie in der Kirche: »norma normans non normata«. Es ist Jesus Christus selbst, der die Geistesmacht der Schrift ausmacht, die sich immer wieder neu Geltung und Anerkennung zu verschaffen vermag – durch alle Beschränktheiten und Irrtumsfähigkeiten unserer Exegese, Theologie und Verkündigung, der Konzilsentscheidungen und Lehramtsverlautbarungen hindurch. Christen glauben also nicht etwa *zuerst* an die Autorität der Kirche, der Tradition oder der Schrift und *dann* an die Wahrheit des Evangeliums, an Jesus Christus, an Gott, seinen Vater. Christen glauben vielmehr an den in der Schrift ursprünglich bezeugten Jesus, den Christus, an Gott selbst. Wer so die Schrift als Evangelium im Glauben erfährt, wird der Geistdurchwirktheit und Geisterfülltheit der Schrift, ihrer wahren »Inspiriertheit«, gewiß. Jesus, der Christus Gottes und durch ihn Gott selbst ist der Grund des Glaubens.

In diesem Sinn können wir auch von *der Wahrheit* in der Kirche reden. Wahrheit in der Kirche meint letztlich über alle wahren Sätze hinaus die Wahrheit, wie sie im Alten und Neuen Testament mit diesem Terminus angesprochen wird: Wahrheit (hebr. »emet«, griech. »aletheia«) als *Treue*, Beständigkeit, Zuverlässigkeit. Die Treue also des Bundesgottes selbst zu seinem Wort und zu seiner Verheißung. Keine einzige Stelle der Schrift spricht davon, daß die Schrift keinen Irrtum enthalte. Nirgendwo ist dem Lehramt der Kirche oder einem Konzil garantiert, daß es ohne Irrtum sein oder bleiben könne. Christen können aber aufgrund des Zeugnisses der Schrift der Treue ihres Gottes gewiß sein, der nie zum Lügner wird, der sich und seinem Wort und so auch den Menschen treu bleibt, der schließlich sein Wort endgültig wahrgemacht hat, indem er alle Worte Gottes in dem einen Wort erfüllt: in dem, der »das Wort« und »die Wahrheit« (Jo 1,1 f; 14,6) ist[4].

III. Kirchenspaltung durch die Bibel?

Zum Problem der Einheit von Schrift und Kirche

Zwei zusammenhängende Problemkreise haben wir bis hierher erörtert: Schrift, Tradition und Kirche einerseits, Schrift und Offenbarung andererseits. Wir plädierten für ein Ernstnehmen der Schrift als »Norma normans non normata« im Gegenüber zur Kirche gegen allen Autoritarismus, im Gegenüber zur Tradition gegen allen Traditionalismus und für ein Verständnis der Schrift als Zeugnis der Offenbarung gegen Fundamentalismus und Biblizismus. Wir gehen im folgenden konsequent einen Schritt weiter: Wie ist die Schrift selbst zu verstehen, wie ist sie zu interpretieren? Die Frage nach dem *Schriftverständnis* also stellt sich. Welche Rolle kommt der Wissenschaft der Schriftauslegung, der Exegese, zu im Verhältnis zur Wissenschaft, die die Glaubensinhalte systematisch bedenkt, der Dogmatik?

Die Frage, die wir im vorigen Kapitel nur andeuteten, kehrt hier in allem Ernst wieder: Wenn das Neue Testament ein hohes Maß an Variabilität, Unterschiedlichkeit, gar Widersprüchlichkeit aufweist, wie kann es dann *Norm der Kirche* sein wollen, wie kann es *Basis kirchlicher Einheit* sein? Der Tübinger Neutestamentler und Bultmann-Schüler *Ernst Käsemann* hat dieses Problem schon am Ende der fünfziger Jahre in seinem berühmten Aufsatz »Begründet der neutestamentliche Kanon die Einheit der Kirche?« behandelt, auf den ich als katholischer Theologe – die Position des protestantischen Tübinger Dogmatikers Hermann Diem aus der Schule Karl Barths mitbedenkend – geantwortet habe.[1] Es hätte keinen Sinn, hier die Diskussion um den Frühkatholizismus erneut aufzugreifen. Deshalb sind die folgenden Ausführungen um diese Passagen gekürzt. Wir konzentrieren uns hier auf die vom Neuen Testament selbst gestellte Problematik der Verschiedenheit und Einheit des Zeugnisses, die sich für jeden Schriftinterpreten – nicht zuletzt im Hinblick auf die Einheit der Kirche – stellt.

1. *Begründet der neutestamentliche Kanon die Einheit der Kirche? Ernst Käsemann*

Ernst Käsemann hat diese Frage scharf gestellt und mit gleicher Schärfe verneint[2]. Welches sind seine Gründe? Käsemann führt drei Gründe an, die er mit zahlreichen Beispielen, die wir nur andeuten können, belegt:

a) *Die Variabilität des neutestamentlichen Kerygmas selbst:* Das offensichtlichste Zeichen dieser Variabilität ist nach Käsemann die Tatsache, daß der neutestamentliche Kanon nicht ein Evangelium, sondern vier Evangelien bietet, die alle »in ihrer Ordnung, Auswahl und Darstellung erheblich divergieren«[3]; und zwar nicht nur wegen der verschiedenen Eigenart der Evangelisten, nicht nur wegen der verschiedenen jeweils benützten Tradition, sondern insbesondere wegen der »verschiedenen theologisch-dogmatischen Haltung der Evangelisten«[4]. So wird Jesus vom erhöhten und geglaubten Kyrios her verschieden gesehen[5]; ebenso wird auch das gemeinsame Bekenntnis zur Gottessohnschaft Jesu je nach theologischer Tendenz verschieden interpretiert[6]. Aufgrund dieses Tatbestandes können die Evangelisten einander auch unbefangen kritisieren[7].

b) *Die außerordentliche und das Neue Testament übergreifende Fülle theologischer Positionen in der Urchristenheit:* Die Schriften des neutestamentlichen Kanons geben uns »eine unabsehbare Fülle von ungelösten und teilweise wohl unlösbaren historischen und theologischen Problemen«[8] auf. Das liegt einerseits am »fragmentarischen Charakter«[9] unseres Wissens von der Geschichte und Verkündigung der Urchristenheit: Gerade durch die große Masse der verschiedenen Überlieferungen wird es uns zum Beispiel außerordentlich erschwert, die authentische Jesusüberlieferung aus dem Neuen Testament zu eruieren[10]. Das liegt andererseits am »Gesprächscharakter«[11] der meisten neutestamentlichen Aussagen: Sie konstituieren keine Summe von »dicta probantia«, sondern wollen Antwort auf konkrete Fragen, wollen Mahnungen und Tröstungen konkreter Menschen, wollen Abwehr konkreter Irrtümer sein; sie setzen so bestimmte Prämissen voraus und lassen mancherlei Konsequenzen offen. Die Stimmen, die im neutestamentlichen Kanon zu Worte kommen, bilden »eine verschwindende Minorität den vielen gegenüber, welche die Botschaft weitertrugen, ohne einen schriftlichen Niederschlag und damit ein bleibendes Gedächtnis zu hinterlassen. Was berechtigt uns zur Annahme, daß die vielen nichts anderes zu sagen wußten und gesagt haben als die Schriftsteller des NT?«[12] Der neutestamentliche Kanon gibt uns »nur Fetzen des in der Urchristenheit geführten Gespräches« wieder[13].

c) *Die teilweise zutage tretende Unvereinbarkeit der theologischen Positionen im Neuen Testament:* Die Variabilität ist im Neuen Testament so groß, »daß wir nicht nur erhebliche Spannungen, sondern nicht selten auch unvereinbare theologische Gegensätze zu konstatieren haben«[14]. Dies gilt schon für die Evangelien[15] und erst recht für die übrigen neutestamentlichen Schriften[16]. Schon die Evangelien zeigen nicht nur eine Kontinuität, sondern ebenso eine Diastase von Jesus und Jüngern: »Bereits die älteste Gemeinde ist teils verstehende, teils mißverstehende Gemeinde. Die Hoheit ihres Herrn wird von ihr zugleich bezeugt und verdunkelt. Auch ihr Glaube barg sich im tönernen Gefäß ihrer Menschlichkeit, und ihre Rechtgläubigkeit war genauso zweifelhaft, wie Orthodoxie es stets ist.«[17]

Was folgt für Käsemann aus den drei aufgewiesenen Sachverhalten? Unmißverständlich zieht Käsemann die Konsequenzen: »Der neutestamentliche Kanon begründet als solcher nicht die Einheit der Kirche. Er begründet als solcher, d. h. in seiner dem Historiker zugänglichen Vorfindlichkeit dagegen die Vielzahl der Konfessionen.«[18]

Die gegenwärtigen verschiedenen Konfessionen berufen sich alle auf den neutestamentlichen Kanon – mit Recht; denn schon in der Urchristenheit gab es eine Fülle verschiedener Konfessionen nebeneinander, miteinander, gegeneinander.

Vertritt also Käsemann einen aufklärerischen Indifferentismus?

Das Gegenteil: *die Unterscheidung der Geister!* »Man wird die Zusammengehörigkeit und den Unterschied von Buchstaben und Geist zu beachten haben. Was Paulus in 2 Kor 3 dem AT gegenüber geltend macht, darf nicht auf das AT beschränkt werden, sondern gilt genauso für den neutestamentlichen Kanon.«[19] Denn auch im neutestamentlichen Kanon hat man Gott nicht dingfest; in seiner bloßen Vorfindlichkeit, als tötender Buchstabe genommen, ist der neutestamentliche Kanon nicht mehr Gotteswort. Dies wird und ist er nur, wenn durch den Buchstaben hindurch (den man ebensowenig schwärmerisch auflösen darf) der Geist sich manifestiert und immer neu und gegenwärtig in alle Wahrheit führt. Nur in dem nach dem Geist verstandenen Kanon redet Gott an und manifestiert er sich gegenwärtig. Das bedeutet, »daß der Kanon nicht einfach mit dem Evangelium identisch und Gottes Wort nur insofern ist, als er Evangelium ist und wird. Insofern begründet dann auch er Einheit der Kirche. Denn allein das Evangelium begründet die eine Kirche in allen Zeiten und an allen Orten.«[20]

Dies also bedeutet die Unterscheidung der Geister: Verstehen der Schrift von ihrer sachlichen Mitte her, von der Botschaft her, deren Niederschlag sie ist[21]. Also kritisches Verstehen der Schrift vom *»Evangelium«* her, das weder von der Schrift getrennt noch mit ihr einfach identifiziert werden darf. Es gilt, von dieser Mitte her den reformatorischen Weg der Mitte zu gehen zwischen dem schwärmerischen Enthusiasmus links (zu dem auch die protestantische Aufklärung gerechnet werden muß), der sich des Evangeliums über die Schrift hinweg zu bemächtigen versucht, und dem katholischen Traditionalismus rechts (zu dem auch weithin die protestantische Orthodoxie gehört), der das Evangelium einfach in der Schrift vorfindbar und verfügbar wähnt, ohne die Schrift immer wieder an der kritischen Instanz des Evangeliums zu messen. Schrift und Evangelium, Kanon und Evangelium stehen in einer dialektischen Spannung, die für die evangelische Theologie eine dauernde Aufgabe bedeutet: als stete Neubesinnung auf das Evangelium in der Schrift, das dieser Schrift, die an sich nur eine ehrwürdige historische Urkunde ist, die Autorität für den Glaubenden verleiht[22].

Was ist nach Käsemann das »Evangelium«? Diese Frage kann nach ihm nicht der Historiker allein beantworten, sondern nur der

Glaubende, sofern er vom Geist überführt auf die Schrift hört. Der Glaubende vernimmt das Evangelium, das sich ihm kundtut, ihn trifft als *Rechtfertigung des Sünders*. Die Rechtfertigung des Sünders ist die Mitte der Schrift: »Die Bibel ist weder Gottes Wort im objektiven Sinn noch das System einer Glaubenslehre, sondern Niederschlag der Geschichte und Verkündigung der Urchristenheit. Die Kirche, welche sie kanonisierte, behauptet jedoch, daß sie eben auf diese Weise Trägerin des Evangeliums sei. Sie behauptet das, weil sie die hier festgehaltene und sich bekundende Geschichte unter den Aspekt der Rechtfertigung des Sünders gestellt sieht, und kann es nur insofern behaupten. Da ihre Behauptung jedoch Zeugnis und Bekenntnis ist, ruft sie zugleich damit auf, uns selbst mit unserer eigenen Geschichte ebenfalls unter das Geschehen der Rechtfertigung des Sünders zu stellen. Damit werden wir in eine Entscheidung nicht nur darüber geführt, ob wir dies letzte annehmen wollen oder nicht, sondern ebenso darüber, ob mit solchem Bekenntnis die Mitte der Schrift richtig erfaßt sei.«[23]

Das also ist Käsemanns Antwort auf die Frage »Begründet der neutestamentliche Kanon die Einheit der Kirche?«. Eine Antwort, die für den tiefen Ernst und die radikale Ehrlichkeit dieses Exegeten zeugt. Es wäre falsch und ungerecht, wenn man bei ihm das in die Augen springende Kritisch-Destruktive als das eigentliche Anliegen ansähe, wie dies inquisitorische Glaubensbrüder (es gibt auch eine Inquisition von unten!) getan haben. Sich-betroffen-sein-Lassen vom Evangelium ist das zentrale Anliegen dieses Theologen, der seinen evangelischen Glauben nicht nur im vieljährigen Pfarrdienst, sondern auch in der Verfolgung bewährt hat. Von seinen Erfahrungen in der Bekennenden Kirche her dürfte es kommen, daß Käsemann in der Bultmannschule sich durch ein besonderes Interesse an der Ekklesiologie auszeichnet[24]. Dabei ist sein theologisches Anliegen nicht etwa die Vielheit der Konfessionen, sondern die Einheit der Kirche. Allerdings die Einheit der Kirche, die auf dem Evangelium ruht und die es als solche nie vorfindlich, sondern immer nur für den Glauben gibt: »Die Einheit der Kirche wird wie das Evangelium nicht von den beati possidentes, sondern von den Ungesicherten und Angefochtenen in und trotz den Konfessionen, mit und gegenüber auch dem neutestamentlichen Kanon bekannt, sofern sie die das Evangelium Hörenden und Glaubenden sind.«[25]

Doch kann uns Käsemanns Antwort befriedigen? Auch von ernstzunehmender evangelischer Seite wird Widerspruch angemeldet. »Die Einheit der Schrift«: unter diesem Titel hat der evangelische Tübinger Theologe *Hermann Diem* nicht nur einen wichtigen Paragraphen seiner Dogmatik zusammengefaßt, sondern auch eine Auseinandersetzung mit Käsemann angestrebt.[26]

2. *Der Streit um die Einheit: Hermann Diem*

Der Systematiker Diem hat Verständnis für die Fragestellung seines Kollegen im Neuen Testament. Er bejaht auch zu einem großen Teil Käsemanns Antwort. Denn dies ist für Diem sicher: Die im neutestamentlichen Kanon zusammengefaßten Schriften bilden *keine »Lehreinheit«*.[27] Nicht die Reformatoren, erst die lutherischen und reformierten Konfessionskirchen haben eine Lehreinheit der Schrift, ein aus der ganzen Schrift – sei es auf mehr biblizistische, sei es auf mehr dogmatische Weise – abgelesenes Lehrsystem der Schriftaussagen gelehrt, die Schrift statt als Predigttext als »Prinzip« und »Summe« der Theologie verstanden und konsequenterweise die Verbalinspiration und Göttlichkeit der Schrift behauptet. Erst sie haben sich so nicht mehr mit dem faktischen Gegebensein des Schriftkanons begnügt, sondern seine prinzipielle Geschlossenheit gelehrt. Predigt und Glauben haben darunter Schaden gelitten[28].

Es ist von daher nach Diem durchaus zu begrüßen, daß die historisch-kritische Wissenschaft Kirche und Theologie gezwungen hat, ihre Schriftlehre zu überprüfen. Für das heutige Stadium der Diskussion »ist bedeutsam, daß die in dieser Sache heute besonders aktiv gewordenen neutestamentlichen Historiker nicht so leicht als von außen kommende Eindringlinge in die Theologie angesehen werden können, wie das früher vielleicht gelegentlich nahelag. Das liegt einmal daran, daß die neutestamentliche Wissenschaft heute aufgrund ihrer Forschungsergebnisse allgemein den *Verkündigungscharakter* der neutestamentlichen Schriften betont und damit bei den Reformatoren steht und deren Schriftgebrauch bestätigt. Dazu kommt, daß ihr Haupteinwand gegen den herrschenden Schriftgebrauch *die dogmatische Bevormundung der Schriftauslegung ist*, also gerade an dem Punkt einsetzt, wo wir den Abfall der Reformation zur altprotestantischen Dogmatik feststellten. Man wird daher jedenfalls prüfen müssen, ob hier der reformatorische Schriftgebrauch nicht besser gewahrt wird als von den nachreformatorischen Dogmatikern.«[29]

Aber so entschieden Diem die These vertritt: »Kein einheitliches neutestamentliches Lehrsystem!«, so entschieden die andere: »*Kein Kanon im Kanon!*« Hier bricht der Konflikt Diems mit Käsemann auf, beziehungsweise wird der Konflikt von neuem sichtbar, der den Kirchen der Reformation immanent ist und in jeder Phase ihrer Geschichte beobachtet werden kann.

»Käsemann hat hier in prägnanter Weise auf den Begriff gebracht, was heute vielen Neutestamentlern in der Abwehr jener nachreformatorischen Dogmatiker als die neue Lösung der Kanonfrage vorschwebt: *die Gewinnung eines Kanons im Kanon mit Hilfe der Rechtfertigung als hermeneutischem Maßstab*. Damit will man aber im Grunde nichts Neues bringen, sondern beruft sich auf *Luther*, der die Schrift daran gemessen haben wollte, was in ihr ›Christum treibt‹, womit er letztlich ja auch das sola gratia und sola fide verstanden hat. Man meint also, zu dem reformatorischen Schriftgebrauch vor dessen Entartung durch die altprotestantische Dogmatik zurückgekehrt zu sein. Ist das richtig?«[30] Nach Diem ist das nicht richtig. Gewiß ist die Rechtfertigung des Sünders keine Lehre, sondern ein Geschehen, in welchem der Hörer durch die Verkündigung des Evangeliums die Gerechtigkeit in Christus zugesprochen wird. Wenn Käsemann aber fordert, daß wir uns selbst mit unserer eigenen Geschichte unter das Geschehen der Rechtfertigung des Sünders stellen, so ist Diems Frage, »ob er (Käsemann) sich denn eigentlich dieser Verkündigungsgeschichte tatsächlich noch stellt und stellen kann, oder ob er dieses in der Verkündigung der Schrift auf ihn zukommende Geschehen nicht in seinem ihn verpflichtenden Geschehensein dadurch paralysiert und paralysieren muß, daß er es erst durch seine Zustimmung in kritischer Sichtung zu einer für ihn verbindlichen Geschichte macht«[31].

Die Verkündigungsgeschichte muß als verpflichtendes Geschehen ernst genommen werden, gerade dadurch, daß die von der Kirche anerkannte faktische Grenze des Kanons beachtet wird: »Dieses uns verpflichtende Geschehen der Verkündigungsgeschichte besteht darin, daß die Kirche exklusiv in der Verkündigung dieser Zeugnisse das Wort Gottes gehört hat und wir es darum ebenfalls exklusiv durch diese Zeugnisse weiterverkündigen und hören sollen. *Dieses Faktum kann man nur anerkennen, aber auf keine Weise prinzipiell rechtfertigen.* Die einzige hier mögliche *theologische Rechtfertigung besteht darin, daß man von dem Schriftkanon sachgemäßen Gebrauch macht, indem man ihn im Vertrauen auf seine Selbstevidenz predigt.* In diesem faktischen *Gebrauch* der Schrift liegt auch ihre theologisch einzig mögliche *Abgrenzung gegen die kirchliche* Tradition. Damit stehen wir wieder bei der Reformation.«[32]

Nur auf diesem Hintergrund läßt sich nach Diem die Einheit der Schrift richtig sehen. Diese liegt nicht in einer einheitlichen Lehrgestalt, sondern in der Selbstevidenz der verkündigten Schrift, in deren Zeugnissen Jesus Christus sich selbst verkündigt und als solcher von der Kirche gehört wird[33]. Gewiß sind die Unterschiede der einzelnen Zeugnisse innerhalb der Einheit der neutestamentlichen Verkündigung beträchtlich. Diese Unterschiede ergeben sich aus der je verschiedenen *Verkündigungssituation*: Die neutestamentlichen Zeugnisse sind Zeugnisse bestimmter Menschen in bestimmten Situationen mit bestimmten Zielrichtungen[34]. Eine Um-, Weiter- und Neubildung der Botschaft drängte sich damals ebenso auf, wie sich heute eine je neu vollzogene Übersetzung dieser Zeugnisse in die heutige Verkündigungssituation hinein aufdrängt. Die konkrete Verkündigungssituation kann erfordern, daß in einer bestimmten Situation bestimmte Zeugnisse bevorzugt und andere zurückgestellt werden, wobei jedoch die Grenze des Kanons zu beachten ist, die auch den von uns zurückgestellten Zeugen als echten Zeugen der Botschaft Christi anerkennen läßt: »Es wird hier eben alles darauf ankommen, daß jene *situationsbedingte* Wertung nicht zu einer *prinzipiellen* wird, daß also der Kanon der Schrift der

Text ist, der auf alle Fälle stehenbleiben muß, und alle unsere Auslegungsversuche dagegen nur *Kommentare* sind, die sich mit ihren stets wechselnden Ergebnissen nicht an die Stelle des Textes setzen können.«[35] Gerade so hat der Kanon nicht nur eine prohibitive, sondern zuerst eine positive Bedeutung: er schützt den Ausleger vor dessen eigener subjektiver Willkür.[36]

Diem wendet sich also mit Käsemann gegen die Schrift als einheitliches Lehrsystem, hält aber gegen Käsemann an der Einheit der verkündigten Schrift fest, um von daher – gegen alle Willkür des einzelnen Auslegers – die Einheit der Kirche zu verstehen. Es muß anerkannt werden, daß sich Diem durch sein ganzes dogmatisches Werk hindurch eine für einen Systematiker keineswegs gewöhnliche Mühe gibt, sich mit den Problemstellungen der heutigen Exegese auseinanderzusetzen. Er tut dies nicht vorwiegend apologetisch, sondern unter Verwertung mancher Ergebnisse der Exegese durchaus konstruktiv. Die Überbrückung der gegenwärtigen Kluft zwischen Exegese und Dogmatik ist ihm ein zentrales Anliegen.

Doch Diems und Käsemanns theologische Grundsätze stehen sich – oder täuschen wir uns? – unversöhnlich gegenüber: Wie für Käsemann Diems »Kanon« nie zum »Evangelium« werden wird, so für Diem Käsemanns »Evangelium« nie zum »Kanon«. Auch der katholische Kollege vermag kaum zu ihrer Versöhnung beizutragen, vielleicht aber zur Klärung der Standpunkte. Dies, und nur dies, soll jetzt – auf knappem Raum – versucht werden:

3. *Eingrenzung des Diskussionsfeldes: Übereinstimmungen*

a) Worin kann der katholische Theologe, wenn er am exegetischen Befund nicht einfach vorbeigeht, mit *Ernst Käsemann* übereinstimmen? Er kann zustimmen:

(1) bezüglich des Faktums der Uneinheitlichkeit des neutestamentlichen Kanons;

(2) bezüglich der Faktoren, die diese Uneinheitlichkeit bestimmen: eine Variabilität des neutestamentlichen Kerygmas selbst, die nicht nur in der Eigenart der Evangelisten und der benutzten Traditionen, sondern in der verschiedenen theologischen Haltung der Evange-

listen begründet ist; eine über das Neue Testament hinausgreifende Fülle theologischer Positionen in der Urchristenheit, die unser diesbezügliches Wissen (gerade auch im Hinblick auf den Gesprächscharakter der meisten neutestamentlichen Zeugnisse) höchst fragmentarisch erscheinen läßt; eine teilweise zutage tretende Unterschiedenheit der verschiedenen theologischen Positionen sowohl in den Evangelien wie im übrigen Neuen Testament, die nicht einfach harmonisiert werden kann;
(3) bezüglich des glaubenden Hörens des den Sünder rechtfertigenden »Evangeliums« (nach dem Geist, nicht nach dem Buchstaben, auf die Mitte hin, verstanden) innerhalb des uneinheitlichen neutestamentlichen Kanons.

b) Worin kann der katholische Theologe, wenn er gerade das eben Käsemann Zugegebene berücksichtigt, mit *Hermann Diem* übereinstimmen? Er kann zustimmen:
(1) bezüglich der Ablehnung eines neutestamentlichen Lehrsystems: Das Neue Testament ist keine intendierte »summa theologiae«; deshalb ist eine Harmonisierung der Texte, welche die Verschiedenheiten auf gewaltsame Weise auflöst, als dem Neuen Testament unangemessen ebenso abzulehnen wie das dozierende Andemonstieren von »dicta probantia« statt des bezeugenden Weitergebens der neutestamentlichen Zeugnisse in der Verkündigung; deshalb ist der Glaube nicht einfach auf eine göttliche Schrift gerichtet, sondern aufgrund der verkündigten Schrift auf den von ihr bezeugten Herrn Jesus Christus und seinen Gott und Vater;
(2) bezüglich der Bedeutung der Verkündigungssituation, und dies in zweifacher Hinsicht: Die neutestamentlichen Zeugnisse stammen von verschiedenen Menschen in verschiedenen Situationen mit verschiedener theologisch-dogmatischer Zielrichtung, und die neutestamentlichen Zeugnisse müssen wieder für verschiedene Menschen mit verschiedenen Zielrichtungen in verschiedene Situationen hineingesprochen und aus der damaligen Verkündigungssituation in die neue Verkündigungssituation übertragen werden: eine Übersetzung des neutestamentlichen Kerygmas, bei der je verschiedene Zeugnisse und Aspekte im Vordergrund und andere im Hintergrund stehen können;

(3) bezüglich der Faktizität des neutestamentlichen Kanons und seiner Einheit: Die Einheit der Schrift kann nicht aus einer prinzipiellen, systematischen Geschlossenheit abgeleitet werden, sondern sie ist eine faktische Gegebenheit; die Kirche hat in der Verkündigung gerade dieser Zeugnisse des neutestamentlichen Kanons das Wort Gottes gehört, und exklusiv gehört, und sie gibt diese Zeugnisse in ihrer Verkündigung auch exklusiv als Wort Gottes weiter.

Erst wenn man im kontroverstheologischen Gespräch wagt, ohne Angst verständnisvoll die Übereinstimmung mit dem Partner zu sehen und nicht zu verleugnen (die Angst vor dem Konsensus ist bei Theologen, wie bei Politikern, oft größer als die vor dem Dissensus!), wird man fähig, die Diskussion auf die eigentlichen Kontroverspunkte zu konzentrieren. Und diese liegen nicht in der Rechtfertigungslehre, auch nicht – wie man künstlich zu konstruieren sucht – in Christologie oder Pneumatologie, sondern in der Ekklesiologie. In der Lehre von der Kirche und in ihr allein geht es – vorläufig wenigstens – noch hart auf hart. Und so ist es gerade hier Aufgabe ökumenisch denkender Theologie, nach neuen konstruktiven Lösungen zu suchen – auch wenn es zunächst durch scharfe Konfrontation geschieht.

4. Der Grund der Vielzahl der Konfessionen: die Auswahl

Der neutestamentliche Kanon bildet die Voraussetzung für die Vielzahl der Konfessionen. Dies muß Käsemann zugegeben werden; denn (1) es gibt eine Verschiedenheit christlicher Konfessionen; (2) die verschiedenen christlichen Konfessionen berufen sich auf den neutestamentlichen Kanon und führen sich auf den neutestamentlichen Kanon zurück; (3) diese verschiedenen Berufungen auf den neutestamentlichen Kanon haben ein fundamentum in re, haben ein Fundament in der beschriebenen Komplexität, Vielfalt und Gegensätzlichkeit theologischer Positionen im neutestamentlichen Kanon selbst. Insofern bildet also der neutestamentliche Kanon die Voraussetzung für die Verschiedenheit der Konfessionen.

Wie aber entsteht unter der Voraussetzung der Uneinheitlichkeit des Kanons die Vielzahl der Konfessionen? Diese Frage ist mit dem

Hinweis auf die Uneinheitlichkeit des Kanons noch nicht beantwortet. Denn bei aller Uneinheitlichkeit ist der neutestamentliche Kanon doch *einer* und von der Kirche – in einer gewiß außerordentlich wechselhaften Geschichte – offenkundig als *einer* rezipiert worden, wobei man die verschiedenen Zeugnisse nicht nur etwa als lehrreiches negatives Kontrastprogramm zum Evangelium, sondern als positiv angemessenen Ausdruck und Niederschlag des Evangeliums verstanden hat. Die Frage also: Wie kommt es bei diesem trotz aller Uneinheitlichkeit *einen* neutestamentlichen Kanon zur Vielzahl der Konfessionen?

Die Antwort ist nicht zu umgehen: durch *Auswahl*. Indem man nämlich nicht den bei aller Uneinheitlichkeit *einen* Kanon des Neuen Testament ernst nimmt und – bei allen entgegenstehenden Schwierigkeiten – ein *umfassendes* Verständnis anstrebt. Sondern indem man die Uneinheitlichkeit des einen Kanons benützt, um aus dem einen Kanon eine Auswahl zu treffen. Dadurch erreicht man unter Umständen eine imponierende Konzentration des Kerygmas, aber zugleich eine Reduktion dieses Kerygmas, die auf Kosten des Neuen Testaments und der Einheit der Kirche, die hinter diesem Kanon steht, geht.

Was bedeutet dieser grundsätzliche Verzicht auf ein umfassendes Verständnis und Ernstnehmen des *ganzen* Neuen Testaments zugunsten einer konzentrierenden *Auswahl*? Nichts anderes als der grundsätzliche Verzicht auf »*Katholizität*« im Schriftverständnis zugunsten der »*Hairesis*«. Genau gesehen muß man also sagen: Der neutestamentliche Kanon ist in seiner Uneinheitlichkeit zwar eine *Voraussetzung*, ein *Anlaß* der Vielzahl der Konfessionen, nicht aber im strengen Sinn der *Grund*, die *Ursache*. Das brennbare Material, das Gebälk des Hauses, das ein Haus trägt, kann zwar Voraussetzung, Anlaß sein für den Brand des Hauses; Grund, Ursache des Brandes ist aber der an das Holz Feuer legende Brandstifter. Die eigentliche Ursache der Vielzahl der Konfessionen ist nicht der neutestamentliche Kanon, der in seiner Einheit »katholisch« (kath' olon) verstanden, Voraussetzung für die Einheit der Ekklesia ist, sondern die Hairesis, die die Einheit der Ekklesia auflöst.[37] Auswahl in der Interpretation des Neuen Testaments ist auf zwei Weisen möglich: als prinzipielle (Käsemann) oder als faktische (Diem).

Prinzipiell ist die Auswahl, die in der Interpretation des Neuen Testaments ein formales Deutungsprinzip anwendet, das sich zugleich als materiales Selektionsprinzip erweist. Diese Art der Auswahl wendet Ernst Käsemann an. Selbstverständlich will Käsemann nicht gewisse Texte oder gar Bücher aus dem neutestamentlichen Kanon einfach eliminieren; sie sollen vielmehr im Kanon bleiben und auf ihre Weise ernst genommen werden. In diesem Sinne vertritt Käsemann keine Auswahl. Aber Käsemann will die Geister des Neuen Testaments »unterscheiden«. Er wendet die paulinische »Unterscheidung der Geister« – die Paulus selbst nie auf den (alttestamentlichen) Kanon angewendet hat – auf den (neutestamentlichen) Kanon an, um hier nicht zwischen den verschiedenen guten Geistern bzw. den (von der Kirche durch den Kanon anerkannten) guten Zeugen zu unterscheiden, sondern um auch im Neuen Testament – mit antidoketischer Berufung auf die Ungesichertheit und Anfechtbarkeit alles Menschlichen – zwischen guten und *bösen* Geistern zu unterscheiden. Von diesen, als böse erklärten Geistern des Neuen Testaments her will Käsemann das »Evangelium« nicht hören. Nur in den von ihm als »gute Geister« anerkannten Zeugnissen hört er das »Evangelium«. In diesem Sinne vertritt Käsemann eine Auswahl. So kommt es bei ihm zu einem mittleren Weg zwischen Enthusiasmus und Frühkatholizismus. Er nimmt im Neuen Testament grundsätzlich nur die Zeugnisse *positiv* ernst, die »Evangelium« werden können und sind, die »Rechtfertigung des Sünders« ankündigen. Das bedeutet einen prinzipiellen – auch wenn man nicht von »Prinzip« sprechen will – und von Käsemann bewußt als »evangelisch« akzeptierten Verzicht auf Katholizität im Schriftverständnis.

Doch hier wird der evangelische Exeget vom evangelischen Dogmatiker desavouiert: H. Diem macht Käsemann den Vorwurf, daß er das neutestamentliche Verkündigungsgeschehen »dadurch paralysiert und paralysieren muß, daß er es erst durch seine Zustimmung in kritischer Sichtung zu einer für ihn verbindlichen Geschichte macht«[38]. Gewiß geht es Käsemann nicht um die Rechtfertigungs*lehre* (nicht um einen »Glaubensgegenstand«, ein »Grunddogma«, ein theologisches »Prinzip«), sondern um das Rechtfertigungs*geschehen*; und dieses kann nicht nur im Römer- oder Galaterbrief, sondern auch zum Beispiel in einem Logion Jesu, in einer Seligpreisung usw. angekündigt werden; in *jedem* neutestamentlichen Zeugnis, aufgrund dessen Rechtfertigung des Sünders geschieht, geht es um »Evangelium«. Aber sicher ist, daß es für Käsemann nicht im *ganzen* Neuen Testament um »Evangelium« geht und daß er selber wissen kann, *wo* es nicht um Evangelium geht. Demgegenüber gibt Diem zu bedenken, daß hinter dem neutestamentlichen Kanon damals und heute die Kirche steht, »daß die Kirche exklusiv in der Verkündigung dieser Zeugnisse das Wort Gottes gehört hat und wir es darum ebenfalls exklusiv durch diese Zeugnisse weiterverkünden und hören sollen«[39]: »... das Faktum des Kanons bezeugt, daß die Kirche tatsächlich in diesen Zeugnissen einhellig die Verkündigung von Jesus Christus gehört hat und wir sie darum hier ebenfalls hören können und hören sollen«[40]. Gewiß dürfen und sollen bestimmte Zeugnisse des Neuen Testaments situationsbedingt gewertet, die einen bevorzugt und andere zurückgestellt werden[41]. »Aber bei jeder solchen situationsbedingten Wertung der einzelnen Zeugen ist die durch das Faktum des Kanons gesetzte *Grenze* zu beachten. Diese verlangt die Anerkennung, daß auch jener von uns zurückgestellte Zeuge – in seiner historischen Bedingtheit, denn wie sollte er es anders tun? – das Zeugnis von Christus ausgerichtet und darum bei der Kirche Gehör gefunden hat, und d. h. daß er als ein vom Heiligen Geist Inspirierter geredet hat.«[42] Ohne die Bindung an den Kanon verfällt der Exeget »seiner eigenen subjektiven Willkür, die ihn stets in Gefahr bringt, daß er, anstatt die Texte in ihrer jeweiligen konkreten Profiliertheit reden zu lassen, sie in ihrer historischen Einmaligkeit durch ein vorgefaßtes Auslegungsprinzip vergewaltigt und eben dadurch auch in ihrem Zeugnischarakter als Predigttext verfehlt«[43].

Käsemann würde sich selbstverständlich gegen den Vorwurf der subjektiven Willkür zur Wehr setzen. Er wählt ja nicht in eigener Wahl, sondern betroffen vom »Evangelium« aus. Gegen die Bestimmung einer »Mitte« des Evangeliums ist nichts einzuwenden. Aber gefragt werden darf: Woher begründet Käsemann, daß er nur von diesen Texten und von anderen nicht betroffen ist, daß er nur diese und andere Texte nicht als »Evangelium« zu hören vermag? Dies läßt sich zweifellos nicht vom Neuen Testament her begründen; denn das Neue Testament besagt auch nach Käsemann mehr als nur *sein* »Evangelium«. Auch nicht einfach vom »exegetischen Befund« her, nach welchem sich die »paulinistische Mittellinie« als »Evangelium« aufdrängte. Das Problem wäre nur verschoben, wenn es eine anders bestimmte »Mittellinie« wäre. Denn die Frage ist ja gerade die, warum Käsemann nur diese »Mittellinie« als »Evangelium« zu sehen vermag. Kann sich Käsemann da auf mehr berufen als auf irgendein (vielleicht durch philosophische Prämissen oder durch wenig glaubwürdige Darstellung des Katholischen in Geschichte und Gegenwart unbewußt verursachtes) protestantisches Vorverständnis? Oder, tiefer, auf irgendeine letzte Option, in der man sich vielleicht mehr vorfindet (lutherische Tradition?), als in die man sich selber gestellt hat? Also jedenfalls eine Entscheidung *vor* aller Exegese? Ist das nicht eine Position, in der man auch kaum mehr Gründe angeben kann, die einen anderen abhalten könnten, eine *andere* Option zu treffen und aufgrund eines *anderen* traditionellen Vorverständnisses eine *andere* Mitte und ein *anderes* Evangelium exegetisch zu entdecken? Auf das Neue Testament als *Ganzes* kann man sich ja, nachdem man seine Katholizität preisgegeben hat, nicht mehr berufen.

Was übrig bleibt, ist – gegen den Willen derer, die sie üben – doch die mehr oder weniger große subjektivistische Willkür: »Für Luther war diese Mitte, von der her er alles beurteilte, wohl Paulus oder, noch enger, dessen Rechtfertigungslehre. Andererseits war für Luther das Johannesevangelium das einzige ›zarte rechte Hauptevangelium‹. Ebenso beurteilte und verteidigte F. Schleiermacher dieses gleiche Evangelium ob seines geistigen Gehaltes als das wesentliche Evangelium. In der historisch-kritischen Theologie zu Beginn unseres Jahrhunderts waren die Herrenworte in der Synopse das Maß des Echten. Für R. Bultmann ist wohl das Johannesevangelium das Zeugnis des gültigen Evangeliums als Evangelium des Wortes allein und jetziger existentieller Entscheidung, wenn angebliche spätere kirchliche Zusätze über die Sakramente und die künftige Eschatologie ausgeschieden werden. Müßte man nicht vielmehr, als das NT von einer solchen Norm her zu messen, die kritische Norm am Reichtum des NT messen und ihr darnach allenfalls ein relatives Recht zuerkennen?« (K. H. Schelkle[44])

Das kühne Programm »Kanon im Kanon« fordert nichts anderes als: biblischer zu sein als die Bibel, neutestamentlicher als das Neue Testament, evangelischer als das Evangelium und sogar paulinischer als Paulus. Radikales Ernstmachen ist die Absicht, radikale Auflösung die Folge. Im Gegensatz zu aller Hairesis, die in ihrer Selbstverabsolutierung, ohne es zu wollen, zur Hybris wird, versucht *katholische* Haltung, sich die volle Offenheit und Freiheit für das *Ganze* des Neuen Testaments zu bewahren. Das scheint oft weniger konsequent und imponierend zu sein als das kraftvoll-einseitige Herstellen *einer* Linie; Paulus allein kann ja unter Umständen konsequenter und imponierender wirken als das ganze recht vielfältige Neue Testament, und der (von »Sakramentalismus« und »Mystizismus« purifizierte) paulinistische Paulus unter Umständen wiederum konsequenter und imponierender als der ganze Paulus. Aber der wahre Paulus ist der ganze Paulus, und das wahre Neue Testament das ganze Neue Testament.

5. *Evangelische Katholizität als Imperativ*

Katholische Haltung ist es, grundsätzlich nach allen Richtungen offen zu sein, die das *Neue Testament* freigibt, keine neutestamentliche Linie grundsätzlich oder auch faktisch auszuschließen. Katholische Haltung versucht, unvoreingenommen das Neue Testament nach allen Seiten hin ernst zu nehmen: katholisch zu sein, offen und frei zu sein für die ganze, umfassende Wahrheit des Neuen Testaments. Man hat die katholische Kirche oft eine »complexio oppositorum« genannt, in keinem guten Sinn, insofern man der Kirche Unwesen (als der Kirche aus Menschen, und sündigen Menschen) mit ihrem Wesen (als der im Heiligen Geiste heiligen Kirche) verwechselte. Was aber oft als Vorwurf gedacht war, kann auch einen guten Sinn haben: Käsemann hat aufgezeigt, daß das Neue Testament selbst eine »complexio oppositorum« ist; die katholische Kirche ist also neutestamentlich ausgerichtet, wenn sie versucht, die »opposita« (nicht alle, sondern diejenigen, die auch die des Neuen Testaments sind!) in einem guten Sinn zu umfassen und das *ganze* Neue Testament als Evangelium zu verstehen.

Nicht das ist das Verhängnisvolle an der Theologie Käsemanns, daß sie eine (wie immer des näheren zu bestimmende) »Mitte der Schrift« annimmt, sondern daß sie die »Mitte« in protestantischer Exklusivität das »Ganze« sein läßt und alles übrige durch »Unterscheidung der Geister« ausscheidet. Nicht das ist das Verhängnisvolle an der Theologie Diems, daß sie je nach konkreter Verkündigungssituation den einen oder anderen Zeugen zurücktreten läßt, sondern daß auch sie gewisse Zeugen in protestantischer Exklusivität gar nicht ausreden läßt und sie in ihren Anliegen nicht genügend ernst nimmt. Diem bagatellisiert das von Käsemann festgestellte »Frühkatholische« im Neuen Testament: Verständnis des Amtes, der Apostolischen Sukzession, der Ordination, der Lehre usw.

Bevor aber ein Katholik bei dieser Lage der Dinge selbstbewußt und überheblich frohlockt, möge er bedenken: Gewiß, nur katholische Haltung vermag die protestantische Auflösung vom Evangelium her zu überwinden. Gewiß, die Katholizität in der Interpretation des Neuen Testaments ist ein großartiges Programm. Aber ist sie mehr als ein Programm? Die Aussage: *»Das Katholische ist das Evangelische«*, kann im Formelhaften steckenbleiben, kann in der kritischen Situation der gegenwärtigen Exegese und Dogmatik als träge beschwichtigender Indikativ statt als die Ausführung des Programms fordernder Imperativ verstanden werden. Unsere Darlegungen haben nicht den Zweck, die katholischen Theologen der aufgebrochenen neutestamentlichen Problematik zu beruhigen, sondern sie zur entschiedenen Inangriffnahme der katholischen Aufgabe aufzurufen. Dadurch daß man nur *behauptet*, das Katholische sei das Evangelische, hat man die außerordentlich schwierigen exegetischen und dogmatischen Probleme noch nicht gelöst, die uns die gegenwärtige neutestamentliche Forschungslage aufgibt. Das katholische Programm hat sich in der gründlichen, ernsthaften, ehrlichen exegetischen wie dogmatischen Durchführung bis in die ungezählten Einzelprobleme hinein zu bewähren.

Man wird nicht behaupten können, daß wir Katholiken die Katholizität in der Interpretation des Neuen Testaments genügend vorgelebt hätten. Wer von uns wagte zu behaupten, daß bei uns jene katholische Freiheit und Offenheit für das ganze Neue Testament den anderen Christen glaubwürdig ad oculos demonstriert worden sei? Wäre es sonst möglich gewesen, daß sich die katholische Exegese der letzten Jahrhunderte dauernd im Schlepptau der evangelischen Exegese befunden hätte, daß sie sich im Grunde dauernd ihre Probleme, Methoden und Lösungen von der evangelischen Exegese geben ließ, daß grundlegende exegetische Werke wie das »Wörterbuch zum Neuen Testament« meist Werke evangelischer Exegese sind? Man wird sich hüten, den einzelnen katholischen Exegeten deswegen Vorwürfe zu machen; wer käme auf die Idee, katholische Exegeten seien weniger intelligent oder arbeitsfreudig. Sicher ist, daß unseren Exegeten die volle katholische Freiheit und Offenheit für das ganze Neue Testament oft nicht gelassen wurde.[45] Nicht in einer Atmosphäre der Angst, der totalitaristischen Überwachung und der daraus folgenden Heuchelei und Feigheit, nur in einer Atmosphäre der Freiheit, der nüchternen theologischen Redlichkeit und der unerschrockenen Sachlichkeit und gerade so der loyalen Kirchlichkeit können Exegese und Dogmatik ihre große katholische Aufgabe erfüllen.

Man wird auch nicht behaupten können, daß wir Katholiken die Katholizität in der Interpretation gerade der neutestamentlichen Ekklesiologie genügend glaubwürdig dargestellt hätten. Man kann nicht bestreiten, daß die katholische Ekklesiologie schon des Mittelalters und besonders der gegenreformatorischen Zeit die Pastoralbriefe (und die Apostelgeschichte) gerade gegenüber der mehr charismatisch strukturierten Gemeindeordnung der großen Paulinen stark überbewertet hat und so faktisch aus der Ekklesiologie weitgehend eine Hierarchologie gemacht hat. Noch heute tragen wir schwer an diesem Erbe, und die zu lösenden Aufgaben sind zahlreich.[46]

Es ist allerdings sehr viel schwieriger, das *Ganze* statt nur einen Teil exegetisch ernst zu nehmen. Nicht nur weil *jeder* Theologe als Mensch in Gefahr ist, im Neuen Testament gerade das nicht zu vernehmen, was er vernehmen sollte, sondern weil auf diesem katholischen Weg die hohe exegetische Kunst der Differenzierung und Nuancierung in besonderem Maße erfordert ist. Also:

– einerseits *keine Harmonisierung und Nivellierung* der gegensätz-

lichen ekklesiologischen Aussagen des Neuen Testaments aus systematischer Bequemlichkeit heraus, die zu träge ist, den verschiedenen Gegensätzen auf den Grund zu gehen;
– andererseits *keine Dissoziierung und Reduzierung* dieser Aussagen aus einer rein statistisch sammelnden und entgegensetzenden Hyperkritik heraus, die am Aufstöbern von Gegensätzlichkeiten mehr Gefallen hat als am Aufspüren einer tieferen Einheit im Gesamtkontext der Schriften, die doch schließlich alle in irgendeiner Form von Jesus Christus und seinem Evangelium reden wollen. Jedes Zeugnis des Neuen Testaments ist ein Niederschlag der Verkündigungsgeschichte, in der Verkündigung und Taten Jesu auf mannigfache Weise überliefert werden, damit Jesus als der Herr geglaubt werde. Jedes ekklesiologische Zeugnis des Neuen Testaments muß deshalb auf dem Hintergrund der gesamten Verkündigungsgeschichte, muß aus seiner bestimmten Verkündigungssituation heraus verstanden werden, in die es hineinsprechen will.

Besteht dann aber die Befürchtung Käsemanns nicht zu Recht, daß die *letzte* Schrift dieser Verkündigungsgeschichte die gesamte vorausgegangene Geschichte als letztes Zeugnis interpretiert und somit entscheidend bestimmt? Wohl muß in katholischer Sicht auch dieses neutestamentliche Zeugnis ernst genommen werden. Als frühkatholisches vermittelt es gerade die für die spätere Kirche notwendige Kontinuität zwischen der apostolischen Kirche des Neuen Testaments und der Kirche der »apostolischen Väter« und der alten Kirche überhaupt. Trotzdem kann dies nicht heißen, daß der 2. Petrusbrief die Interpretation des gesamten Neuen Testaments als *die* entscheidende Schrift zu bestimmen hat. Ist doch sehr wohl zu beachten, daß es beim 2. Petrusbrief nicht einfach um ein ursprüngliches, sondern um ein *abgeleitetes* Zeugnis innerhalb des Neuen Testaments geht. Wie etwa der Judasbrief und der Jakobusbrief setzt auch der 2. Petrusbrief andere neutestamentliche Schriften voraus, und diese setzen unter Umständen wieder andere, so dieses oder jenes Logion Jesu, voraus. Die je neue Verkündigungssituation zwang zu steter Umbildung und Neubildung der ursprünglichen Botschaft, in der auch die menschliche und theologische Eigenart des je neuen Verkünders ihre große Rolle spielte. Eine gegensätzliche Verschiedenheit war von daher innerhalb des Neuen

Testaments selbstverständlich gegeben, wie uns ja auch bezeichnenderweise nicht nur *ein* Evangelium oder eine Evangelienharmonie oder gar ein Leben Jesu, sondern verschiedene, oft recht gegensätzliche Evangelien überliefert wurden. Aber in dieser ganzen komplexen (und nicht nur einlinigen) Entwicklung versteht es sich, daß den ursprünglichen Zeugnissen vor den *abgeleiteten* ein Vorrang zukommt. Geht es doch beim Neuen Testament nicht um einen festschriftartigen Sammelband gleichberechtigter (wenn auch nicht immer gleich wertvoller) Beiträge, geht es doch bei der Botschaft des Neuen Testaments nicht um die Botschaft eines Schriftstellerkollegiums, zu der ein jeder seinen selbständigen Forschungsbeitrag liefert, sondern um die Botschaft Jesu Christi, von der alle späteren Zeugnisse nur Interpretationen sein können und wollen. So sehr also auch die abgeleiteten Zeugnisse des Neuen Testaments ernst zu nehmen sind, so sehr sind sie zugleich als abgeleitete und nicht als ursprüngliche ernst zu nehmen. Dabei hat nicht nur die äußere zeitliche Nähe zur Botschaft Jesu eine Bedeutung, sondern auch die innere sachliche Nähe zur Mitte des Evangeliums. Über die zeitliche Nähe hinaus darf dem Römerbrief im Vergleich zum Jakobusbrief auch eine größere sachliche Nähe zugeschrieben werden. Je abgeleiteter ein Zeugnis ist, um so mehr werden Exegeten wie Dogmatiker darauf zu achten haben, auf welche Weise dieses Zeugnis vom Heilsgeschehen in Jesus Christus handelt: welche Faktoren bei je verschiedenen Verkündern in der je verschiedenen Verkündigungssituation mitspielen, fördernd oder hemmend, bekräftigend oder abschwächend, verschärfend oder verharmlosend. So muß jedes Zeugnis im Gesamt des Neuen Testaments von der Botschaft Jesu und den ursprünglichen Schwerpunkten her verstanden werden. Es darf also nicht so sein, daß die späteren Zeugnisse die früheren, die Pastoralbriefe etwa die Bergpredigt oder die Korintherbriefe überspielen.

Die *Kirche* als das neutestamentliche Gottesvolk ist es, die uns das Neue Testament in einer gewiß wechselvollen Kanongeschichte, aber eben doch das Neue Testament als *Ganzes* überliefert hat. Ohne die Kirche gäbe es kein Neues Testament. Dabei war die Kirche der Meinung, daß alle Teile des Neuen Testaments durchaus als positive Zeugnisse vom Christusgeschehen (und nicht nur als zum Teil negative Kontrastprogramme) in den neutestamentlichen Kanon aufgenommen wurden. Gewiß, es war die frühkatholische Kirche, die uns den Kanon überliefert hat. Aber ihre Katholizität bekundete diese frühkatholische Kirche gerade dadurch, daß sie Paulus nicht ausschloß, wie es eine im Sinne evangelischer Exegeten konsequent frühkatholische Kirche an sich hätte tun müssen. Sondern darin, daß sie Paulus mit der Apostelgeschichte, Paulus mit dem Jakobusbrief, kurz, daß sie das *ganze* Neue Testament zum Kanon erhob. Dadurch hat sie die Unterscheidung der Geister vollzogen. Katholische Theologie ist der Meinung, daß sie sie gut vollzogen hat und wir sie heute nicht besser vollziehen können. Der einzelne Exeget kann seine eigene Unterscheidung der Geister nicht besser treffen als im Vertrauen auf die von der alten Kirche vollzogene und von der späteren Kirche weitergetragene Unterscheidung der Geister, die uns das Neue Testament als solches überlieferte.

Das konkrete Verhältnis zur Kirche wird auch heute vielfach den Ausschlag geben, ob ein Theologe das von der *Kirche* überlieferte und verbürgte ganze Neue Testament vertrauensvoll und kritisch zugleich anzunehmen vermag oder nicht. Wir Katholiken sind der Überzeugung, mit der alten Kirche gut daran zu tun, das Ganze des Neuen Testaments als ein *zutreffendes* Zeugnis des Offenbarungsgeschehens in Jesus Christus anzusehen und dabei jedes einzelne Zeugnis wahrhaft, aber differenziert in seiner Ausrichtung auf dieses Heilsgeschehen in Christus gelten zu lassen und theologisch wie praktisch ernst zu nehmen.

Ist es also ein Zufall, daß in Tübingens katholischer Fakultät das Wort des Systematikers vom Exegeten nicht desavouiert, sondern bestätigt wird? »Katholische Theologie wird naturgemäß Zeugnisse des Frühkatholizismus im NT grundsätzlich anders werten als protestantische Theologie. Ist es möglich, die wahre ntl. Botschaft auf die eine Stunde, ja den mathematischen Punkt etwa des Römerbriefes oder des (entmythologisierten) Johannesevangeliums zu begrenzen? In seiner Ganzheit ist das NT Zeugnis der umfassenden, das heißt katholischen, Wahrheit in der Fülle. Nur einen Teil gelten zu lassen, ist Wahl, das heißt Häresie. Und wenn dieses NT in seinen späteren Teilen zum Frühkatholizismus überleitet, dann wird katholische Exegese sich bemühen, zu zeigen, bei wahrhaft geschichtlichem Verstehen geschehe hier nicht Verkehrung des Ursprünglichen und Wahren, sondern echte und gültige Entwicklung. Das wird nicht hindern, das Spätere mit dem Früheren zu vergleichen und jenes an diesem zu messen, so wie dies alle echt kritische Theologie – auch katholische – unternimmt« (K. H. Schelkle[47]).

Gibt es auch in der Ekklesiologie, wo alle Auseinandersetzungen zwischen Katholiken und Evangelischen sich scharf zuspitzen und zuspitzen müssen, einen Weg zur Wiedervereinigung? Es gibt ihn. Er besteht darin, daß die *katholische* Theologie das Neue Testament in *evangelischer Konzentration*, die *evangelische* Theologie das Neue Testament in *katholischer Weite* immer mehr ernst zu nehmen versuchen. In diesem Sinne können Katholiken, die oft von einem Zuviel belastet sind, und Evangelische, die oft unter einem Zuwenig leiden, voneinander lernen und einander helfen. Ist es nicht das, was im Grunde bei aller Kontroverse heute immer wieder geschieht und immer deutlicher geschieht? Ziel unserer Ausführungen und ihrer deutlichen Konfrontation war nicht, eine Diskussion abzuschließen, sondern auf die dahinterliegende große gemeinsame, ökumenische Aufgabe so eindringlich als möglich aufmerksam zu machen. Und ist es nicht ein hoffnungsvolles Zeichen, daß man sich in Tübingen, hat man sich gründlich auseinandergesetzt, immer wieder friedfertig, einträchtig und gut gelaunt zusammensetzt?

Postskriptum 1986

Seit der Publikation dieser Ausführungen (1962 – vor dem Vatikanum II) ist viel Wasser nicht nur den Tiber, sondern auch den Nekkar hinuntergeflossen. Die Polemik des jungen katholischen Theologen von damals gegen – ebenfalls polemisch bestimmte – protestantische Einseitigkeiten, Engführungen, Exklusivitäten war wohl notwendig. Vieles wäre heute anderes zu sagen; vieles hat sich in dem verflossenen Vierteljahrhundert, von beiden Seiten her, erledigt; vieles ist unterdessen anders gesagt worden. Ernst Käsemann hat in dem von ihm 1970 herausgegebenen Band »Das Neue Testament als Kanon«[48] eine Dokumentation und kritische Analyse zur gegenwärtigen Diskussion geboten. Auf den meinem damaligen, dort abgedruckten Beitrag gewidmeten Seiten[49] lehnt Käsemann »einen doktrinären Purismus« und ein »Selektionsprinzip« mit erfreulicher Deutlichkeit ab: »Im Gegenteil erkenne ich als Historiker wie als Theologe dessen Symptome in der Einführung der Ordination, des Presbyteriums, des monarchischen Episkopats und selbst der Lehrkontrolle aus der konkreten Verkündigungssituation im Sinne Diems als notwendig, verständig und also geistgewirkt durchaus an.«[50]

Meinerseits stimme ich Käsemann gerne zu, wenn er von mir erwartet, daß ich »jede historisch leicht zu entlarvende Legitimitätstheorie in der kirchlichen Ordnung« ablehne, »welche das einst Erforderliche für alle Zeiten verbindlich macht, und jeden systematischen Entwurf, welcher der Verkündigung die entscheidende Beziehung zur Rechtfertigungsbotschaft und zum gekreuzigten Nazarener raubt«[51]. Und tatsächlich teile ich Käsemanns Grundhaltung, wie er von mir erwartet, daß ich »ebenfalls eine Mitte der Schrift kenne und alles spätere als Interpretation der Botschaft Jesu begriffen wissen möchte«[52]. Gerade dies meinte damals für mich der Ausdruck »Mitte des Evangeliums«, der aber als irreführend zu vermeiden ist. Seit dem Buch »Die Kirche« (1967) gehe ich entschieden vom Primat der Christologie über die Ekklesiologie aus und nicht, wie Käsemann vermutet, umgekehrt, vom Primat der Ekklesiologie über die Christologie. Und seit der Arbeit an »Christ sein« (1974) würde ich die Frage nach dem Kanon im Kanon in evangelischer Katholizität wie folgt beantworten: *Jesus Christus selbst ist die Mitte der Schrift*. Das heißt: *Er* in Person ist das Evangelium, ist die christliche Botschaft, ist der Kanon im Kanon. Gemeint ist, daß im Neuen Testament alles vom wirklichen Jesus der Geschichte, seiner Botschaft, seinem Verhalten und Geschick her zu interpretieren ist. Was dies bedeutet, wird in den folgenden Kapiteln deutlich werden.

IV. Dogma gegen Bibel?

Historisch-kritische Exegese als Provokation für die Dogmatik

1. *Über das Elend heutiger Dogmatik*

Das Elend heutiger Dogmatik – katholischer, orthodoxer, auch protestantischer – ist die Kluft, die sie von der historisch-kritischen Exegese trennt. Der katholische Neutestamentler *Josef Blank* hat deshalb in einem Aufsatz aus dem Jahre 1979[1] die Exegese programmatisch als »Theologische Basiswissenschaft« herausgestellt. Im Gegensatz zu manchen anderen Dogmatikern (selbst in Tübingen) konnte ich in dieser These von der Exegese als theologischer Basiswissenschaft keine Zumutung oder Anmaßung des Exegeten sehen. Denn mit fortschreitender theologischer Arbeit war es mir – wie in den vorausgegangenen Kapiteln dokumentiert – zur unwiderleglichen Einsicht geworden: Auf der Suche nach festem Boden gibt es keinen anderen Weg als den, welchen die neutestamentlichen Schriften selbst weisen, auf dem sich ihre Autorität entdecken läßt, in dem allein sie ihre innere Einheit finden und der sich gerade mit der historisch-kritischen Methode auf neue Weise öffnet: den Weg zum Jesus der Geschichte, der von der Jüngergemeinde als der Christus Gottes und der Herr erfahren und bezeugt wurde. Dabei zeigte sich überdies: Dieser Weg zurück »vor« die neutestamentlichen Zeugnisse, also zu Jesus Christus selbst, ist bei allem Wissen um die eigene geschichtliche Situiertheit möglich, ja gerade ihretwegen notwendig und ist in der Kirchengeschichte, zumal in Zeiten der inneren Reform und Konzentration, auch immer wieder gegangen worden.

Nein, ich sehe in der These von der Exegese als theologischer Basiswissenschaft eine durchaus berechtigte, von der Dogmatik grundsätzlich zu übernehmende, freilich auch kritisch zu ergänzende hermeneutisch-methodische Konsequenz, die aus jenem Primat der Schrift folgt, welche ja nach dem Zweiten Vatikanischen Konzil die »Seele«, das »Lebensprinzip«, auch der katholischen Theologie sein soll. Die Verordnung der im Neuen Testament niedergelegten *ursprünglichen* (authentischen) Tradition von Jesus dem Christus (normierende Norm) gegenüber aller *nachfolgenden* kirchlichen Tradition (normierte Norm) muß für die Verhältnisbestimmung von Exegese und Dogmatik Konsequenzen haben; die Würde der Dogmatik – ich würde den Namen »Systematische Theologie« (der freilich auch Fundamentaltheologie und Ethik miteinschließt) vorziehen – wird damit in keiner Weise angetastet, eher von der Basis her untermauert.

Allerdings dürfte die These von der Exegese als theologischer Basiswissenschaft nicht einseitig auf die Dogmatik (und Ethik und Praktik) hin formuliert werden. Sie wäre vielmehr – unter Berücksichtigung insbesondere der Dogmen-, Theologie- und Kirchengeschichte, die ebensowenig wie das Neue Testament nur als »Steinbruch« benützt werden darf! – als Herausforderung auch an die Exegese selber zu präzisieren. Ist doch die »Basis« der Theologie das Ganze nicht! Man kann somit als Dogmatiker auf die Herausforderung des Exegeten hin eine umfassendere These vielleicht so formulieren: *Die historisch-kritisch begründete Exegese ruft nach einer historisch-kritisch verantworteten Dogmatik!* Dies bedeutet ein Doppeltes:

(1) Für den Dogmatiker: Eine kritisch vom christlichen Ursprung her verantwortete Dogmatik läßt sich heute nur auf der Grundlage des von der Exegese historisch-kritisch ermittelten biblischen Befundes treiben. In diesem Sinne muß die Exegese nicht als Hilfswissenschaft der Dogmatik, sondern als deren Basiswissenschaft betrachtet werden.

(2) Für den Exegeten: Die von der Exegese historisch-kritisch ermittelten (und möglicherweise bereits systematisierten) Ergebnisse müssen heute einer – normalerweise vom Exegeten selber kaum zu leistenden – systematischen Reflexion unterzogen werden: vor dem Hintergrund der Dogmen-, Theologie-, Kirchen- und Weltgeschichte, im aktuellen Kontext der gegenwärtigen Human- und Na-

turwissenschaften, mit dem Blick auf die Praxis des einzelnen und der Kirche, auf die Zukunft der menschlichen Gesellschaft überhaupt. In diesem Sinne ist die Exegese nicht theologische Gesamtwissenschaft, sondern nur eine Basiswissenschaft, die von ihrem Wesen her auf die anderen theologischen Disziplinen angewiesen bleibt.

Dies alles bedeutet nun freilich: Eine ungeschichtliche Dogmatik ist ebenso überholt wie eine ungeschichtliche Exegese. Eine Dogmatik, die die exegetischen Ergebnisse nur ungenügend (selektiv) zur Kenntnis nimmt, ist selbst ungenügend. Eine Dogmatik, die – statt kritisch zu arbeiten – autoritär bleibt, ist nicht wissenschaftlich: Wissenschaftliches Wahrheitsethos und methodische Disziplin, kritische Diskussion der Ergebnisse und kritische Überprüfung der Problemstellungen und Methoden sind von der Dogmatik ebensosehr gefordert wie von der Exegese. Wie die Bibel (vgl. Vatikanum II), so muß auch das Dogma historisch-kritisch interpretiert werden. Wie die moderne Exegese, so muß also auch die moderne Dogmatik einen streng geschichtlichen Ansatz verfolgen und durchhalten: Auch ihre Wahrheit muß stets geschichtlich verankerte Wahrheit sein!

Aber welche ernsthafte Dogmatik heute beanspruchte schließlich nicht, in irgendeiner Weise wissenschaftlich, kritisch, geschichtlich zu sein? Ist somit nicht doch jede ernsthafte Dogmatik irgendwie auf dem Weg zur historisch-kritischen Verantwortung? *Drei Möglichkeiten der Reaktion* auf die Provokation der historisch-kritischen Exegese erweisen sich so in der Tat immer mehr als *drei Phasen der Entwicklung,* wobei freilich die Ungleichzeitigkeit des Bewußtseins (in Rom und anderswo) ebenso in Rechnung zu stellen ist wie die zwei Seelen in der Brust so vieler (gerade deutscher) Theologen. Es lassen sich in der katholischen Theologie folgende *drei Grundeinstellungen* zur historisch-kritischen Exegese schematisch skizzieren:

– Dogmatische Theologie kann die Ergebnisse der historisch-kritischen Exegese faktisch verhindern oder ignorieren (Phase der neuscholastischen Konservierung).
– Oder sie kann sie umgehen, überspielen und domestizieren (Phase der spekulativen Harmonisierung).

– Oder sie kann diese Provokation annehmen und ihr eigenes Denken entsprechend modifizieren (Phase der historisch-kritischen Verantwortung). Illustrieren wir das Gemeinte an einigen wenigen wichtigen Problemkomplexen.

2. *Sakramente – »von Christus eingesetzt«?*

Sieben von Christus eingesetzte Sakramente des Neuen Bundes gibt es nach verbindlicher kirchlicher Tradition (Lyon 1274; Florenz 1439; Trient 1547): »nicht mehr und nicht weniger«[2]. Unbestritten ist, daß sich Taufe und Eucharistie als eigenständige sakramentale Vollzüge im Neuen Testament finden und aus ihm begründbar sind. In angemessen geschichtlichem, wenn auch nicht juridisch verengtem Sinne (wie dies spätestens bei Thomas von Aquin und auf den genannten Konzilien geschehen ist) können sie zusammen mit der Vollmacht der Sündenvergebung als von Christus »eingesetzt« gelten, insofern die Urgemeinde sie von Anfang an unter spezifischer Berufung auf Jesus von Nazaret, dem als Christus geglaubten, vollzogen hat. Unbestreitbar ist jedoch zugleich, daß der neutestamentliche Befund für die übrigen Sakramente eine andere Sprache spricht und daß die traditionellen Bezugstexte ihre Beweis- und Interpretationslast nicht tragen können:

– Keinerlei Indiz gibt es für ein eigenständiges Sakrament der Firmung, wie sich gerade aus Apg 8,14 ff. und 19,1 ff. nachweisen läßt.

– Keinerlei Begründung für eine von Christus selber eingesetzte Krankensalbung durch Jak 5,14 ff. (auch wenn eine Verbindung zu Mk 6,13 und 16,17 f. gezogen wird).

– Keine hinreichenden Hinweise auf ein unter Berufung auf Jesus Christus selber schon in der Urgemeinde eingeführtes Sakrament des »Ordo«, das als Bedingung und Ermächtigung zum kirchlichen Leitungsamt in Geltung gewesen wäre (vgl. 1 Tim 4,14; 5,12 und 2 Tim 1,6; 2,2).

– Und erst recht keinen Hinweis auf ein Sakrament der Ehe, sosehr in Eph 5,21–33 vom großen »Geheimnis« (Vulgata: »sacramentum«) die Rede ist und Jesus gemäß Mk 10,2–12 par die Ehescheidung verbietet.

a) Bekannt ist die unbekümmerte *Reaktion neuscholastischer Theologie* bis hin zum Vatikanum II, die von diesen exegetischen Schwierigkeiten zwar Kunde erhielt, aber unbekümmert um sie – höchstens über sie verärgert und voller Mißtrauen – darauf bestand, daß die traditionelle Interpretation ihre Gültigkeit behalte. Nicht nur M. Schmaus ging trotz exegetischer Information noch so vor. Noch 1971 schreibt J. Auer völlig unberührt: »So ist die Einsetzung des Sakraments durch Christus zu erschließen (!) aus Apg 8,17 und 19,6 für die Firmung, aus Jak 5,14ff. für die Krankenölung, aus 2 Tim 1,6 und 2,2 für den Ordo, aus Eph 5,25 und Mt 19,3–9 für die Ehe.«[3] Der Rückgriff auf die Schrift wurde so tatsächlich zur Steinbruchexegese: zur punktuellen, kontextlosen, selektiv vorgehenden Bestätigung der eigenen Position durch Zitate aus der Schrift. Die nachbiblische »Tradition« läßt sich so natürlich nicht mehr durch die Schrift normieren, das heißt interpretieren oder gar korrigieren. Nein, diese »Tradition« ist zur authentischen, autonomen, faktisch einseitig-normierenden Interpretin der Schrift geworden. Die neuscholastische Theologie hat auf diese Weise die Eigenaussagen der Schrift und der Geschichte der Urgemeinde im Grunde abgekoppelt. Sie mißbraucht die ursprünglichen Glaubensbekenntnisse zum Zwecke ihrer eigenen Legitimation. Sie setzt faktisch voraus, daß sie Schlüsselaussagen und normierende Kernsätze verbindlicher Glaubenslehre unabhängig von der Schrift behaupten und legitimieren könne (Schrift und Tradition als zwei gleichwertige Glaubensquellen). Nur am Rande bemerkt sei, daß diese Theologie in ihrem versteckten Kampf gegen die moderne Exegese von Pius X. bis zu Pius XII. tatkräftig von der römischen Inquisition unterstützt wurde.

b) In einer zweiten Phase wurde die Versöhnung von Sakramentengeschichte und Sakramententheologie, von Exegese und Dogmatik durch *harmonistisch spekulative Verfahren* vorangetrieben. Sollte nicht doch der Aufweis gelingen, daß auch die problematischen vier Sakramente im Ursprung der Kirche grundgelegt und auf spezifische Weise in Jesus Christus begründet sind? Durch Ausweitung des Sakramentsbegriffs kam man entschieden voran. Man lernte »die Kirche als Ursakrament« verstehen. Schon Jesus Christus,

»der sichtbare Mensch, der durch die palästinensischen Lande wandelt«, ist »sichtbare Gestalt des unsichtbaren Gottessohnes, also Sakrament« (O. Semmelroth[4]). Die Kirche aber wird zum »Sakrament der Menschheit«. Die Sakramente im herkömmlichen Sinn, die »sakramentalen Einzelhandlungen« (S. 53), werden so zur »Differenzierung des einen Ursakramentes in die Vielheit der Einzelsakramente« (S. 54). Die Wirkung dieser Handlungen, so liest man staunend, treffen zunächst auf die Kirche, »und in zweiter (!) Stufe auf die innere Gnade«. Durch die Einzelsakramente also nicht etwa zu Christus, sondern zur Kirche als dem »Ursakrament« (S. 55). Keines großen Schrittes bedurfte es von hier aus zu K. Rahners These: »Die Einsetzung eines Sakramentes kann ... auch einfach dadurch erfolgen, daß Christus die Kirche gestiftet hat mit ihrem Charakter als Ursakrament«[5]. Die Definition des Sakramentes erschöpft sich dann in ekklesiologischen Bezügen. Es ist »ein wirklich zum Wesen der Kirche als der geschichtlichen, eschatologischen Heilspräsenz gehörender Grundakt der Kirche ...« (S. 37). Genauer: es ist Sakrament, weil es ein Grund- und Wesensakt der Kirche ist, nicht umgekehrt. Die Ekklesiologie wird zum Maß der Lehre von den Sakramenten gerade dort, wo deren Ursprung auf besondere Weise in Jesus Christus verankert werden müßte.

Dieses Vorgehen – damals vom »Lehramt« gerade noch toleriert – hat zwar geholfen, die juridisch verengte (möglichst auf Einsetzungsworte oder -akte verweisende) Fragestellung früherer Apologetik aufzulösen. Zugleich ist man aber den *schwierigen Fragen aus dem Weg* gegangen, die schon Luther in »De captivitate babylonica Ecclesiae« (1520!) gestellt hatte, und hat sich der Brisanz der modernen exegetischen Forschung entzogen. Denn wenn die Rede von einer bestimmten *Anzahl* von Sakramenten Sinn haben soll, nach welchen Kriterien soll dann eine Abgrenzung gegenüber anderen kirchlichen Vollzügen vorgenommen werden? Wenn die »Einsetzung durch Christus« für die Sakramente überhaupt noch eine spezifische Qualität gegenüber anderem kirchlichen Tun anzeigen soll, wie kann man dann diese Frage aller historischen Rückbezüge auf Jesus Christus einerseits, aller spezifisch christologischen Wesenscharakteristik andererseits entkleiden? Wie kann man es dann bei der blassen Feststellung belassen, die Kirche als ganze gründe in

Jesus Christus? Wenn es in der Rede von den »Sakramenten« doch darum geht, daß sich in ihnen Jesus Christus auf besondere Weise uns zugesagt hat, so daß sich die Kirche gerade zu diesen Handlungen von ihrem Herrn selber ermächtigt wissen kann, wie kann man dann die historische Rückfrage einfach einebnen, den Begriff des Sakraments zur Struktur des Sakramentalen an sich nivellieren, alle Problematik in eine Ekklesiologie integrieren wollen, deren Totalitätsanspruch durch konsequente Sakralisierung ihrer Gehalte alle früheren Konzeptionen übersteigt?

c) Wer diese Fragen jedoch ernst nimmt, wer dem überkommenen Sakramentsverständnis überhaupt noch ein Recht zugesteht und im großen evangelisch-katholischen Streit der vergangenen Jahrhunderte einen positiven Sinn sehen will, der wird sich – und eine solche dritte Phase zeichnet sich heute ab – der *Provokation historischer Bibelkritik* stellen. Er wird sich dann als Dogmatiker darauf hinweisen lassen, daß es das »Sakrament an sich« im Neuen Testament nicht gibt; daß die Gemeinde sich in sehr verschiedener Weise zu einem bestimmten Handeln ermächtigt wissen konnte; daß die Zahl der Sakramente in etwa von der Sprachregelung des Begriffs abhängt. Er wird sich darüber hinaus sagen lassen, daß Taufe, Eucharistie und Sündenvergebung auf eine Ermächtigung durch Jesus Christus rückführbar sind, die in dieser Weise den übrigen »Sakramenten« fehlt: sowohl der Firmung, die allenfalls als sehr viel später ausgegliederte Vollendung der Taufe betrachtet werden muß und keineswegs eine spezifische Sakramentsgnade beinhaltet; wie der Krankensalbung, die als verständlicher kirchlicher Brauch am Rande des Neuen Testaments vereinzelt bezeugt ist; wie dem »Ordo«, den das Neue Testament – erstaunlich spät von ihm redend – in keiner Weise auf Jesus Christus zurückbezieht; wie schließlich der Ehe, für deren »Sakramentalität« jene mißverständliche Übersetzung von »Mysterium« mit »Sacramentum« die Schuld trägt.

Der harmonistische Denkversuch hat gezeigt, daß die Zeichen- und Symbolstruktur der Sakramente – mit welchem Recht, bleibe hier dahingestellt – auch auf andere Riten, auch auf die Kirche selbst, ja im Rahmen einer bestimmten Christologie sogar auf Jesus Christus angewendet werden kann. Die Deutungen des Sakramentsbegriffs schwanken deshalb zwischen einer evasiv-ekklesiologischen und einer exklusiv-christologischen Konzeption: Die Kirche als ganze wird zum Ur- oder Wurzelsakrament, zum Sakrament Christi oder des Geistes, oder aber Jesus, dem Christus, allein wird der Titel des Sakramentes zuerkannt. Beliebigkeit ist die Folge. *Das Kriterium* für die Sakramentalität des Sakramentes muß deshalb *neu gesucht* werden und ist allein in einer kritisch verantworteten Rückfrage auf das Neue Testament auf der Spur der »Einsetzung durch Jesus Christus« zu finden. Das eine muß dabei klar sein: Auch die Kirche, auch ihre verbindliche Glaubenslehre, kann über diese Qualifikation nicht verfügen. Allein, wozu Jesus Christus unmittelbar vermächtigt hat, steht hier in Frage, was immer man darunter versteht. Und diese Frage kann man nicht beantworten, ohne sich historisch in Zucht nehmen zu lassen. So wird die Exegese in der Tat zur Provokation für den, der den Vorrang des Glaubens an Jesus Christus, den Vorrang der Christlichkeit, vor aller noch so frommen Kirchlichkeit ernst nimmt – auch und gerade im katholischen Raum.

3. Kirchliche Ämter – »in der Nachfolge der Apostel«?

Das kirchliche Amt: wie ist es zu begründen; was ist sein Wesen; wie wird es weitergegeben? Bekannt sind auch hier die fundamentalen Schwierigkeiten mit den Ergebnissen historischer Bibelkritik. Im Unterschied zum ersten Problemkreis steht jedoch nicht primär die Exegese einzelner weniger Schriftstellen zur Debatte. Zu beachten ist vielmehr ein kompliziertes Gefüge von Hinweisen, Deutungen und – Schweigen zum kirchlichen Amt, seiner Struktur und Vielfalt, seiner Begründungen und Abgrenzungen.

Für die traditionelle katholische Ekklesiologie stellen sich vor allem *drei Probleme*[6]:

(1) Die Schrift bietet kaum Anhalt für eine klerikal-sakrale Interpretation des kirchlichen Amtes, das einen wesenhaften Unterschied zu Auftrag und Status des Nichtordinierten begründen könnte. Dagegen stehen der allgemeine Auftrag zur *Verkündigung* und der besondere (apostolische) Auftrag zur *Gemeindegründung und Gemeindeleitung* im Vordergrund; wie alle Ämter und Funk-

tionen wird auch das Amt der Gemeindeleitung am Dienst an der Gemeinde gemessen.
(2) Trotz der lukanischen Konzeption einer Amtseinsetzung durch Handauflegung findet sich im Neuen Testament *keine einheitliche Theorie einer Apostolischen Sukzession von Bischöfen*, die exklusiv an eine rituelle Übertragung der Bevollmächtigung vom Apostel an seinen »Nachfolger« gebunden wäre. Dagegen ist das Amt der *Apostel* als der Erstzeugen des Auferstandenen und Bürgen des wahren Glaubens recht präzise umrissen. Spätere Amtsträger (Gemeindeleiter), die nicht mehr Erstzeugen des Auferstandenen sein können, werden primär an die Apostolizität ihrer Glaubensverkündigung und an ihre Anerkennung durch die Gesamtkirche (für deren missionarische Ausbreitung sie Verantwortung tragen) gebunden sein.
(3) Trotz einer Vereinheitlichung der Ämterstruktur in den späten Schriften des Neuen Testaments kann von einer hierarchischen, in Diakone, Priester und Bischöfe geordneten Verfassung unter dem Primat des Petrus noch keine Rede sein. Vielmehr ist vor allem in den Anfängen, wo zahlreiche Ämter oder Dienste das Leitungsamt ergänzen, eine *Mehrzahl von Verfassungen* rekonstruierbar: vor allem eine presbyteriale (oder kollegial-episkopale) und gleichzeitig eine »charismatische«, in welcher die herausragende Rolle eines gemeindeleitenden Gremiums oder gar einzelner (auch dessen alleinige Bevollmächtigung zur Feier der Eucharistie) noch nicht erkennbar ist.

a) Unbekümmert reagiert wieder die *neuscholastische Theologie*, die durch eine interessebedingte Auswahl von Schriftstellen am traditionellen, zuletzt in Trient verbindlich fixierten Amtsverständnis festhält. Für den besonderen priesterlichen Charakter gerade des Amtes läßt sich allerdings nur hinweisen auf die Überzeugung der Schrift vom »allgemeinen« Priestertum (1 Petr 2,4–9), vom priesterlichen Charakter also der ganzen Kirche und der Teilnahme aller Getauften am Opfer Christi (Hebr 9,14f. u. a.; Röm 12,1; 15,16; Kol 1,14). Daß diese Stellen dem Gedanken eines besonderen Priestertums eher widersprechen, wird – noch bei Schmaus etwa (IV/1,727) – überhaupt nicht erörtert. Mit dem Hinweis auf besondere Vollmachten der ordinierten Amtsträger scheint das Problem sich zu lösen. Als »Jünger« im Sinne der Evangelien gelten nur sie, nicht alle Getauften: als hätten nur sie den Auftrag, das Evangelium zu verkünden (Mt 28,19; Mk 16,15) und den Anspruch auf Gehör in Jesu Namen (Lk 10,16; Mt 10,40); als sei die Binde- und Lösegewalt exklusiv den Amtsträgern zugesprochen (Mt 18,18), als hätten nur sie die Vollmacht, das Herrenmahl zu feiern (Lk 22,19) und die Sünden zu vergeben (Jo 20,23).

Daß in der Nachfolge der Apostel später auch andere dazu bestellte Amtsträger die besondere Verantwortung für die Gemeinden trugen und sich in besonderer Weise dazu gesandt wußten, ist aufgrund der Paulusbriefe und der Apostelgeschichte gewiß unbestreitbar. Überhaupt nicht zur Kenntnis genommen wird dagegen in jener Theologie, daß die Praxis der Handauflegung sich nur bei Lukas und in den Pastoralen findet und selbst dort keinen Schluß auf die spätere exklusive Sukzessionstheorie erlaubt.

Bleibt trotzdem die neutestamentliche Erkenntnis von der Vielfalt der Verfassungen, von der *charismatischen Struktur der Gemeinde von Korinth*, von der hohen Anpassungsfähigkeit späterer Gemeinden, die sich entsprechend der Notwendigkeit der Zeit festere Strukturen gaben, ihre Ämter also nach funktionalen Gründen gestalteten. Diese sehr ernst zu nehmenden Befunde, die der These von der Einsetzung der hierarchischen Ordnung durch Jesus Christus selbst fundamental widersprechen und so das traditionalistisch-katholische Amtsverständnis in seinem Nerv treffen, werden in der neuscholastischen Theologie bis heute weithin schlicht ignoriert, ja, vom »Lehramt« durch »Erklärungen« und anderes mehr unterdrückt. Für das (in Rom noch immer herrschende) neuscholastische Denken gilt, daß geschichtlich nicht sein kann, was gemäß traditioneller Lehre nicht sein darf. Doch auch an diesem Punkt hat vor allem die deutsche Theologie die Versöhnung von Geschichte und theologischem Denken eingeleitet. Auf welche Weise?

b) Wieder hat in einer zweiten Phase die Versöhnung zunächst auf *harmonistisch spekulative Weise* begonnen. Daß das kirchliche Amt gerade von der Verkündigung und der Leitungsfunktion her grundsätzlich begründbar sei, wird seit dem Vatikanum II, welches anders als Trient auf die geschichtliche Relativität der traditionellen

Drei-Ämter-Ordnung hinweist, nicht mehr bestritten. Daß die priesterliche Terminologie des Hebräerbriefs und des ersten Petrusbriefes das Ende des Priestertums in Jesus Christus statt dessen Fortführung in der Kirche anzeigt, wird zur Kenntnis genommen und auch zur Sprache gebracht. Aber die Exegese von Römer 15,15f. etwa kann zeigen, welche doppelbödig harmonisierende Deutung am Ende solcher Vermittlung zwischen Exegese und Dogmatik stehen kann: Zwar bezeichnet sich Paulus dort einmal in kultischer Bildlichkeit als »Liturgen Christi Jesu an den Heiden«. Aber mit diesem seinen »priesterlichen Dienst« meint er keineswegs ein kultisch-sakramentales Tun, sondern völlig eindeutig den Dienst der Verkündigung. Nur gegen den Text also kann der Akzent auf ein kultisch-priesterliches Tun des Apostels gelegt werden. Gerade dies aber geschieht nicht nur in der neuscholastischen Theologie, sondern auch noch etwa im vermittelnden »Schreiben der Bischöfe des deutschsprachigen Raumes über das priesterliche Amt« von 1970 (S. 25f.), das als ein Musterbeispiel vorschnell harmonisierender Theologie gelten kann. Man hat durch ein solches Vorgehen ein Doppeltes erreicht: Beide Aspekte (Verkündigung und Priestertum) sind erkannt, genannt, aber gegen eine Profilierung nach der einen oder anderen Seite – wie es im Rückgang von der traditionellen Lehre zum Neuen Testament nötig wäre – abgeschirmt. Man hat das neutestamentliche Anliegen zur Sprache gebracht, ohne kritische Folgerungen für die traditionelle Lehre zu ziehen, auch ohne dem Anliegen der reformatorischen Kirchen Rechnung zu tragen. Die eindeutige Aussage ist einer abstrakten Redeweise gewichen, die gegenwärtiger Amtspraxis nicht weh tut. Die harmonisierende Interpretation wird zu einem Mittel, das die gegenwärtigen Verhältnisse unkritisch stabilisiert.

Daß wie bei der Sakramentenlehre auch hier eine evasive *Ekklesiologie zur Domestikation* der weiteren Probleme führt, sei nur angemerkt. Man spricht gerne von einer *»irreversiblen Entwicklung«* des Amtsverständnisses und der Amtsstrukturen, so daß die Lage der paulinischen Kirche von Korinth völlig irrelevant wird und statt dessen Lukas und die Pastoralbriefe (in Verbindung mit einigen ausgewählten Stellen des übrigen Neuen Testaments) zu den einzigen Gewährstexten von theologischer Relevanz emporrücken.

Einer verschärften Problemstellung läßt sich dann noch immer mit dem Hinweis begegnen, die Kirche habe doch durchaus das Recht gehabt, die ihr von Christus verliehene Vollmacht zu einer solchen für immer (warum eigentlich?) gültigen Ämterstruktur auszugestalten. Man vergißt dabei leicht, daß man bei solcher Argumentationsweise allein sich selber bestätigt.

Auch die gern geäußerte Rede vom *hermeneutischen Zirkel* wird dazu benutzt, um die Beliebigkeit der eigenen Lösung als Wissenschaft zu qualifizieren. Hätte sich nämlich die Gestalt der Kirche anders entwickelt, könnte man auch dies aus der Irreversibilität einer solchen Entwicklung begründen und sich zugleich mit dem Kranze exegetischer Anstrengungen schmücken. Wo der Theorie nach die Geschichte der Kirche unkritisch zur Heilsgeschichte schlechthin stilisiert wird, ist dem Schriftbefund sein kriteriologischer Stachel, seine ausrichtende, richtende Funktion, offensichtlich genommen. Wäre es aber nicht endlich an der Zeit, uns der Provokation synoptischer, paulinischer, johanneischer Amtstheologie zu stellen?

c) An der Zeit wäre es, in einer dritten Phase, die *Provokation* zur Kenntnis zu nehmen, die in einer angemessenen Exegese der zumeist herangezogenen Schriftstellen liegt, wie dies nicht nur im Buch »Die Kirche« (1967), sondern auch in zahlreichen ökumenischen Konsenspapieren, insbesondere im Memorandum der ökumenischen Universitätsinstitute Deutschlands »Reform und Anerkennung kirchlicher Ämter« (1973) versucht wurde. Ernst zu nehmen wäre die Verabschiedung des alten Kultes und seiner Kategorien des Priesters und des Opfers, das in Jesus endgültig erfüllt ist; die entschiedene Absage an jeden qualitativen Unterschied von Priestern und Laien in einer Gemeinschaft der Brüder und Befreiten. Ernst zu nehmen wäre in Theorie und Praxis die Provokation anderer Aussagen der Schrift: die Absage an alle Ehrentitel (Lk 22,24–27); der nachdrücklich, bei den Synoptikern allein fünfmal wiederkehrende Aufruf zum Dienst gerade der Größten (Mk 9,33–35 par); die paulinische Kriteriologie für die Autorität eines jeden Amtes: Wissen um die eigene Berufung, Dienst an der gemeinsamen Sache, gegenseitige Unterordnung; folglich die Pflicht, die Leitungsämter in den Kirchen gemäß der Funktion, die sie zu erfüllen haben, auszugestalten; schließlich die Einsicht, daß – bei aller auch ökumenischen Bedeutung der Ordination für die in der Kirchenleitung Stehenden – zunächst die Kirche als Ganze aufgrund der Kontinuität ihrer Glaubensverkündigung in der Apostolischen Sukzession steht, daß es auch einen charismatischen Weg in das Amt der Kirchenleitung gibt und daß folglich der Anspruch, in der Nachfolge der Apostel zu stehen, nicht exklusiv an die Abfolge von Handauflegungen gebunden werden kann.

Die entscheidende Provokation zur *Entideologisierung* unserer Ämter aber liegt im völligen Desinteresse Jesu an der Errichtung einer Institution Kirche und der Gestaltung von Ämtern. Gottes Reich, nicht die Kirche wird in Jesu Botschaft zugesagt; um Gottes Willen und des Menschen Wohl geht es ihm. Kirche ist nachösterliche Glaubensgemeinschaft und auch als solche nur ein Provisorium, ein Hilfsmittel, ein – wo es gelingt – Vorort der Brüderlichkeit und Vergebung, die der ganzen Welt gelten. Diener in *diesem* Dienst sollen die Träger kirchlicher Ämter sein in einer Gemeinschaft, die sich auf Jesus beruft. – Was wird wohl die Zukunft sein? Wird die christliche Botschaft, wird Jesus Christus selber wieder neu und konsequent das Kriterium kirchlicher Ämter sein? Zu diesem Umdenken jedenfalls ist dogmatische Theologie und damit auch die Kirche durch die neuen Einsichten der Exegese provoziert, zu nicht mehr und nicht weniger.

4. *Jesus Christus – im Schatten der Dogmen?*

Ein letztes Beispiel, an Aktualität kaum zu überbieten und von J. Blank wiederholt erwähnt, ist die Konfrontation neutestamentlicher *Christologie* mit der Christologie des Konzils von Chalkedon (451). Ich habe zu dieser Problematik verschiedentlich ausführlich Stellung genommen, so daß ich mich kurz fassen kann. Es hätte hier von vornherein keinen Sinn, auf einzelne Schriftstellen zu verweisen. Das Thema ist im Neuen Testament ebenso allgegenwärtig und auf verschiedenste Weise gelöst, wie »Chalkedon« als Stichwort und Abbreviatur für eine Vielzahl von Entwürfen und Modifikationen, Bestätigungen und kritischen Weiterführungen jenes Grundkonzeptes gelten kann, das sich in der Formel vom »wahren Gott und wahren Mensch«, den zwei Naturen also in der einen Person Jesu Christi, niedergeschlagen hat.

a) Nicht auszuführen braucht man ebenfalls, daß die *neuscholastische Theologie* auch in der Christologie sogar auf fundamentalste Ergebnisse kritischer Exegese nicht eingegangen ist. Ihre Probleme blieben die der hellenistischen Antike und des Mittelalters, wobei man sich freilich neu in recht unhistorischer Weise auf die Frage des Selbstbewußtseins Jesu konzentrierte. Die Fülle dogmengeschichtlicher Forschungen zur Christologie und Trinitätslehre vom Mittelalter zurück bis Augustin, Athanasios und den vornizänischen Vätern aber hat das drängendste Problem zum Teil verdeckt und hat verhindert, daß man über die schon mit den Anfängen verbundene Umsetzung der Christologie aus dem jüdischen ins hellenistische Denken und den daraus folgenden Konsequenzen für Dogma und Dogmatik intensiver nachdachte.

b) Doch schon vor dem Zweiten Vatikanum hatte in der katholischen Christologie eine Phase neuer *Vermittlungsversuche* eingesetzt, denen Anerkennung gebührt, auch wenn ihnen wiederum ein harmonisierender Charakter nicht abgesprochen werden kann. Karl Rahner hat in seinem bedeutenden Aufsatz über »Probleme der Christologie heute« versucht, das starre dogmatische Bewußtsein bezüglich der chalkedonischen Formel aufzulockern und diese nicht als »Ende«, sondern als »Anfang« hinzustellen.[7] Ebenfalls zur 1500-Jahrfeier des Konzils von Chalkedon 1951 versuchte Alois Grillmeier[8] mit viel dogmenhistorischem Material, »die theologische und sprachliche Vorbereitung der christologischen Formel von Chalkedon« als eine angeblich organische Entwicklung darzustellen und so zu beweisen, daß es zwischen den beiden »Endpunkten« Bibel und Chalkedon »keinen Gegensatz«, sondern eine »innere Nähe« gibt. Dies alles geschah freilich unbekümmert um die kritische Exegese der Schrift, ja ohne Sinn für die tiefere neutestamentliche Problematik. So war es denn nicht verwunderlich, daß derselbe kenntnisreiche Dogmenhistoriker noch gut zwei Jahrzehnte später einen umfassenden Übersetzungsversuch neutestamentlicher Christologie (»Christ sein« 1974) mit dogmatischen Verdikten und der denunziatorischen Formulierung eines quasihäretischen – oder doch wenigsten banal klingenden – Symbolums quittieren zu müssen meinte. Er schien nicht zu merken, wie er selber das Neue Testament selektiv behandelt, den Jesus der Synopse vernachlässigt und alles auf Jo 1,14 abstellt, so daß die innerneutestamentliche Entwicklung und Gewichtung gar nicht sichtbar wird. Erkenntnisleitendes Interesse auch in diesem »historischen« Vermittlungsunternehmen war das absolut gesetzte Dogma, welches in jedem Fall über die Geschichte und damit auch über den neutestamentlichen Befund obsiegt: Dogma gegen Bibel. Deshalb auch das Insistieren auf bestimmten klassischen hellenistischen Formeln und Vorstellungen gegen den Versuch, diese von ihrem normativen und bleibend gültigen christlichen Ursprung her kritisch-konstruktiv für die Gegenwart zu interpretieren.

c) Aber die Geschichte ist bei diesen harmonisierenden Vermittlungsversuchen nicht stehengeblieben. Und man dürfte kaum fehlgehen, wenn man sich auch in der Christologie auf eine neue, dritte Phase einstellt, in der sich die katholische Theologie in positiver Weise auf den *kritisch erhellten biblischen Befund* einläßt. Wer immer heute auch als Dogmatiker über Jesus Christus schreibt, kommt nicht darum herum, diesen Befund zur Kenntnis zu nehmen. Und so gibt es denn bereits Christologien auf neuer exegetischer Basis. Es finden sich auch zahlreiche religionspädagogisch orientierte Arbeiten, die anders als früher historisch-kritisch verantwortet sind. Eine Diskussion um die Methode der Christologie ist dabei für Theologie und katechetische Praxis in Gang gekommen, und man darf hoffen, daß sie intensiv, an der Sache orientiert und ohne reglementierende Einflüsse von außen vorangetrieben werden kann. Denn hier sind ja nicht nur komplexe denkerische und geistesgeschichtliche, sondern auch emotionale Hürden zu überwinden, die sich bis in persönliche Frömmigkeitsformen hinein aufgebaut haben.

Mit den Schlagworten einer »Christologie von unten« oder »von oben« allein wird man in diesem Zusammenhang kaum weiterkommen, auch nicht mit dem Programmwort einer »geschichtlichen« Christologie. Zu groß ist die Virtuosität gerade in der deutschen Theologie, die Geschichte des Glaubens – in angeblich geschichtlichem Umfang – zu domestizieren. Wer sich indessen als katholischer Theologe methodisch in spezifischer Weise einem »*Traditionsprinzip*« verpflichtet sieht, der ist auch in spezifischer Weise dazu aufgefordert, diese Tradition auf Kontinuität *und* Diskontinuität genauestens abzuhören. Der darf Tradition nicht erst 325 (Konzil von Nikaia) oder 451 (Konzil von Chalkedon), bei Athanasios, Augustinus oder gar erst bei Thomas von Aquin beginnen lassen. Der muß vielmehr sogar die verbindlichen, weithin rezipierten und wirkungsgeschichtlich so überragenden Festlegungen von Nikaia und Chalkedon von ihrer Genese her begreifen und sie nach der Norm der neutestamentlichen Botschaft selbst kritisch zu verantworten lernen.

In dieser Konsequenz aber ist das »Traditionsprinzip« vom »*Schriftprinzip*« eingeholt und in ihm gerechtfertigt. Und was immer man »lehramtlich« darüber sagen mag: Solches Vorgehen dürfte konsequent katholisch sein. Denn es löst doch schließlich nur jenen Anspruch der Konzilien und verbindlich lehrenden Instanzen ein, die bekanntlich keine neuen Lehren konstituieren, sondern nur die Übereinstimmung einer Lehre mit dem ursprünglichen Glaubenszeugnis (»depositum fidei«) konstatieren und konfirmieren wollten. Und dieses ursprüngliche Glaubenszeugnis weist auf den Einen, der allem Christlichen den Namen gibt: *Er* in Person ist der »Kanon vor dem Kanon«, die »Mitte der Schrift«, das »Evangelium« selbst.

In solcher evangelischer Konzentration wird dann auch der unserer großen katholischen Tradition – und nicht nur den »idées reçues« – Verpflichtete nicht einer neokonservativen Apologetik des Vergangenen verfallen. Er wird vielmehr dafür offenbleiben, daß jede neue Zeit die Botschaft von diesem Christus auch auf *irreduktibel neue Weise* sagen konnte, so daß man keiner kirchengeschichtlichen Epoche die Christlichkeit grundsätzlich absprechen darf, weder dem Mittelalter – noch der Gegenwart. Daß in diesen ganzen kirchen- und theologiegeschichtlichen Prozessen von Ihm her auch immer wieder verfestigte Positionen aufgebrochen, Korrekturen notwendig und möglich werden konnten, daß uns auch jetzt wieder im Umbruch einer Epoche der Ursprung des Glaubens in neuer Unmittelbarkeit ansprechen kann, ja, daß uns die herausfordernde Urgestalt des christlichen Glaubens heute auf unerwartete Weise deutlicher und vertrauter wird als die Weisen seiner langen geistesgeschichtlichen Vermittlung, das gehört wohl zu den heilsamen und beglückenden Überraschungen unserer Zeit.

B. PERSPEKTIVEN NACH VORN

I. Wie treibt man christliche Theologie?

Schritte zur Verständigung

Die im vergangenen Kapitel niedergelegten hermeneutischen Grundsätze einer Verschränkung von historisch-kritischer Exegese und historisch-kritischer Dogmatik hatten ihren konkreten Niederschlag bereits in der Ausarbeitung einer konsequent geschichtlich ansetzenden Christologie gefunden. 1974 erschien mein Buch »Christ sein«, gefolgt 1978 von »Existiert Gott? Antwort auf die Gottesfrage der Neuzeit«. Gleichzeitig und völlig unabhängig von diesen Arbeiten hatte der katholische Dogmatiker *Edward Schillebeeckx* sein Buch »Jesus. Die Geschichte von einem Lebenden« veröffentlicht, gefolgt 1977 von »Christus und die Christen. Die Geschichte einer neuen Lebenspraxis«[1]. Der Ausgangspunkt und die Schlußfolgerungen unserer beiden Christologien aus katholischer Tradition schienen mir so sehr übereinzustimmen, daß sich die Frage öffentlich zu stellen lohnte[2]: Ist in einer so zentralen Frage wie der Christologie in der *katholischen* Theologie heute ein neuer Grundkonsens möglich? Ein Grundkonsens, der auch für die *Ökumene* bedeutsam ist, da katholische Theologen begonnen haben, auch die Ergebnisse der protestantischen Exegese kritisch zu rezipieren, die indessen von protestantischen Dogmatikern – gerade in Fragen der Christologie und der Trinitätslehre, aber auch der Erbsünde und des Teufels! – oft sträflich ignoriert oder überspielt werden. Werden die Ersten wieder einmal die Letzten sein?

1. Das Vatikanum II und die Folgen

Die katholische Theologie hat stürmische Zeiten hinter sich. Das Zweite Vatikanische Konzil erwies sich auch theologisch als tieferer Einschnitt, als manche Beobachter zuerst annahmen. Das Erste Vatikanum (1870) hatte den beinahe totalen Sieg der neuscholastischen Theologie gebracht, genauer: jener vatikanischen Denzinger-Theologie, die fast vollständig vom Lehramt gesteuert war und in den beinahe täglichen (von römischen Professoren verfertigten) Lehransprachen Pius' XII. ihren Höhepunkt erreichte. Das Zweite Vatikanum (1962–65) aber manifestierte die Unfähigkeit dieser Theologie, mit den neuen Problemen des Menschen, der Kirche und der modernen Gesellschaft fertig zu werden; es brachte, wenn auch nicht das Verschwinden jener zwischen Vatikanum I und II herrschenden Theologie, so doch das Ende ihrer absoluten Herrschaft. Die in jener Zeit mit allen Mitteln unterdrückte alte katholische Pluralität der Theologien wurde jetzt wieder sichtbar. Zugleich aber war der vorher zwar künstlich, doch wirklich gegebene Konsens katholischer Theologie zur Frage geworden, und in keiner Weise war klar, wie er wiedergefunden werden sollte.

Im Vatikanum II war es theologisch scheinbar nur um innerkirchliche Probleme und sehr beschränkte Bereiche der Theologie gegangen: um das Verhältnis von Schrift und Tradition (in noch immer tridentinischer Problemstellung), um die Ekklesiologie vor allem und damit verbunden um die Fragen des Ökumenismus, des Judentums, der Weltreligionen, der Religionsfreiheit, aber schließlich doch auch schon um die Problematik der »Kirche in der modernen Welt«. Unbemerkt waren indessen auch sämtliche anderen Bereiche der Theologie von der Neuorientierung mitbetroffen. Und was sich zunächst im Streit um Kirche, Apostolische Sukzession, Ämterstruktur und Eucharistiefeier ankündete, wurde im Streit um die Unfehlbarkeit für jedermann offenkundig: Es geht um die Grundlagen der herrschenden Theologie, welche offensichtlich weder die in die Defensive geratene positivistische vatikanische Theologie noch die neueren patrologisch oder spekulativ vermittelnden Theologien zu sichern vermochten. Sollte also ein Konsens in der katholischen Theologie gar nicht mehr möglich sein?

Wohlgemerkt: nicht diejenigen, die die Probleme aufzeigten, hatten sie auch geschaffen. Radikale Grundlagenfragen hatten sich schon seit der Reformation und erst recht seit der Aufklärung aufgetan. Aber die herrschende »Theologie der Vorzeit« (J. Kleutgen) hatte alles getan, um sie – zumindest bis zur nächsten Krise – wieder zuzuschütten. Jene vielfältigen theologischen Auseinandersetzungen vor dem Vatikanum I und der »Syllabus errorum« Pius' IX. (1864), die Modernismuswirren und die Enzyklika »Pascendi« Pius' X. (1907), die »Nouvelle Théologie« und die Enzyklika »Humani generis« Pius' XII. (1950) waren samt den damit verbundenen Säuberungswellen die weithin sichtbaren Ausbrüche des hier bis zur Oberfläche durchschlagenden untergründigen Bebens.

Im Vatikanum II dann war trotz aller Schwierigkeiten theologisch viel erreicht worden: für die innerkirchliche Reform, insbesondere den Gottesdienst, auch für das Verhältnis zu den anderen Kirchen, zu den Juden und den Weltreligionen, schließlich zur modernen Gesellschaft überhaupt. Aber eine eigentliche theologische Grundlagenbesinnung war verhindert worden durch den das Konzil dominierenden kurialen Apparat und besonders durch die Theologische Kommission (unter Kardinal Ottaviani). Weder die kritische Exegese noch die Dogmengeschichte noch erst recht die evangelische und orthodoxe Theologie hatten ein entscheidendes Wort mitzureden. Die Fundamente schienen nun einmal gegeben mit all den definierten oder nichtdefinierten traditionellen Lehrelementen. Zwar konnte der Beobachter auch ohne feines Gespür in den Gewölben des großen traditionellen Lehrgebäudes eine gefährliche Feuchtigkeit und an den Wänden auswitternden Salpeter wahrnehmen. Aber statt die Fundamente radikal zu sanieren, überstrich man die angegriffenen Stellen mit neuer Farbe. Wen wundert es da, daß nach dem Konzil die kritischen Flecken bald wieder sichtbar wurden und der Mauerfraß auch obere Stockwerke in Mitleidenschaft zu ziehen drohte?

Eine *doppelte Bewegung* zeichnete sich in der nachkonziliaren Theologie ab. Einerseits eine *zentripetale*: Von den sekundären Problemfeldern der Ekklesiologie und des Ökumenismus drang die kritische Forschung auf der Suche nach sicheren Fundamenten notgedrungen zu den primären Problemfeldern, zur Christologie und zur Gotteslehre, vor. Die Exegese hatte dabei mit ihrer historischen Jesusforschung seit Jahrzehnten vorgearbeitet; immer gebieterischer verlangten ihre Ergebnisse Eingang in die erstarrte neuscholastische Dogmatik, immer deutlicher zeigte sich das Ungenügen verdienstvoller theologischer Erneuerungsbewegungen, sowohl des an der Patristik orientierten »Ressourcement« (H. de Lubac, J. Daniélou, H. U. von Balthasar) wie der spekulativ-transzendentalen Vermittlung (K. Rahner), wo überall die moderne Exegese vernachlässigt wurde. Andererseits eine *zentrifugale* Bewegung: Die in der Konzilszeit in die Kirche eingelassene »moderne Welt« wollte theologisch nicht nur abstrakt und allgemein zur Kenntnis, sondern in ihrer Vielschichtigkeit und Ambivalenz möglichst genau ernst genommen werden. Das Lesen der »Zeichen der Zeit« erwies sich in der Theologie als ein unendlich viel schwierigeres und komplexeres Unternehmen als im Konzil angenommen. Die gesellschaftlichen Umwälzungen gegen Ende der sechziger Jahre provozierten geradezu eine »politische Theologie« und dann – in Lateinamerika – eine »Theologie der Befreiung«.

In unserem Jahrzehnt wurde es indessen immer deutlicher: Nur diejenige Theologie – und wir reden hier vor allem von der systematischen und insbesondere der dogmatischen Theologie – würde die Zukunft bestehen können, die unkonventionell beides in einem wagte und in möglichst überzeugender Form zu realisieren vermochte: sowohl das »Zurück zu den Quellen« wie das »Hinaus aufs offene Meer«, oder weniger poetisch und paradox ausgedrückt: *eine Theologie vom christlichen Ursprung und Zentrum her im Horizont der gegenwärtigen Welt!*

Eine Selbstverständlichkeit? Nein, eine solche Theologie unterscheidet sich wesentlich von jeder anderen Theologie, die die kirchlichen Dogmen als Ausgangspunkt und Zielpunkt der systematischen Theologie nimmt, sei es, daß sie auch fragwürdig gewordene positivistisch repetiert und aus Schrift und Tradition zu beweisen versucht, sei es, daß sie sie in transzendentaler oder anders orientierter Spekulation dem heutigen Menschen assimilierbar zu machen versucht. Für eine Theologie, die vom christlichen Ursprung und Zentrum her im Horizont der gegenwärtigen Welt zu denken versucht, werden die kirchlichen Dogmen bei aller notwendigen

Kritik keineswegs unnötig oder gar unmöglich. Sie behalten ihre Funktion oder, besser, sie erhalten ihre ursprüngliche Funktion zurück. Sie werden nicht wie in den verschiedenen Formen der Denzinger-Theologie mit der christlichen Botschaft gleichgesetzt, sondern sie werden gesehen, als was sie gesetzt wurden: als die amtlichen Hilfsmittel, Wegmarken und Warnpflöcke auf dem Weg durch die Jahrhunderte, die die Kirche und den einzelnen und natürlich auch den einzelnen Theologen vor dem Mißverständnis der christlichen Botschaft bewahren sollen.

2. *Vergleich zweier Christologien: Edward Schillebeeckx*

In den genannten Jesusbüchern von *Edward Schillebeeckx* – »Jesus. Die Geschichte von einem Lebenden« (1974) und »Christus und die Christen. Die Geschichte einer neuen Lebenspraxis« (1977) – wurde eine Theologie vom Ursprung her für die Gegenwart ebenso angestrebt wie in meinen Büchern »Christ sein« (1974) und »Existiert Gott? Antwort auf die Gottesfrage der Neuzeit« (1978). Es dürfte also angebracht sein, das zu versuchen, was manche ohnehin von den Autoren wünschten: diese beiden Theologien ein wenig zu vergleichen – nicht im Detail, nur in den Grundzügen und vor allem in Hermeneutik und Methode. Es soll dies geschehen anhand von Schillebeeckx' »Zwischenbericht über die Prolegomena zu einer Christologie« – im Deutschen leider völlig irreführend vom Verlag mit dem Obertitel »Die Auferstehung Jesu als Grund der Erlösung« versehen[3] –, worin er die Verstehensprinzipien darlegt, aus denen seine beiden Jesusbücher geschrieben worden sind. Ein solcher Vergleich ist um so reizvoller, als wir beide zwar als Konzilstheologen zusammen am Vatikanum II und im Direktorium der Internationalen Theologischen Zeitschrift »Concilium« tätig waren, unsere Bücher aber völlig unabhängig voneinander geschrieben haben.

Doch dürfte ein Vergleich der Bücher schon deshalb nicht leicht sein, weil sie sich von ihrem thematischen Rahmen her keineswegs decken: Während sich zum Beispiel in »Christ sein« nur kurze Abschnitte über Gnade und Rechtfertigung finden, hat Schillebeeckx in seinem zweiten Band vom Neuen Testament her eine breite Gnadentheologie entwickelt (deshalb im Holländischen der wiederum adäquatere Titel »Gerechtigheid en liefde. Genade en bevrijding«). Während bei Schillebeeckx die Gottesproblematik vor allem im Fragefeld der Christologie angesprochen wird, wird sie bei mir in einem eigenen Band vor dem gesamten Horizont der Neuzeit philosophisch-theologisch thematisiert. Und während bei Schillebeeckx die hermeneutisch-methodischen Fragen ausführlich zur Darstellung gebracht werden, so bei mir nur im Rahmen des unabdingbar Notwendigen. Dazu kommt, daß Schillebeeckx seine beiden Bände als Prolegomena zu einem künftigen dritten Band, einer eigentlichen Christologie, ansieht, während ich hoffe, die Frage nach der »Rechtfertigung« (1957) noch einmal in so etwas wie einer »Gnadenlehre« aufzunehmen (vgl. »Rechtfertigung heute«: Einleitung zur Taschenbuchausgabe 1986).

Geht man jedoch von den Verstehensprinzipien aus, so wird bei allen Unterschieden eine *grundlegende hermeneutische Übereinstimmung* sichtbar, die mir weit über die genannten Bücher hinauszugehen scheint, die nicht nur von den meisten katholischen Exegeten, sondern zunehmend auch von jüngeren, exegetisch besser ausgebildeten katholischen Systematikern getragen wird und die sich vielleicht doch als Grundlage für einen neuen Grundkonsens in der katholischen (und nicht nur der katholischen) Theologie herausstellen könnte – bei allen legitimen methodischen und sachlichen Differenzen. Diese grundlegende hermeneutische Übereinstimmung betrifft vor allem jene »zwei Quellen«, wie Schillebeeckx sie nennt, aus denen heutige wissenschaftliche Theologie zu schöpfen hat: »einerseits aus der ganzen Erfahrungstradition der großen jüdisch-christlichen Bewegung und andererseits aus heutigen, neuen menschlichen Erfahrungen von Christen und Nichtchristen« (S. 13; Zitationen ohne weiteren Vermerk stammen aus Schillebeeckx' »Zwischenbericht«, der Grundgedanken seiner beiden Jesusbücher aufnimmt, expliziert und gegenüber Kritik verteidigt).

Ohne dies, wie in der Theologie weit verbreitet, zu einem Streit um Worte zu machen, würde ich lieber von »zwei Polen« der Theologie sprechen, um so die Spannung innerhalb der gleichsam elliptischen Bewegung unseres Theologisierens deutlicher zu machen als im Bild der zwei Quellen oder ineinanderfließenden Ströme. Arbeiten wir nun aber anhand von Schillebeeckx' »Zwischenbericht« heraus, was bei allen nicht zu verschweigenden Unterschieden einen für die *katholische* – und, wie ich meine, auch *ökumenische* – *Theologie der Zukunft* tragfähigen und wegweisenden Basiskonsens bilden könnte. Wir wenden uns also zuerst dem ersten und dann dem zweiten Pol *christlicher* Theologie zu, wobei wir in beiden Abschnitten mit der grundsätzlichen Zustimmung einige kritische Fragen verbinden.

3. Was ist Norm christlicher Theologie?

Erste »Quelle«, erster Pol, die Norm christlicher Theologie ist Gottes offenbarendes Sprechen in der Geschichte Israels und der Geschichte Jesu. Folgende Übereinstimmungen zeichnen sich hier ab:

a) *Gottes Offenbarung und menschliche Erfahrung sind nicht einfach Gegensätze, vielmehr wird Gottes Offenbarung nur durch menschliche Erfahrung wahrnehmbar:* Völlig richtig stellt Schillebeeckx heraus, daß Offenbarung zwar »nicht *aus* subjektiv-menschlichem Erfahren und Überlegen« kommt, sich aber doch »nur *durch* menschliche Erfahrungen und *in* menschlichen Erfahrungen wahrnehmen« läßt (S. 20). Gott spricht durch Menschen. Seine Offenbarung ist nicht menschliches Produkt oder Projekt, umfaßt jedoch menschliche Projekte, Erfahrungen, Ereignisse, Interpretationen. Menschliche Erfahrungen begründen nicht Gottes Offenbarung, vielmehr begründet Gottes Offenbarung die menschliche Glaubensantwort. Diese jedoch ist nicht direkt und unvermittelt Gottes Wort, sondern ist und bleibt Menschenwort, das vom erfahrenen Gotteswort bereits interpretierend zeugt.

In diesem Sinn gibt es außerhalb menschlicher Erfahrung keine Offenbarung und ohne die bestimmte Erfahrung mit Jesus von Nazaret, der menschlichem Leben Sinn, Bedeutung und Richtung gab, kein Christentum. Wenn Jesus für den christlichen Glauben in der Geschichte Israels Gottes entscheidende Offenbarung ist, dann weil seine ersten Jünger ihn so erfahren haben (subjektiv) und er für sie auch so ist (objektiv). Objektives und subjektives Moment gehören zusammen: »Die interpretative Erfahrung gehört wesentlich zum Begriff Offenbarung« (S. 20f.). Gewiß konstituiert nicht der Glaube der Jünger Jesus als Gottes Offenbarung, Heil, Gnade; doch ohne die Glaubenserfahrung könnten sie nichts über ihn als Gottes Offenbarung, Heil und Gnade sagen. Offenbarung vollzieht sich »in einem langen Prozeß von Ereignissen, Erfahrungen und Interpretationen« und »nicht in einem übernatürlichen ›Eingriff‹, sozusagen wie ein Zaubertrick, obwohl sie doch keineswegs ein menschliches Produkt ist« (S. 21). Also im Bild: Offenbarung kommt »von oben«, von Gott her, wird aber stets »von unten« vom Menschen her, erfahren, interpretiert, bezeugt und dann auch reflektiert und »theologisiert«. Dies führt zum zweiten:

b) *Die menschliche Erfahrung von Offenbarung wird nicht erst nachträglich interpretiert, vielmehr ist sie von vornherein immer nur durch menschliche Interpretation (Interpretamente) gegeben:* Wiederum völlig zu Recht stellt Schillebeeckx heraus: »Interpretierende Identifizierung ist schon ein inneres Moment der Erfahrung selbst, zunächst unausgesprochen, später reflexiv bewußt« (S. 22). Jede Erfahrung – von Liebe, aber auch von Offenbarung, Heil, Gnade – ist nie »rein«, sondern nur interpretiert gegeben, auch wenn dies nicht von vornherein reflektiert wird. Jede Erfahrung bringt schon Interpretationselemente mit sich, wird zugleich durch weitere Interpretationselemente angereichert und schließlich sprachlich zum Ausdruck gebracht: in bestimmten begrifflichen oder bildhaften Artikulationen der Interpretation (= Interpretamente), die auf die ursprüngliche Erfahrung zurückwirken können, vertiefend oder auch verflachend. Doch über alle Begriffe und Vorstellungen hinaus geht es immer auch schon um (mehr oder weniger bewußte) allgemeinere Interpretationsrahmen: um theoretische Verstehensmodelle (Paradigmata), von denen aus man die verschiedenen Erfahrungen zu erfassen, zu ordnen und zu einer Synthese zu bringen versucht. Keine Erfahrung, auch keine biblische oder kirchliche Glaubensaussage, ohne Interpretationsrahmen, ohne Verstehensmodell, ohne implizite Theorie. Der Einfluß von Erfahrung und Theorie ist wechselseitig.

So wurden denn nicht nur die Erfahrungen aus der Geschichte Israels, sondern auch die Erfahrungen mit Jesus von den verschiedenen biblischen Verfassern von vornherein verschieden interpretiert dargeboten. Die gemeinsame Grunderfahrung eines Heils in Jesus von Gott her wurde von den Synoptikern, von Paulinismus und Johanneismus eingefärbt in die sehr unterschiedlichen Fragestellungen, Vorstellungs-, Denk- und Sprechweisen, ja auch Interpretationsrahmen ihrer Lebenswelt, ihres gesellschaftlich-kulturellen Milieus, ihrer Zeit: bildhafte und begriffliche Artikulationen und Modelle aus einer ganz anderen Erfahrungswelt, die uns nicht mehr unmittelbar ansprechen, sondern heute wieder neu vermittelt werden müssen!

Die christliche Heilswirklichkeit würde somit zum Schaden des christlichen Glaubens selbst verwechselt mit bestimmten zeit- und milieugebundenen Vorstellungen, Begriffen und Modellen der damaligen Erfahrungswelt (z. B. Sklavenloskauf, blutiges Kultopfer, Weltherrscher): »Man kann – durch alle Zeiten hindurch – den Christen, der an den Heilswert des Lebens und Todes Jesu glaubt, wahrhaftig nicht dazu verpflichten, einfach an alle diese ›Interpretamente‹ oder Auslegungen zu glauben. Früher einmal sinnvolle und suggestive Bilder und Interpretationen können in einer anderen Kultur irrelevant werden« (S. 25). Im Neuen Testament wurden mit großer Freiheit sehr unterschiedliche Interpretamente aufgenommen: »Das gibt auch uns die Freiheit, dieselbe Heilserfahrung, die wir mit Jesus machen, von neuem darzustellen und in Schlüsselworten niederzuschreiben, die aus unserer zeitgenössischen modernen Kultur mit ihren eigenen Problemen, Erwartungen und Nöten genommen sind, selbst wenn sie auch wieder unter der Kritik der Erwartung Israels stehen, *wie* diese in Jesus in Erfüllung gegangen ist. Mehr noch, wir müssen es tun, *um* dem treu bleiben zu können, was die neutestamentlichen Christen in Jesus an Heilserfahrung erlebt, als Botschaft verkündet und uns daher verheißen haben« (S. 25). Dies führt uns zum dritten.

c) *Quelle, Norm und Kriterium für den christlichen Glauben ist der lebendige Jesus der Geschichte; durch historisch-kritische Jesusforschung wird christlicher Glaube angesichts des heutigen Problembewußtseins historisch verantwortet und gegen unkirchliche wie kirchliche Mißdeutungen geschützt:* Schillebeeckx hat recht, wenn er sagt: »Nicht das historische Jesusbild, sondern der lebendige Jesus der Geschichte steht am Anfang und ist Quelle, Norm und Kriterium dessen, was die ersten Christen in ihm *interpretierend erfuhren.* Aber gerade im Blick auf diese Struktur des urchristlichen Glaubens kann eine historisch-kritische Forschung uns verdeutlichen, wie der konkrete Inhalt des urchristlichen Glaubens durch den Jesus der Geschichte ›gefüllt‹ war« (S. 44).

Die historische Rückfrage auf den Jesus der Geschichte ist aufgrund der neutestamentlichen Quellen möglich und angesichts des heutigen fortgeschrittenen Problembewußtseins notwendig. Das Christentum gründet ja nicht auf Mythen, Legenden oder Märchen, auch nicht nur auf einer Lehre (es ist keine Buchreligion), sondern primär auf einer geschichtlichen Persönlichkeit: Jesus von Nazaret, der als der Christus Gottes geglaubt wird. Die neutestamentlichen Zeugnisse – kerygmatische Berichte – ermöglichen es zwar nicht, die biographische oder psychologische Entwicklung Jesu zu rekonstruieren, was auch gar nicht notwendig ist. Aber sie ermöglichen, was aus theologischen wie pastoralen Gründen heute dringend erforderlich ist: die im Lauf der Jahrhunderte so oft übermalten und verdeckten ursprünglichen Umrisse seiner Botschaft, seiner Lebenspraxis, seines Lebensschicksals und so seiner Person neu in den Blick zu bekommen. Dem heutigen Menschen soll ermöglicht werden, dem »itinerarium mentis« der ersten Jünger von der Taufe Jesu bis zu seinem Tod nachzugehen, um zu verstehen, warum sie ihn nach seinem Tod als den lebendigen Christus und Sohn Gottes bekannt haben. Nur von seiner Verkündigung und Lebenspraxis her wird ja auch seine Hinrichtung verständlich, werden Kreuz und Auferweckung nicht zum abstrakten »Heilsereignis« formalisiert.

Zwischen dem Christus des Glaubens und dem Jesus der Geschichte darf kein Widerspruch bestehen; der Christus des Glaubens muß sich als der Jesus der Geschichte identifizieren lassen.

Selbstverständlich kann und will historisch-kritische Jesusforschung nicht beweisen, daß der Mensch Jesus von Nazaret wirklich der Christus Gottes ist; Jesus als Christus anzuerkennen bleibt immer das Wagnis glaubenden Vertrauens oder einer Metanoia. Aber die historisch-kritische Jesusforschung kann dazu verhelfen, daß der geglaubte Christus des Glaubens wirklich der Mensch Jesus von Nazaret und nicht irgendein anderer oder vielleicht gar niemand ist; allzu leicht wird aus dem Glauben an den wahren Christus der Aberglaube an einen vermeintlichen Christus oder gar nur an eine Chiffre oder ein Symbol. Die Zweifel so vieler heutiger Menschen am traditionellen Christusbild hat eine verantwortungsbewußte Theologie ernst zu nehmen. Den christlichen Glauben soll sie in Schutz nehmen, nicht nur gegen die Angriffe des Unglaubens, sondern auch gegen kirchliche Kurzschlüsse und Verzeichnungen. Projektionen des Glaubens oder des Unglaubens stehen unter der Kritik dessen, was Jesus historisch wirklich gewesen ist. Also: »Fides quaerens intellectum historicum« – ein nach historischem Verstehen suchender Glaube – und zugleich »Intellectus historicus quaerens fidem« – ein den Glauben suchendes historisches Verstehen. Die gläubige Jesusinterpretation, die das Interesse des Glaubens durchaus nicht zu verheimlichen braucht, muß eine historisch plausible Interpretation sein.

Nur die Theologie, welche die von der Geschichte selbst gestellten Probleme berücksichtigt und weitestmöglich beantwortet, ist eine Theologie auf der Höhe heutigen Problembewußtseins, wie es zumindest unter den westlich Gebildeten in West *und* Ost lebendig ist, und ist in diesem Sinne eine auf der Höhe der Zeit stehende wissenschaftliche Theologie. Deshalb ist es unumgänglich, die historisch-kritische Methode (im umfassenden Sinn) streng anzuwenden, um herauszufinden, was mit wissenschaftlicher Sicherheit oder großer Wahrscheinlichkeit über den Jesus der Geschichte feststeht. Biblischer Kanon und kirchliche Tradition werden deshalb nicht einfach außer Kraft gesetzt, wohl aber soll die Dogmengeschichte schon am Anfang, eben im Neuen Testament, beginnen.

4. Der Konsens über die historisch-kritische Exegese

Mit diesen hier kurz zusammengefaßten hermeneutischen Grundsätzen von Edward Schillebeeckx kann ich voll einverstanden sein, sie stimmen voll mit dem in diesem Band Formulierten und mit dem in meinen Publikationen seit »Die Kirche« (1967) Realisierten überein. Edward Schillebeeckx – ursprünglich dem Thomismus verpflichtet – ist in bewunderungswürdiger Weise auf der Suche nach festem Boden denselben Weg gegangen: jenen Weg, den die neutestamentlichen Schriften selbst weisen, auf dem sich ihre Autorität entdecken läßt, auf dem allein sie ihre innere Einheit finden und der sich gerade mit der historisch-kritischen Methode auf neue Weise öffnet – den Weg zum Jesus der Geschichte, der von der Jüngergemeinschaft als der Christus und Herr erfahren und bezeugt wurde.

So versucht auch Schillebeeckx jenes Programm zu verwirklichen, das ich – ähnlich wie er im nachhinein – so formulierte und das vielleicht einen Pfeiler für einen künftigen Grundkonsens der katholischen Theologie darstellen könnte: *Die historisch-kritisch begründete Exegese ruft nach einer historisch-kritisch verantworteten Dogmatik!* Zeigte sich doch: Die Ergebnisse der historisch-kritischen Exegese dürfen von der dogmatischen Theologie nicht verhindert oder ignoriert (neuscholastische Konservierung), noch umgangen, überspielt und domestiziert (historische und spekulative Harmonisierung), sondern sie müssen angenommen und systematisch verarbeitet werden (historisch-kritische Verantwortung).

Die Schrift soll nach dem Vatikanum II die »Seele«, das »Lebensprinzip«, auch der katholischen Theologie sein, und die historisch-kritische Methode wird vom selben Konzil grundsätzlich bejaht. Täuscht man sich, wenn man auch bei anderen katholischen Theologen Anzeichen dafür erkennt, daß wir uns in diese Phase der historisch-kritischen Verantwortung hineinbewegen? Soll sich eine seriös vom christlichen Ursprung her verantwortete systematische Theologie anders denn auf der Grundlage des von der Exegese historisch-kritisch ermittelten biblischen Befundes treiben lassen, auch wenn dies dem Systematiker einiges an neuer Mühe zumutet?

In der Tat: Wenn eine ungeschichtliche Exegese heute endgültig überholt ist, so doch auch eine ungeschichtliche Dogmatik! Und wenn schon die Bibel historisch-kritisch interpretiert werden muß, dann doch erst recht das nachbiblische Dogma! Eine Theologie, die, statt kritisch die »Daten« zu befragen, offen oder verschleiert autoritär bleibt, wird trotz ihres Geredes von Wissenschaftlichkeit in Zukunft kaum wissenschaftlichen Ansprüchen genügen können.

5. *Was tun im Hypothesendickicht?*

Edward Schillebeeckx bezeichnet das katholische wie evangelische Echo auf seine beiden Jesus-Bücher als »insgesamt positiv« (S. 10). Grundsätzliche Zustimmung bei aller Detailkritik vor allem von – auch deutschen – Exegeten, faire Kritik von Systematikern wie M. Löhrer und P. Schoonenberg, zahllose Mißverständnisse freilich bei einzelnen deutschen Dogmatikern. Manche Theologen scheinen schlecht lesen zu können. Schillebeeckx hat sich öfters »die Augen gerieben« (vgl. S. 94), wenn er sah, wie er da verstanden wurde: Als »unbegründet«, »falsch«, »unbegreiflich«, ja »Science-Fiction« weist er bestimmte Interpretationen und Insinuationen (Etiketten wie »Liberalismus«) von W. Kasper, W. Löser und L. Scheffczyk zurück. Ob es noch immer der Schock der Reformation ist, weshalb gerade im Lande Luthers katholische Dogmatiker – auch in dieser Diskussion wieder – sich berufen fühlen, ohne echte Verstehensbereitschaft als Hüter der Orthodoxie aufzutreten? Schillebeeckx zur »Unruhe« jener systematischen Theologen, die »mit dem kritischen Ergebnis der heutigen Exegese nichts anzufangen wissen« (S. 10): »Man kann seine eigene Perspektive nicht so zur einzigen legitim-theologischen Möglichkeit verselbständigen, daß man kein Verständnis für andere Möglichkeiten aufzubringen vermag. Niemand hat das Bedürfnis, daß auch Theologen ihren Beitrag zu der zunehmenden Polarisierung der Fronten liefern, so als sorge sich die eine Theologie mehr, die andere weniger darum, den unverkürzten christlichen Glauben theologisch zu sichern. Es gibt offensichtlich weit mehr einen ›Pluralismus der Ängste‹!« (S. 114).

Man wird Schillebeeckx zugeben müssen, daß bei aller berechtigten Sorge um die »Orthodoxie« die andere »Sorge, die frohe Botschaft unverkürzt, aber zugleich verständlich zu vermitteln«, genauso zu Recht besteht und »in bestimmten Zeiten sogar noch dringender sein« kann (S. 10). Das heißt selbstverständlich auch nach Schillebeeckx nicht, daß hier nicht ernsthaft – und fair – *zu diskutierende Probleme* vorliegen. Methodische und sachliche Klärung scheint mir gerade um des wünschenswerten grundlegenden Konsenses willen notwendig zu sein, damit nicht *Sekundärdifferenzen* den Primärkonsens verdecken oder gar in Frage stellen.

Dies sei kurz erläutert an einem Beispiel, das sowohl in der ernsthaften exegetischen und systematischen Kritik an Schillebeeckx' großem Wurf wie auch in dessen »Zwischenbericht« (S. 46–57) zur Sprache kommt: die systematische Verarbeitung der *exegetischen Q-Problematik* (Analoges ließe sich sagen zu der damit zusammenhängenden Hypothese einer palästinischen Prophet-Christologie, vgl. S. 77–87). Schillebeeckx hat zwar nicht, wie ihm jene deutschen Dogmatiker vorwerfen, eine tendenziöse »Vorliebe« für jene von Mattäus und Lukas gemeinsam benutzte Redequelle (= Q) gezeigt, aber für seine historische Rekonstruktion der ursprünglichen Schicht des christlichen Kerygmas spielt diese doch eine erhebliche Rolle: Weil diese Sammlung von Herrenworten nichts von Tod und Auferweckung Jesu enthält, schließt Schillebeeckx daraus, daß die erste, stark von jüdischem Geist bestimmte Christologie nicht eine Paschachristologie (vom gekreuzigten und auferweckten Jesus), sondern eine Parusiechristologie (vom entrückten und wiederkommenden Jesus) gewesen sein muß.

Nun soll man diese historische Frage freilich nicht gleich, wie es die genannten Dogmatiker tun, zur *Glaubensfrage* emporstilisieren und ihre Lösung aus dogmatischen Ängsten präjudizieren, weil nicht gewesen sein kann, was nicht gewesen sein darf. Was *ist* gewesen? Diese Frage ist unvoreingenommen als *historische Frage* zu beantworten. Als historisch gesichert darf angenommen werden die Existenz einer schon früh verlorengegangenen Redequelle, gewiß auch die Existenz von zumindest in einem gewissen Rahmen unterschiedlichen Christologien in vorneutestamentlicher und neutestamentlicher Zeit. Aber aus der hypothetischen Q-Quelle nicht nur einen Q-Sammler, sondern eine Q-Gemeinde, ja sogar noch später »fortlebende« Q-Gemeinden postulieren, heißt das nicht, auf einer Hypothese unverifizierte weitere Hypothesen aufbauen, die naturgemäß um so schwankender werden müssen, je höher man sie auftürmt? Verkennt man so nicht den literarischen Charakter dieser Quelle, die eben nun einmal nur eine Sammlung von Worten des geschichtlichen Jesus darstellt und die historisch besonders glaubwürdig ist, gerade weil sie nichts von einer Kreuzessoteriologie und einer Auferstehungschristologie enthält?

Aber wie immer man die Frage von Q beantwortet, ich erwähnte dieses Beispiel nur, um die grundsätzliche methodische Frage nach dem Verhältnis Exegese – Systematik aufzuwerfen: Ist es theologisch richtig und – was auch Schillebeeckx so wichtig ist – pastoral hilfreich, wenn der Systematiker seine Darstellung auf kaum verifizierten und nur von vereinzelten Exegeten vertretenen Hypothesen aufbaut, überspitzten Hypothesen vielleicht, wie sie in der Geschichte der Jesusforschung immer wieder aufgestellt und dann früher oder später korrigiert worden sind? Der *Systematiker* sollte, so scheint es mir, *vermeiden, sich selbst ins exegetische Hypothesendickicht zu begeben*, wo er dann gleichsam als Schiedsrichter zwischen einzelnen Exegeten zu amten hätte. Dazu ist er nicht befugt. Zu leicht kann seine systematische Darstellung auf weite Strecken als rein hypothetische Angelegenheit abgetan werden.

Doch was tun, angesichts dieses nun einmal gegebenen exegetischen Hypothesendickichts? Schillebeeckx hat recht: Man braucht als Systematiker nicht in jedem Fall auf den allgemeinen Konsens der Exegeten zu warten, der oft ausbleibt. Und oft mag ein vereinzelter Exeget sich schließlich als der Pfadfinder erweisen, der recht bekommt gegen eine Schar sich gegenseitig bestätigender Kollegen. Trotzdem schiene es mir im Normalfall – wo eine Frage systematisch nicht unbedingt entschieden werden muß! – methodisch richtiger, daß der Systematiker so weit wie möglich *auf gesicherten und vom weiten Konsens der kritischen Forschung getragenen exegetischen Ergebnissen* aufbaut; dieser Konsens ist ja gerade in der Jesusforschung stattlich genug. Ungeklärte exegetische Fragen wird der Systematiker, wo immer möglich, offenlassen (ich habe dies in »Christ sein« etwa bei der Frage des Menschensohntitels getan).

Schillebeeckx sagt ja auch selber bezüglich der Q-Gemeinden, diese Frage sei für die systematische Theologie »bis zu einem gewissen Grad« bedeutungslos: »Inhaltlich bedeutet dies tatsächlich wenig« (S. 56).

Und so bleibt denn das über den grundlegenden hermeneutischen Konsens Gesagte voll in Kraft. Ja, es verdient uneingeschränkte Bewunderung, mit welcher Unvoreingenommenheit, Sachkunde und Intensität der Systematiker Schillebeeckx sich in seinen beiden großen Bänden um den historisch-kritisch erhellten biblischen Befund gemüht und mit welcher Differenziertheit und Zeitnähe er zugleich eine Übersetzung vom Damals ins Heute unternommen hat. Und damit sind wir beim zweiten Pfeiler eines möglichen hermeneutischen Konsenses in der katholischen besser: christlichen Theologie.

6. Was ist Horizont christlicher Theologie?

»Zweite Quelle«, zweiter Pol, Horizont christlicher Theologie: unsere eigene menschliche Erfahrungswelt. Folgende Übereinstimmungen zeichnen sich hier ab:

a) *Es geht um unsere alltäglichen, allgemein-menschlichen, doppeldeutigen Erfahrungen:* Nicht, wie in der früheren Theologie, um die elitären Erfahrungen intellektueller Kleriker, nicht um immer wieder neue und freilich recht zeitbedingte akademische Systeme und Methoden geht es. Vielmehr, wie Schillebeeckx betont, »um unsere alltäglichen Erfahrungen, um das Lebensgefühl von Menschen in der Welt, um ihre tiefsten Sinn-, Lebens- und sozialen Probleme« (S. 14): allgemein-menschliche Erfahrungen von Christen und Nichtchristen, zu denen auch Human- und Naturwissenschaften gewichtige Beiträge leisten.

Diese Erfahrungen sind heute selten oder nie unzweideutig religiöse, sind vielmehr doppeldeutige Erfahrungen. In der säkularen Welt, in der heutigen Glaubenskrise, ist ein Bruch festzustellen zwischen Tradition und Erfahrung, zwischen christlicher Erfahrungstradition und heutigen individuellen und kollektiven Erfahrungen. Aber weder ein Rückzug von Theologie und Kirche in die private Innerlichkeit noch eine Flucht ins rein Politische noch eine nostalgische Sehnsucht nach einer vergangenen »christlichen« Gesellschaft ist deshalb angebracht. Die religiöse Dimension der menschlichen Existenz – nicht gleichzusetzen mit bestimmten Institutionen und Dogmen – fasziniert die Menschen nach wie vor, und gerade in der säkularen, wissenschaftlich-technisierten Welt erfährt der Mensch ja auch neu seine Entfremdung.

b) *Diese menschlichen Erfahrungen bedürfen der sinngebenden, religiösen, christlichen Interpretation:* Die vagen, ungerichteten, doppeldeutigen Erfahrungen, die den Menschen oft an eine Grenze führen (eine letzte Sinnlosigkeit oder ein transzendenter Sinn?), sind auf sinngebende Interpretation angewiesen. Eine solche aber vermag dem Menschen nur eine neue, umfassende, integrierende Erfahrung mit den bisher gemachten Erfahrungen zu vermitteln: die religiöse Erfahrung. Wie aber kommt man zu einer religiösen Erfahrung?

Religiöse Erfahrungen macht der heutige säkulare Mensch nur selten gleichsam von oben, in der Form passiv-pathetischer Erlebnisse, sondern, bei aller Unmittelbarkeit und Spontaneität, mehr als früher durch Reflexion hindurch. Wie Schillebeeckx richtig bemerkt: »Der moderne Mensch reflektiert bestimmte Erfahrungen und interpretiert sie, oft vorsichtig tastend, religiös. Die doppeldeutigen Erfahrungen, die er macht, sind sowohl positiv (in Richtung auf Unendlichkeitserlebnisse) als auch negativ (Endlichkeitserlebnisse). Sie konfrontieren den heutigen Menschen mit einer Entscheidung, das heißt, sie sind ein Aufruf zu und eine Erfahrung mit diesen Erfahrungen« (S. 15).

Eine solche religiöse »Erfahrung-mit-Erfahrungen« geschieht jedoch faktisch nicht abstrakt durch einen isolierten einzelnen, sondern immer konkret in einer bestimmten Kultur und religiösen Erfahrungstradition, sei sie christlich oder etwa buddhistisch. Wann aber wird diese religiöse Erfahrung mit ambivalenten menschlichen Erfahrungen zu einer christlichen Glaubenserfahrung? »Wenn jemand im Licht dessen, was er vom Christentum gehört hat, *in* dieser Erfahrung-mit-Erfahrungen zu der Überzeugung kommt: ›Ja, so ist es; das ist es.‹ Was von Kirchen in ihrer Botschaft als eine

Lebensmöglichkeit verkündet wird, die auch von anderen erfahren werden kann, und was für sie vorläufig nur ein ›Suchprojekt‹ (H. Kuitert) genannt werden kann, wird *in* dieser Erfahrung mit Erfahrungen (innerhalb des gegebenen Suchprojekts) schließlich ein ganz persönlicher Akt christlichen Glaubens – eine persönliche Glaubensüberzeugung mit einem konkreten, christlichen Glaubensinhalt« (S. 16f.).

c) *Die Theologie hat eine kritische Korrelation zwischen der christlichen Erfahrungstradition und den heutigen Erfahrungen herzustellen:* Immer weniger Menschen nehmen heutzutage das christliche Credo auf bloße Autorität anderer hin an, sondern nur in und durch eine Erfahrung-mit-Erfahrungen, die interpretiert ist im Licht der von der Kirche vermittelten christlichen Erfahrungsgeschichte. Das bedeutet nach Schillebeeckx, »daß Katechese und Verkündigung nicht nur die heutigen menschlichen Erfahrungen erhellen müssen, sondern daß sie auch so verantwortlich, so genau und suggestiv wie möglich entfalten müssen, was die christliche Daseinsorientierung in unserer Zeit für die Menschen konkret bedeuten kann« (S. 17).

Mit der »Anwendung« einer bereits bekannten, angeblich zeitlosen, ewigen Botschaft ist es dabei nicht getan, sondern es bedarf der neuen »Übersetzung« in unsere Erfahrungswelt hinein. Wir hörten es schon: Die jeweils aktuelle Situation ist ein inneres konstitutives Element des Verstehens von Gottes Offenbarung. Selbst das Wort »Gott« können wir sinnvoll nur gebrauchen, wenn es als befreiende Antwort auf unsere realen Lebensprobleme erfahren wird. In der Verkündigung heute darf es also kein »Vogel friß oder stirb« geben. Mit einem fremden Begriffssystem hilft die Verkündigung dem heutigen Menschen nicht, allerdings auch nicht mit einer Erfahrungskatechese ohne Bezug auf die Geschichte Jesu.

Schon bei der Reflexion über den ersten Pol christlicher Theologie ist es deutlich geworden: Weder können wir alle damaligen Interpretamente der Heilsbedeutung Jesu heute einfach übernehmen, noch dürfen wir heute aus dem Jesus der Geschichte, seiner Botschaft, seiner Lebenspraxis und seinem Lebensschicksal einfach Beliebiges, gar nur eine Chiffre für unsere eigenen menschlichen

Erfahrungen machen. Nein, es geht für Theologie im Dienst an der christlichen Verkündigung darum, zwischen dem Damals und dem Heute, zwischen der christlichen Erfahrungstradition und unseren heutigen Erfahrungen nicht nur eine beliebige Beziehung, sondern eine »kritische Korrelation« herzustellen. Und eine solche kritische Korrelation erfordert nach Schillebeeckx ein Dreifaches: »1. eine Analyse unserer heutigen Erfahrungswelt und – 2. ein Aufspüren der konstanten Strukturen der christlichen Grunderfahrung, von der das Neue Testament und auch die spätere christliche Erfahrungstradition sprechen, und – 3. das kritische Inbezugsetzen dieser beiden ›Quellen‹. Denn diese biblischen Elemente werden für Christen ihre heutigen Erfahrungen strukturieren müssen, wie sie auch die eigene Lebenswelt der verschiedenen biblischen Autoren christlich strukturiert haben. Erst dann gibt es Kontinuität in der christlichen Tradition. Diese Kontinuität erfordert also auch Aufmerksamkeit für die Veränderung von Fragehorizonten« (S. 63).

Auch mit diesen erneut kurz zusammengefaßten hermeneutischen Grundsätzen von Edward Schillebeeckx kann ich voll einverstanden sein. Und ich gehe wohl kaum fehl in der Annahme, daß sich Schillebeeckx seinerseits mit folgenden *zehn Leitlinien für die heutige Theologie* einverstanden erklären könnte, wie ich sie anläßlich des Erscheinens von »Existiert Gott?« (1978) formuliert habe und wie sie in diesem Buch in anderem Zusammenhang angeführt werden (vgl. B IV,9).

7. *Kritische Korrelation ohne kritische Konfrontation?*

An dem festgestellten Grundkonsens wird sich nichts ändern, wenn wir zu Schillebeeckx' drei Erfordernissen einer »*kritischen Korrelation*« einige Fragen stellen, die weniger als kritisierende Korrekturen denn als zur Weiterführung auffordernde Anregungen verstanden werden mögen.

a) *Zur Analyse unserer heutigen Erfahrungswelt* (vgl. S. 67–72): Eine solche ist für heutige Theologie selbstverständlich unumgänglich und kann auf tausend Weisen geschehen. Aber gerade darin liegt die ganze Schwierigkeit: wie soll man diese heutige Erfahrungswelt von einer noch nie dagewesenen Komplexität, die durch Human- und Naturwissenschaften noch vervielfacht wird, analytisch einfangen? Theologen, und »politische« zumal, geraten erfahrungsgemäß leicht in eine zweifache Versuchung: entweder aus quasigöttlicher Vogelschau *sub aspectu aeternitatis* diese ungeheuer weite und komplexe Welt überblicken und beurteilen zu wollen oder sich allzu irdisch einer bestimmten einseitigen politisch-sozialen Analyse mit den entsprechenden vorprogrammierten Folgerungen einfach anzuschließen. Ist der Theologe überhaupt fähig, eine »Analyse unserer heutigen Erfahrungswelt« zu liefern? So scheint mir auch die im »Zwischenbericht« (im Gegensatz zu »Christus und die Christen«) kurz skizzierte Analyse zu pauschal und ein wenig einseitig ausgefallen zu sein: So richtig es ist, daß unsere westliche Gesellschaft »unter dem Banner des ›utilitaristischen Individualismus‹ stand und steht« (S. 68), dessen zentraler Wert eine oft rein formale Freiheit ist, so müßte doch gleichzeitig herausgearbeitet werden, daß wir uns heute mit noch ganz anderen Problemen konfrontiert sehen als zu den Zeiten von Hobbes, Locke und Adam Smith und des klassischen Liberalismus. Nicht nur leiden in der heutigen Welt von den Ufern der Elbe bis zum Gelben Meer Hunderte von Menschen unter der Hypostasierung des sozialen Kollektivs und dem Staatssozialismus und dürsten nach nichts mehr als nach bürgerlichen Freiheiten. Auch in Westeuropa und Nordamerika und mit zunehmender Industrialisierung ebenfalls in der Dritten Welt ängstigen sich Menschen aus allen Bevölkerungsschichten vor mehr Staat, Bürokratie, anonymen Mächten, Reglementierung und der Bedrohung der individuellen Freiheit auf sämtlichen Gebieten. Gerade bei Schillebeeckx' Konzentration, die ich teile, »einerseits auf unsere unausrottbare Erwartung einer menschlich lebbaren Zukunft, andererseits auf die genauso hartnäckige Angst von uns allen vor dieser Zukunft« (S. 68) wären also auch diese gegenläufigen Bewegungen in eine Analyse unserer Erfahrungswelt mit einzubeziehen.

Kurz: unsere heutige Erfahrungswelt muß in der Theologie präsent sein, aber nicht unbedingt in der Form einer eigenen alles überschauenden (ökonomischen, politischen, soziologischen, philosophischen) Analyse als vielmehr in der Form einer freilich möglichst oft thematisierten Präsenz unserer modernen Erfahrungen, des heutigen Lebensgefühls und der gegenwärtigen Impulse. Ein hervorragendes Beispiel dafür scheint mir zu sein, wie Schillebeeckx sich in seinem zweiten Band mit der Leidensproblematik (»kritische Erinnerung an die leidende Menschheit«) und der Frage nach Erlösung und Emanzipation auseinandergesetzt hat. Mit seinen Folgerungen bezüglich des Verhältnisses von Heilsgeschichte und Profangeschichte, Heil von Gott her und emanzipativer Selbstbefreiung, christlichem Glauben und Politik kann man auch sachlich weithin übereinstimmen.

b) *Zum Aufspüren der konstanten Strukturen der christlichen Grunderfahrung im Neuen Testament und der späteren Tradition* (vgl. S. 63–67): Schillebeeckx hat folgende »vier formende Prinzipien« als »konstante Strukturen« in den verschiedenen neutestamentlichen Schriften festgestellt: 1. theologisches und anthropologisches Grundprinzip, 2. christologische Vermittlung, 3. ekklesiologische Geschichte und Praxis, 4. eschatologische Vollendung. Anders formuliert könnte man wohl auch sagen: In allen neutestamentlichen Schriften geht es um Gott und Mensch, wie sie gesehen sind in Jesus Christus, erfahren in der Glaubensgemeinschaft im Hinblick auf die Vollendung.

Selbstverständlich nichts gegen Konstanten in den neutestamentlichen Schriften und nichts gegen theologische Systematisierung. Aber man fragt sich doch, ob es nötig ist, von Gott und Mensch, Jesus Christus und Gemeinde, Schöpfung und Vollendung in der Weise von »vier formenden Prinzipien« und »konstanten Strukturen« zu reden, als ob diese Prinzipien und Strukturen die verschiedenen neutestamentlichen Schriften zusammenhielten und nicht die eine sehr konkrete Person mit ihrer Geschichte. Jedenfalls hätte ich Bedenken zu sagen, angesichts mannigfacher Fragen und Probleme täten »die verschiedenen neutestamentlichen Autoren nichts anderes (!), als diesen vier Gegebenheiten der

Grundgeschichte immer wieder von neuem eine andere Fassung zu geben und sie gleichsam neu zu komponieren, ohne der Grundgeschichte untreu zu werden« (S. 64). Mir schiene eher, die neutestamentlichen Autoren reden immer wieder neu von Gott und Mensch, Gemeinde und Welt im Lichte der konkreten Person und Geschichte dieses Jesus, ohne sich um irgendwelche Strukturen und Prinzipien – und gar noch immer um diese vier – zu kümmern, die man, wenn man will, natürlich ebensogut überall im Neuen Testament finden kann wie früher die aristotelischen Scholastiker in ihrer Welt die vier causae (ähnlich schematisch auch die »vier neutestamentlichen Credo-Modelle« oder »Credo-Trends« S. 82–87).

Aber diese vielleicht mehr terminologische Frage sei hier nicht überzogen: Es sollte nur davor gewarnt werden, die biblische Geschichte und Botschaft allzusehr zu systematisieren und zu formalisieren, woraus allzu leicht eine moderne Scholastik folgen könnte. Daß aus dem historisch-kritisch erhobenen biblischen Befund systematisch Konstanten entwickelt werden, die als Kriterien dienen können zur Beurteilung späterer Theologie und Kirche, kann nur begrüßt werden. Und gerade dies hat Schillebeeckx für seinen dritten Band vorgesehen. Bestimmt wird er, der sich von seinem Werdegang her hervorragend in patristischer und mittelalterlicher Theologie auskennt, seinen ständig von Tradition redenden »Adversarii« zeigen, wer die kirchliche Tradition wirklich kennt. Ist es doch für den Kenner deutlich, wie sehr auch schon die ersten beiden Bände ganz im Kontext der kirchlichen Gemeinschaft und in Kenntnis ihrer großen Tradition geschrieben worden sind. Im übrigen wird man nach dem Vorbild großer Theologen in Patristik und Mittelalter auch heute Theologie treiben dürfen, ohne daß man immer die traditionelle Lehrentwicklung repetiert, bevor man das Eigene sagt.

c) *Zur kritischen Inbezugsetzung der beiden »Quellen«* (vgl. S. 72–76): Niemand wird widersprechen, wenn Schillebeeckx den alten (biblischen) Erfahrungen eine »kritische und umformende Kraft« und den neuen (zeitgenössischen) Erfahrungen eine »produktive und kritische Kraft« zuschreibt (vgl. S. 67). In der Tat haben beide Erfahrungen eine *wechselseitige* hermeneutische, das Verstehen fördernde und so auch durchaus kritische Bedeutung.

Wie aber, wenn biblische und zeitgenössische Erfahrungen sich widersprechen und zeitgenössische »Erfahrungen« uns wieder einmal einen »Führer« oder irgendeine politische »Heilsbewegung« oder ähnliche moderne »Errungenschaften« bescheren? Welche Erfahrung soll dann gerade bei den für den Menschen entscheidenden letzten-ersten Fragen den Ausschlag geben? Immer kommt es ja zwischen den biblischen und zeitgenössischen Erfahrungen nicht zum »Einrasten« und »Klicken« (vgl. S. 73 f.). Sehr oft kommt es zum *Konflikt*. Muß dann die kritische »*Korrelation*« nicht notwendig zur kritischen »*Konfrontation*« werden?

Angesichts dieses immer möglichen Konfliktes schiene mir eine Schärfung der Kriteriologie von Schillebeeckx wichtig: In den letzten-ersten Menschenfragen kommt *normative* Bedeutung – Schillebeeckx wird da bestimmt zustimmen – den speziell christlichen Erfahrungen zu, oder besser: der christlichen Botschaft, dem Evangelium, Jesus Christus selber. Gerade wenn man mit Schillebeeckx zwischen den zeitgebundenen Interpretamenten und der Heilswirklichkeit selbst unterscheidet, kann man es deutlich machen: Mitte der Schrift, die christliche Botschaft, das Evangelium ist in Person er selber – der von der ersten Christengemeinde als der Christus erfahrene und im Neuen Testament ursprünglich bezeugte lebendige Jesus, wie er steht für Gott und Mensch. Und deshalb ist und bleibt für Christen das – heute historisch-kritisch zu interpretierende – ursprüngliche Zeugnis von diesem Christus, also das Neue Testament, die normierende Norm (»norma normans«) für alle nachbiblische Tradition; dieser kann (besonders in den verbindlichen gesamtkirchlichen Äußerungen) gewiß ebenfalls normativer Charakter zukommen, aber von ihrer Natur her eben nur in abgeleiteter Weise: als vom Evangelium selber normierte Norm (»norma normata«). Nur am Rande sei hier angemerkt, daß sich dann in diesem Zusammenhang freilich auch für Schillebeeckx die Gretchenfrage katholischer Theologie nach der Unfehlbarkeit stellt.

Aber brechen wir hier ab. Es dürfte genügend deutlich geworden sein, welcher Weg zu einem neuen Grundkonsens – nicht Totalkonsens – in der katholischen und womöglich gar ökumenischen Theologie weitergegangen werden müßte: jener Weg der Mitte zwischen kirchlichem Opportunismus und unkirchlichem Separatismus, in redlicher Wissenschaftlichkeit, unerschüttertem Glauben an die zu vertretende Sache und in Hoffnung auf einen fairen Austrag der Gegensätze.

II. Paradigmenwechsel in Theologie und Naturwissenschaft

Eine grundsätzliche historisch-theologische Klärung

1. *Auf der Suche nach Zusammenhängen*

Immer deutlicher wurde mir im Verlauf der siebziger Jahre, daß die Krise heutiger Theologie keine Krise von Einzelsymptomen, sondern eine Grundlagenkrise ist. In der katholischen Theologie hatte man begonnen – schon unter Paul VI., dann aber seit 1978 forciert unter Johannes Paul II. –, die Zeichen auf Restauration zu setzen. Eine systemkritische und entschieden auf ökumenische Weite bedachte katholische Theologie geriet immer mehr in die Defensive. Warum aber eine ökumenische Reformtheologie in die Defensive geriet: dies zu verstehen, mußte man über Einzelpersonen, Einzelereignisse, Einzelsymptome hinausblicken.

Die von dem Naturwissenschaftler *Thomas S. Kuhn* entwickelte Paradigmenanalyse[1] half mir, die gegenwärtige Krise in einem größeren geschichtlichen Zusammenhang zu sehen: als Streit, als Konflikt nicht nur verschiedener Theologen und Theologien, sondern großräumiger Paradigmen. Gibt es nicht – das war die Frage – trotz aller Rückschläge im einzelnen heute eine Theologie, die auf die Herausforderungen eines neuen Paradigmas adäquat reagieren kann? Was ich in Einzelanalysen durchgeführt hatte auf der Suche nach Konsens, sollte in einem breiteren theologischen Kontext für die heutige Theologie überhaupt geleistet werden – auf unserem Internationalen ökumenischen Symposion »Ein neues Paradigma von Theologie«, das 1983 an der Universität Tübingen stattfand. Dieses Symposion wollte den Theologen kein starres, uniformes, monolithisches Einheitsparadigma von Theologie und Kirche aufdrängen. Es ging von vornherein davon aus, daß jedes Paradigma von Theologie und Kirche (als Einheit verstanden) wie in der Vergangenheit so auch heute eine *Pluralität* divergierender Schulen, divergierender Denkrichtungen, ja *divergierender Theologien* enthalten. Dies war schon immer Ausdruck von Kreativität und Vitalität, aber auch von Konflikt und Streit.

Und doch sollten die Denkanstrengungen auf diesem Symposion daraufhin gerichtet sein, die Oberfläche divergierender Theologien zu durchstoßen und nach einem *Gemeinsamen* zu fragen. Denn unbestreitbar ist ja:
– Sosehr Theologen wie Irenäus, Clemens und Origenes, Tertullian und Cyprian, Athanasios und die Kappadokier in ihren theologischen Ansätzen, Lösungsversuchen und Folgerungen verschieden waren, so sehr einten sie doch – retrospektiv betrachtet – Überzeugungen ihrer Zeit, die von der apokalyptisch-eschatologischen Gesamtkonstellation der ursprünglich judenchristlichen Urgemeinde grundlegend verschieden waren.
– Und sosehr, von Augustin angeregt, Anselm und Abälard, Thomas und Bonaventura, Scotus und Ockham methodisch verschiedene Wege gingen und zu inhaltlich teilweise unterschiedlichen, ja unversöhnlichen Ergebnissen kamen, so spiegelten sie doch allesamt das grundlegende Verstehensmodell ihrer, eben der mittelalterlichen, Epoche wider, das sich vom urchristlich-apokalyptischen Verstehensmodell, aber auch von dem der griechischen und frühen lateinischen Kirchenväter wesentlich unterschied.
– Und sosehr Luther, Zwingli und Calvin theologisch miteinander stritten, so einigte sie doch genau das, was mit dem mittelalterlichen, zum Unterschied vom Osten typisch römisch-katholischen Verstehensmodell von Kirche und Theologie unversöhnbar war.
– Und sosehr mit dem Beginn der Neuzeit die Theologie unter dem Eindruck der neuen rationalistisch-empirischen Philosophie und Naturwissenschaft in konträre Schulen auseinanderging, klar war sowohl für Semler wie Reimarus, für Schleiermacher wie für Baur, Ritschl, Harnack und Troeltsch, daß Theologie nicht mehr getrieben werden konnte wie im Zeitalter der Reformation oder der protestantischen Orthodoxie.

Hier wurde überall – in Diskontinuität *und* Kontinuität! – aus ursprünglicher Innovation schließlich Tradition. Freilich: man

konnte solch große geschichtliche Wandlungsprozesse auch ignorieren; dann wurde aus Tradition Traditionalismus. Dann versuchte und versucht man, sein vertrautes *altes Verstehensmodell zu konservieren* bzw. mit frischem Putz zu *restaurieren*:
– Man konnte so im Raum griechischer oder russischer Orthodoxie zum Apologeten des altkirchlich-hellenistischen Modells werden: Schlüsselworte: »paradosis«, »traditio« und »patres«.
– Man wurde katholischerseits dann zum neuscholastischen Verfechter des mittelalterlichen (bzw. gegenreformatorischen) römisch-katholischen Systems und einer Denzinger-Theologie: Schlüsselworte: »ecclesia«, »papa«, »magisterium«.
– Man wurde protestantischerseits zum Vertreter einer biblizistischen lutherischen oder calvinistischen Orthodoxie, eines protestantischen Fundamentalismus: Schlüsselworte: Wort Gottes und Inerranz.
– Man wird heute auch von einem liberalen Traditionalismus sprechen können, wenn er die Wendung zur Nachaufklärung, zur Postmoderne nicht zur Kenntnis genommen hat: Schlüsselworte: Vernunft und Geschichte.

Solch große umfassende Verstehensmodelle von Theologie und Kirche angesichts epochaler großräumiger Zeitumbrüche kann man mit Thomas S. Kuhn »*Paradigma*« nennen, und die Ablösung eines alten Verstehensmodells durch einen neuen Paradigmakandidaten »*Paradigmenwechsel*«. Diese großen epochalen Paradigmen oder Grundmodelle möchte ich zur Klärung und Unterscheidung *Makro*paradigmen nennen, weil sie ihrerseits wieder eine große Zahl von *Meso*paradigmen für verschiedene Teilgebiete der Theologie (Zwei-Naturen-Lehre für die Christologie, anselmianische Satisfaktionslehre für die Soteriologie) und noch mehr *Mikro*paradigmen für viele Einzelfragen einschließen, mit denen sich die verschiedenen Theologien auseinanderzusetzen haben.

Nein, nicht um die Propagierung eines naiv-optimistischen Fortschrittsdenkens (idealistischer oder marxistischer, positivistischer oder sozialdarwinistischer Art) geht es hier, aber auch nicht um ein skeptisch-pessimistisches Abfallsdenken (Abfall vom Evangelium), sondern um ein *dialektisches Verständnis der Geschichte von Theologie und Kirche*, das immer Aufstieg und Abfall, Erkenntnisfortschritt und Vergessen, Kontinuität und Diskontinuität mit sich bringt: in einem relativierende Negation, bewahrende Affirmation und weiterführendes Transzendieren.

Anliegen unseres Tübinger Unternehmens war nicht eine Rechtfertigung der Kuhnschen Analysen. Es ging vielmehr darum, die unbestreitbar richtigen und wichtigen wissenschaftsgeschichtlichen und wissenschaftstheoretischen Grundgedanken Kuhns aufzugreifen und nach Applikationsmöglichkeiten im Raum der Geisteswissenschaften, näherhin der Theologie, zu fragen: zur Selbsterhellung und Selbstvergewisserung der *Lage heutiger Theologie*. Aus der dem Symposion vorgelegten Skizze (vgl. S. 157) wird zumindest dies eine deutlich: Wir haben es in unserem Jahrhundert mit der Konkurrenz, ja oft dem konfliktsträchtigen Streit nicht nur divergierender Theologien, sondern divergierender Paradigmen zu tun. Dieser Konflikt ist Resultat der geschichtlichen Ungleichzeitigkeit jener großen Verstehensmodelle, mit denen Theologen oder Kirchenvertreter jeweils arbeiten. Und bei dieser Analyse von Überschneidungen und Überlagerungen verschiedener Großparadigmen in der einen und gleichen Epoche, davon bin ich überzeugt, kann die Kuhnsche Paradigmentheorie außerordentlich erhellend sein. Zeitgenössische Theologie versichert sich so ihrer Herkunft und ihrer Zukunft. Sie kann so auch dem jeweiligen Paradigma einer bestimmten Epoche geschichtliche Gerechtigkeit widerfahren lassen. Und weil es hier um Paradigmen geht, um lang herangereifte, tief verwurzelte, alles beeinflussende, oft bewußte und oft unbewußte Grundannahmen, ist der Streit zwischen sogenannten »Progressiven« und »Konservativen« in den verschiedenen Kirchen oft so hart, scheinbar so unversöhnlich.

Unterdessen haben sich in unserem Jahrhundert, für uns alle evident, in der Folge des Ersten und Zweiten Weltkriegs in Theologie und Kirche *neue theologische Lösungsansätze* entwickelt, die auf die ungeheuren soziokulturellen Umwälzungen unserer Zeit adäquat zu reagieren versuchen. Und noch einmal stellt sich die Frage:

Sosehr Karl Barth, Rudolf Bultmann und Paul Tillich, sosehr die beiden Niebuhr und Walter Rauschenbusch sich in Ansatz, Methode und Konsequenzen unterschieden, sosehr stimmten sie doch

PARADIGMENWECHSEL IN DER GESCHICHTE VON THEOLOGIE UND KIRCHE

Versuch einer Periodisierung und Strukturierung

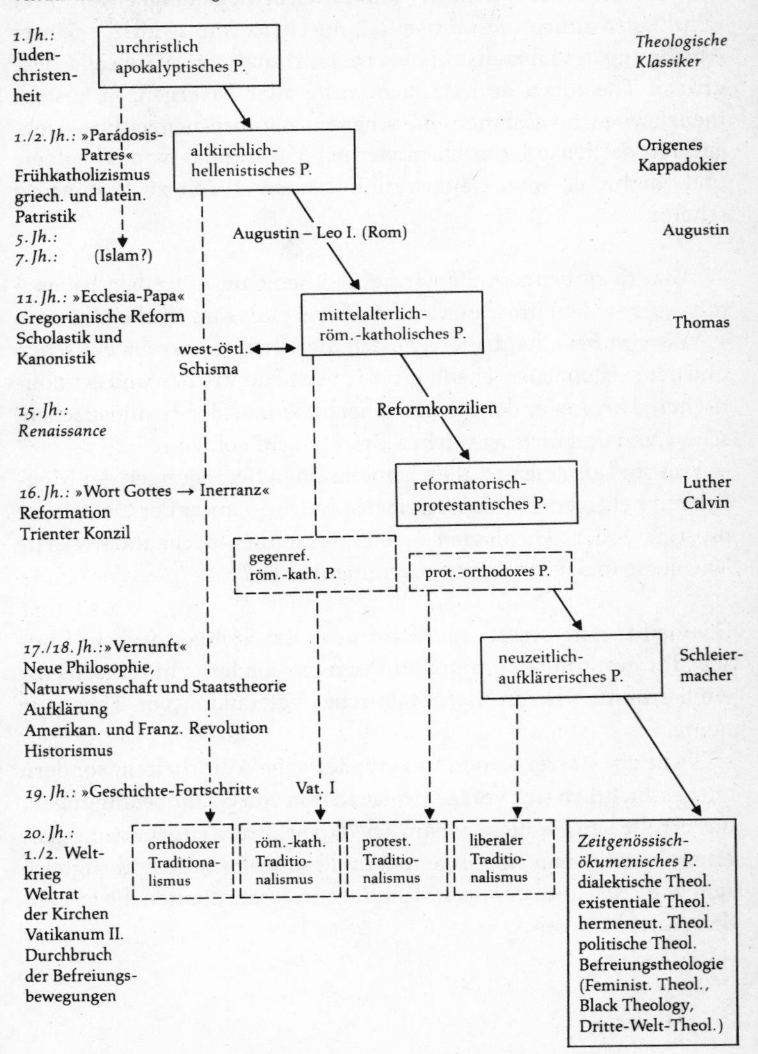

überein nicht nur in ihrer Kritik des römisch-katholischen Systems und der protestantischen Orthodoxie, sondern auch in ihrer Kritik an aufklärerischer Vernunft- und Fortschrittsgläubigkeit, in ihrer Kritik an Kulturprotestantismus und Historismus, kurz, in ihrer Ablehnung des Liberalismus des 19. Jahrhunderts. Wären alle diese großen Theologen deshalb nicht trotz aller Divergenzen zusammenzusehen im Rahmen eines neuen, nämlich neuzeitlich-nachaufklärerischen oder nach-modernen Paradigmas von Theologie und Kirche, das den Denkrhythmus unserer Zeit zu bestimmen scheint?

– *Wo also stehen wir,* die wir heute Theologie zu treiben haben – mit Auschwitz, Hiroshima und Archipel Gulag im Rücken?
– Was eint bei allen Unterschieden die Vertreter der dialektischen und der existenzialen Theologie, der hermeneutischen und der politischen Theologie, der Prozeß-Theologie und der feministischen, schwarzen und nichtwestlichen Befreiungstheologie?
– Was sind also die uns allen gemeinsamen Bedingungen der Möglichkeit heutigen Theologietreibens, welche – unter der Oberfläche divergierender Theologien – die neuzeitlich-nachaufklärerische Theologie in der Ökumene zusammenhalten?

Das heißt: Angestrebt wurde auf unserem Symposion kein Konsens für bestimmte Lehren und Dogmen, sondern ein Konsens für ein bestimmtes theoretisch-praktisches Verständnis von Theologie heute.

Nicht ein starrer Kanon unveränderlicher Wahrheiten, sondern ein geschichtlich sich verändernder Kanon von Grundbedingungen, die erfüllt sein wollen, wenn Theologie ihre Zeitgenossenschaft ernstnimmt, wenn sie zeitgemäß und evangeliumsgemäß zugleich sein will. Als eines der drei Grundlagenreferate dienten die folgenden Ausführungen.[2]

2. *Der wissenschaftstheoretische Rahmen*

Die traditionelle *Theologie* aller Zeiten und aller Kirchen stand der Kategorie Novum – von Ernst Bloch, einem marxistischen Philosophen, für unsere Zeit wieder neu zu Ansehen gebracht – höchst mißtrauisch gegenüber: *Neuerer* – das sind die Ketzer, die Häretiker, die Feinde der Kirche und oft auch des Staates! Verführt durch den Satan und den eigenen Zweifel, hartnäckig in Stolz und Starrsinn verharrend, sind diese Ungläubigen dem Verdammungsurteil verfallen, sind mit allen Mitteln zu verfolgen, zu diffamieren und, wenn schon nicht mehr physisch so doch moralisch, zu liquidieren ... Aber ich will mich hier nicht mit der »Ketzergeschichte« katholischer und teilweise auch protestantischer Provenienz befassen. Ich will mich der Sachproblematik zuwenden, und zwar zuerst der *wissenschaftstheoretischen* Problematik. In der Wissenschaftstheorie geht es um die Wissenschaft von der Wissenschaft und um die Theorie von der Theorie. Es wird jedoch rasch deutlich werden, daß es hier nicht nur um die *Theorie*, sondern um die *Praxis* der Theologie geht, nicht nur um eine harmlose allgemeine Analyse, sondern um eine zu analysierende höchst dramatische Geschichte und Gegenwart.

Wie kommt es zu Neuem in der Wissenschaft? Worum geht es, wenn vom Neuen in der Theologie die Rede ist? Um typisches Theologengezänk, wie Nichttheologen gerade nach den jüngsten Auseinandersetzungen manchmal meinen? Nicht umsonst ist ja die Rabies theologorum sprichwörtlich geworden: ein deutliches Zeichen dafür, wie gerade weltanschauliche, religiöse Auseinandersetzungen den Menschen auch emotional, ganz existentiell aufzuwühlen vermögen, gleichsam ins Blut gehen, weit mehr noch als politische oder ästhetische. Weit mehr erst recht als etwa naturwissenschaftliche Auseinandersetzungen, die – so behauptet mancher Naturwissenschaftler nicht ohne Stolz – ganz und gar rational verlaufen. Aber verlaufen sie wirklich ganz und gar *rational*? Ich frage mich: Spielen im mathematisch-naturwissenschaftlichen Erkennen und Forschen, so ganz anders als im theologischen, *subjektive Bedingungen und Voraussetzungen*, Standpunkte und Perspektiven wirklich keine Rolle? Lassen sie sich zugunsten einer reinen Objektivität völlig ausschalten?

Man täusche sich nicht: Gerade ein Vergleich zwischen naturwissenschaftlichen und theologischen Auseinandersetzungen vermag deutlich zu machen, wieviel hier für die Theologie auf dem Spiel steht: wie es in den großen Auseinandersetzungen eben doch nicht nur um Gezänk geht. Auch nicht nur um sachgegebene Spannungen. Vielmehr – ähnlich wie in einschneidenden Auseinandersetzungen der Naturwissenschaft – um die Ablösung eines theologischen »Paradigmas« oder Erklärungsmodells durch ein anderes, neues. So jedenfalls stellt sich die Lage dar, wenn man sie auf der Höhe des *gegenwärtigen wissenschaftstheoretischen Diskussionsstandes* betrachtet, eine Diskussion, die – nach Logischem Positivismus und Kritischem Rationalismus – in eine neue, dritte Phase eingetreten ist, wo sie auch für die Geisteswissenschaften, und für die Theologie im besonderen, wieder unmittelbar interessant, fruchtbar zu werden beginnt. Der zunächst ungewohnte Vergleich gerade mit den Naturwissenschaften – und besonders mit deren hartem Kern, Physik und Chemie – kann uns helfen, auch für die Frage nach dem Neuen in der Theologie ein geschärftes Problembewußtsein zu entwickeln.

Natur- und Geisteswissenschaften müssen heute bei allen methodischen Unterschieden wieder mehr in ihrem *Zusammenhang* gesehen werden; manche prinzipiell statuierten Methodengegensätze – etwa »erklären« für die Naturwissenschaften und »verstehen« für die Geisteswissenschaften – müssen als überholt angesehen werden. Denn auch jede Naturwissenschaft hat einen Verstehenshorizont, hat eine hermeneutische Dimension, die heute von geisteswissenschaftlichen Hermeneutikern wie Hans-Georg Gadamer deutlicher gesehen wird: Nirgendwo, auch nicht in der Naturwissenschaft, kann das menschliche Subjekt, der Forscher selber, zugunsten absoluter Objektivität ausgeschaltet werden. Schon die Informationen des Naturwissenschaftlers und des Technikers sind hermeneutisch erarbeitet: Sie sind bereits auf das beschränkt, worauf sie antworten sollen, weil danach gefragt ist. Und schließlich hat gerade die moderne Physik im Zusammenhang von Relativitätstheorie und Quantenmechanik darauf aufmerksam gemacht, daß die Erkenntnisse der Naturwissenschaft nicht an sich gelten, sondern nur unter ganz bestimmten Bedingungen und unter anderen nicht: Auch im physikalischen Experiment verändert die Methode den Gegenstand; sie gibt immer nur eine Perspektive und nur einen Aspekt wieder.

Karl Popper war es, der schon 1935 in seinem Buch »Logik der Forschung« die Spielregeln analysiert hat, nach denen neue naturwissenschaftliche Hypothesen und Theorien gewonnen werden. Sein Resultat: Neue naturwissenschaftliche Theorien werden nicht gewonnen durch positive Bewahrheitung, Bewährung an der Erfahrung, *nicht durch »Verifikation«*. Dies war in den zwanziger und dreißiger Jahren die These des Logischen Positivismus der Wiener Schule um Moritz Schlick und Rudolf Carnap, der mit seinem Programm einer antimetaphysischen »wissenschaftlichen Weltauffassung« (zusammen mit dem frühen Ludwig Wittgenstein) die erste Phase der modernen Wissenschaftstheorie bestimmte. Nein, eine positive Verifikation allgemeiner wissenschaftlicher Sätze – etwa daß *alles* Kupfer in der Welt Elektrizität leite – ist gar nicht möglich.

Nicht durch Verifikation, sagt Popper, *sondern durch »Falsifikation«*, durch Widerlegung, kommt es zu neuen naturwissenschaftlichen Hypothesen und Theorien: Die Entdeckung schwarzer Schwäne in Australien etwa widerlegt, »falsifiziert«, den All-Satz, daß »alle« Schwäne weiß sind, und läßt den allgemeinen Existenzsatz ableiten: »Es gibt nicht-weiße Schwäne«. Eine Hypothese oder Theorie darf somit dann als wahr, besser: als »bewährt« gelten, wenn sie allen bisherigen Falsifikationsversuchen standgehalten hat. Die Wissenschaft erscheint so als ein ständig weitergehender Prozeß von »Versuch und Irrtum« (trial und error), der nicht zum sicheren *Besitz* der Wahrheit, wohl aber zur fortschreitenden *Annäherung* an die Wahrheit führt, ein Prozeß also ständiger Veränderung und Entwicklung.

Die Frage freilich, die sich angesichts der scharfsinnigen logischen Analyse Poppers immer deutlicher stellte: Gewiß ist die Wissenschaft kein subjektives und irrationales Unternehmen, aber *genügt* zu ihrem Verstehen *die Logik*? Genügt zur Erklärung des Fortschritts in der Wissenschaft diese »Logik der Forschung«, die in der kontinuierlichen Falsifikation aufgrund streng rationaler Prüfungen besteht?

Nein, dies ist in der *dritten Phase* der Wissenschaftstheorie deutlich geworden: die logisch-kritische Durchdringung reicht nicht aus (wovon man in den Geisteswissenschaften schon immer überzeugt war). Es braucht zugleich die historisch-hermeneutische Betrachtung (wie man sie gerade in der Theologie- und Dogmengeschichte übt); und es braucht vor allem die psychologisch-soziologische Untersuchung (wie sie bisher in der Theologie noch weithin fehlt). Eine *Wissenschaftsforschung* also, die einen Verbund von Wissenschafts*theorie*, Wissenschafts*geschichte* und Wissenschafts*soziologie* darstellt.

Von einer abstrakten positivistischen Logik und Sprachanalyse führte der Weg so in den vergangenen fünfzig Jahren durch zahllose Binnenkorrekturen zum erneuten Ernstnehmen der Geschichte, der gesellschaftlichen Gruppe, des menschlichen Subjekts. Und was ergibt sich aus solch umfassend ansetzenden Erklärungsversuchen für unsere Problematik?

3. Was heißt: Paradigmenwechsel? Thomas S. Kuhn

Einschneidend neue Hypothesen und Theorien entstehen auch in der Naturwissenschaft weder einfachhin durch Verifikation (wie die Wiener Positivisten glaubten), noch einfachhin durch Falsifikation (wie der Kritische Rationalist Popper vorschlug). Beides ist zu schablonenhaft gedacht. Sie entstehen vielmehr durch eine – höchst komplexe und meist langwierige – *Ablösung eines bisher geltenden Erklärungsmodells oder »Paradigmas« durch ein neues.* Sie entstehen durch einen – weder völlig rationalen noch völlig irrationalen – jedenfalls mehr revolutionären denn evolutionären *»Paradigmenwechsel«*.

Dies ist die Theorie, die der amerikanische Physiker und Wissenschaftshistoriker *Thomas S. Kuhn* (angeregt übrigens vom Tübinger Ehrensenator und späteren Präsidenten von Harvard, James Conant) in jenem Buch darlegt, das bereits zu einem Klassiker der neuen Wissenschaftsforschung geworden ist: »The Structure of Scientific Revolutions«. Ich gestehe gerne, daß es diese Theorie war, die mich auch für die Theologie *Probleme des Erkenntniszu-*

wachses, der Entwicklung, des Fortschritts, der Entstehung des Neuen und damit gerade auch die gegenwärtigen Auseinandersetzungen tiefer und umfassender verstehen ließ.

Ich möchte mir nur bedingt die Kuhnsche Terminologie zu eigen machen und nicht auf die Begriffe »Paradigma« oder »Revolution« insistieren. Hat sich doch gerade »Paradigma« – ursprünglich schlicht das »Beispiel«, »Musterbeispiel«, »Muster« für weitere Experimente – als vieldeutig erwiesen. Meinerseits möchte ich mindestens im Deutschen ebensogerne von Interpretationsmodellen, Erklärungsmodellen, *Verstehensmodellen* sprechen. Ich meine damit – wie Kuhn im Rückblick auf die Diskussion (im »Postscriptum 1969«) Paradigma im umfassenden Sinn definiert – *»an entire constellation of beliefs, values, techniques, and so on shared by the members of a given community«* (Kuhn, S. 175); *»eine ganze Konstellation von Überzeugungen, Werten, Verfahrensweisen usw., die von den Mitgliedern einer gegebenen Gemeinschaft geteilt werden«* (dt. Übersetzung, S. 186, korrigiert).

Kuhn selber spricht neuerdings zur Vermeidung von Mißverständnissen von »disziplinärer Matrix«, die für ihn »symbolische Verallgemeinerung, Modelle und Musterbeispiele« umfaßt.[3] Zur Diskussion zwischen Kuhn und den Popperschen Kritikern erschien der Sammelband von I. Lakatos – A. Musgrave »Criticism and the Growth of Knowledge«[4]. Für die Relevanz des neuen Paradigmas in den verschiedenen Disziplinen vgl. G. Gutting, Paradigms and Revolutions[5].

Stephen Toulmin, ein anderer führender Repräsentant der dritten Phase, bemerkt in seinem grundlegenden Werk »Human Understanding. The Collective Use and Evolution of Concepts«[6], daß der Ausdruck »Paradigma« (welcher mehr bezeichnet als ein »Begriffssystem«) für bestimmte Grundmuster der Erklärung schon von Georg Christoph Lichtenberg, Professor der Naturphilosophie in Göttingen Mitte des 18. Jahrhunderts, eingeführt wurde. Nach dem Niedergang des deutschen Idealismus hatte Lichtenberg großen Einfluß auf Ernst Mach und Ludwig Wittgenstein, die den Ausdruck »Paradigma« aufgriffen als Schlüssel zum Verständnis dafür, wie philosophische Modelle oder Schablonen als »Gußform« oder

»Klammern« dienen, um unser Denken in vorgegebene und manchmal auch unpassende Bahnen zu lenken. In dieser Form fand der Ausdruck Eingang in die allgemeine philosophische Diskussion und wurde zunächst in England analysiert durch den Wittgenstein-Schüler W. H. Watson, durch N. R. Hanson und durch Toulmin selbst. Schließlich kam der Ausdruck in den frühen fünfziger Jahren in die Vereinigten Staaten.

In seinem Vorwort formuliert Toulmin seine »zentrale These«, seine »tief begründete Überzeugung«: »In der Wissenschaft wie in der Philosophie war eine ausschließliche Beschäftigung mit der logischen Systematik sowohl für das historische Verständnis wie auch die rationale Kritik äußerst schädlich. Der Mensch zeigt seine Vernunft nicht dadurch, daß er seine Begriffe und Vorstellungen zu sauberen formalen Strukturen ordnet, sondern dadurch, daß er offenen Sinnes auf neue Situationen reagiert – daß er die Schwächen seiner bisherigen Verfahrensweisen erkennt und über sie hinauskommt« (S. 9f.). Toulmin stimmt mit Kuhn darin überein, daß er die vernachlässigte Verbindung zwischen begrifflichen Veränderungen und deren sozio-historischem Kontext wiederherstellt, ohne beide zu identifizieren: »Als Wissenschaftshistoriker erfüllte er (Kuhn) eine sinnvolle Aufgabe, wenn er wieder auf die engen Verbindungen zwischen der gesellschaftlich-historischen Entwicklung wissenschaftlicher Schulen, Professionen und Institutionen einerseits und der geistigen Entwicklung der wissenschaftlichen Theorien selbst hinwies« (S. 142). Kurz, ein weniger formalistischer und mehr historischer »Ansatz« (gegen »einen selbstgenügsamen antihistorischen logischen Empirismus, wie wir ihn vom Wiener Kreis ererbt haben«).

Gewiß, es gibt einen Disput zwischen Kuhn und Toulmin, ob wir von »revolutionären« oder »evolutionären« Änderungen zu sprechen haben; ich werde auf diese Frage zurückkommen. Aber wichtiger, scheint mir, ist die grundlegende Übereinstimmung beider Autoren, daß »Paradigmen« oder »Modelle« wechseln. Welchen Ausdruck wir auch für unsere spezifisch theologische Aufgabe wählen, dieser Ausdruck muß weit genug verstanden werden, um nicht nur Begriffe und Urteile einzuschließen, sondern »eine ganze Konstellation von Überzeugungen, Werten, Verfahrensweisen usw.«

Allerdings, ich gestehe es offen, bedeutet es kein geringes Wagnis, in einem einzigen Kapitel sowohl auf die reich dokumentierten Ausführungen Kuhns (und Toulmins) einzugehen, die in den wissenschaftstheoretischen Überlegungen der Theologen bisher kaum Beachtung gefunden haben, wie von der hochkomplexen innertheologischen Entwicklung zu berichten, der Kuhn selber – den Geisteswissenschaften anders als Toulmin von Haus aus fern – bisher keine Aufmerksamkeit geschenkt hat. Doch dürfte allein schon die in katholischer wie evangelischer Theologie anhaltende hermeneutische Diskussion über gültige Methoden und Lösungsgrundsätze ein Zeichen dafür sein, daß wir mitten in einem theologischen Umbruch stehen und daß hier weitere Reflexion bitter nottut. Gerade in der Situation heutiger Theologie ist eine Reflexion über ein neues Paradigma auch im Rahmen der Theorie-Praxis-Diskussion in Europa (z. B. Jürgen Habermas, Karl Otto Apel) wie in Amerika (neben Kuhn und Toulmin z. B. Richard Bernstein) notwendiger denn je. Sowohl die hermeneutischen wie die politischen Implikationen des Paradigmenwechsels wurden im Tübinger Symposion in besonderen Referaten von David Tracy und Matthew Lamb behandelt; wichtig in diesem Zusammenhang aber auch die historischen Analysen von Ch. Kannengiesser (zu Origenes und Augustin), St. Pfürtner (zu Thomas und Luther), B. Gerrish (zur Moderne nach Troeltsch), M. Marty (zu Moderne und Postmoderne).[7]

4. Makro-, Meso- und Mikroparadigmen

In der *Physik* nun kann man zwischen einem ptolemäischen, einem kopernikanischen, einem newtonschen, einem einsteinschen Makromodell unterscheiden. Sollte analog dazu nicht auch in der *Theologie* etwa zwischen einem griechisch-alexandrinischen, einem lateinisch-augustinischen, einem mittelalterlich-thomistischen, einem reformatorischen, einem oder mehreren neuzeitlich-kritischen Deutungsmodellen unterschieden werden können?

Für unsere Zwecke mag es helfen, die Begriffe »Paradigma« und »Modell« austauschbar zu gebrauchen, dann aber zwischen *Makro-, Meso- und Mikromodellen (-paradigmen)* zu unterscheiden.

So in der *Physik*: Makromodelle für wissenschaftliche Gesamtlösungen (wie das kopernikanische, das newtonsche, das einsteinsche Modell), Mesomodelle zur Lösung mittlerer Problembereiche (wie die Wellentheorie des Lichtes, die dynamische Theorie der Wärme oder Maxwells elektromagnetische Theorie) und Mikromodelle für wissenschaftliche Detaillösungen (wie die Entdeckung der Röntgenstrahlen).

Analog in der *Theologie*: Makromodelle für Gesamtlösungen (das alexandrinische, das augustinische, das thomistische, das reformatorische Modell), Mesomodelle zur Lösung mittlerer Problembereiche (Schöpfungslehre, Gnadenlehre, Sakramentenverständnis), Mikromodelle für Detaillösungen (Erbsündenlehre, hypostatische Union in der Christologie).

Kuhn spricht zwar immer nur von »science«, also von Naturwissenschaft, und die deutsche Übersetzung ist nicht selten mißverständlich, weil nur mit »Wissenschaft« übersetzt wird. Aber Kuhn sieht, wenngleich mit einiger Skepsis, daß sich die Problematik auch für die Geisteswissenschaften stellt; ja, er gibt zu, daß er selber vielfach Einsichten auf die Naturwissenschaften angewandt habe, die der Geschichtsschreibung von Literatur, Musik, bildender Kunst und Politik schon vertrauter seien. Andererseits eröffnet gerade die »harte« naturwissenschaftliche Problematik dem Geisteswissenschaftler und insbesondere dem Theologen neue Aspekte.

Von einem »*Modell*« oder »Paradigma« sprechen wir, um das Vorläufige des Entwurfs hervorzuheben, der ja immer nur unter bestimmten Voraussetzungen und in bestimmten Grenzen gilt, der andere Entwürfe nicht prinzipiell ausschließt, sondern die *Wirklichkeit immer nur relativ objektiv, in einer bestimmten Perspektivität und Variabilität, erfaßt:* Daten sind ja für den Wissenschaftler nie »nackt« und Erfahrungen nie »roh«, sondern sind stets subjektiv vermittelt und interpretiert; jedes Sehen geschieht von vornherein in einem (wissenschaftlichen oder vorwissenschaftlichen) Verstehensmodell. Selbst bestens überprüfte »klassische« Theorien wie die eines Newton oder Thomas von Aquin haben sich als inadäquat und überholungsbedürftig erwiesen. Zur Verabsolutierung einer Methode, eines Entwurfs oder Modells besteht also kein Anlaß, wohl aber zu unablässig neuem Suchen, zu permanenter Kritik und rationaler Kontrolle: auf dem Weg durch Pluralismus hindurch zur immer größeren Wahrheit.

5. Wie entsteht Neues? Parallelen aus Naturwissenschaft und Theologie

Dies alles tönt nun noch reichlich abstrakt, läßt sich aber konkretisieren angesichts unserer zentralen Frage: Wo gibt es zwischen dem Erkenntnisfortschritt der Naturwissenschaft und dem der Theologie Parallelen, wo Unterschiede? Die Unterschiede fallen mehr ins Auge. Ich versuche deshalb in diesem Abschnitt – und das Ganze ist ein Versuch, der zum Mitdenken auffordert – zunächst bestimmte Parallelen, Ähnlichkeiten, *Analogien* deutlich herauszuarbeiten, um dann im nächsten Abschnitt das Ureigene der Theologie zur Sprache zu bringen. Wir machen *fünf Gedankengänge*:

a) Kuhn macht für die Naturwissenschaften folgende Beobachtung, mit der wir einsetzen können: In der Praxis akzeptieren Studierende bestimmte Erklärungsmodelle weniger aufgrund von Beweisen denn aufgrund der *Autorität des Lehrbuches*, das sie studieren, *und des Lehrers*, den sie hören. In alter Zeit erfüllten diese Funktion die berühmten Klassiker der Wissenschaft: etwa die »Physik« des Aristoteles oder der »Almagest« des Ptolemäus, in moderner Zeit Newtons »Principia« und »Optics«, Franklins »Electricity«, Lavoisiers »Chimie«, Lyells »Geology« usw.

Die christliche Theologie, die sich von Anfang an sowohl von der mythisch-kultischen »Theologie« (d. h. Göttersage und Göttersage) wie von der philosophischen »Theologie« (Gotteslehre) der Griechen unterschied, beginnt schon im Neuen Testament mit Paulus. Neben den apostolischen Urzeugen bleiben für die Theologie große Lehrer, gleichsam »Klassiker«, von höchster Bedeutung: etwa Irenäus, der bedeutendste Theologe des zweiten Jahrhunderts, der in Abwehr des Gnostizismus eine erste Gesamtschau des Christentums niedergelegt hatte, dann im dritten Jahrhundert Tertullian im Westen und vor allem die Alexandriner Clemens und Origenes im Osten, die in umfassender Auseinandersetzung mit der Bildung ihrer Zeit Theologie getrieben hatten. Theologie muß deshalb immer wieder verstanden werden als »eine Dialektik von Herausforderung und Antwort« (D. Tracy).

Theologische Lehrbücher im strengen Sinn entstanden, seit sich die Theologie im Mittelalter als Universitätswissenschaft konstituierte: theologische Paradigmen oder Verstehensmodelle werden deshalb seit dieser Zeit besonders faßbar. Im *Osten* hatten freilich schon vorher systematische Werke wie die »Pegè gnóseos« (»Quelle der Erkenntnis«) des *Johannes von Damaskus* († ca. 750) – und besonders deren dritter Teil, die »Auslegung des orthodoxen Glaubens« – eine Zusammenfassung östlicher Theologie geboten. Dieses Werk hat als eine der wenigen byzantinischen systematisch-theologischen Darstellungen im griechischen wie im slawischen Osten durch das ganze Mittelalter hindurch einen bis heute andauernden Einfluß ausgeübt.

Im *Westen* wurde die vor allem von Augustin geprägte lateinische Theologie den mittelalterlichen Scholastikern durch das Sentenzenwerk des *Petrus Lombardus* (†1160) vermittelt, das zum großen Teil aus Augustinus-Zitaten bestand. Auf diese Weise hat Augustin, zusammen mit vorwiegend neuplatonischem Gedankengut, bis ins 13. Jahrhundert hinein auch die scholastische Philosophie und Theologie in Methode wie Inhalt beherrscht.

Thomas von Aquin (†1274) war zu dieser Zeit noch ein höchst umstrittener Theologe: von traditionalistischen (augustinischen) Theologen als Modernist bekämpft und verketzert, vom eigenen Dominikanerorden aus Paris abberufen und schließlich von den zuständigen Kirchenautoritäten in Paris und Oxford als Vertreter einer »théologie nouvelle« in aller Form verurteilt, wenngleich vom Orden dann in Schutz genommen. Erst unmittelbar vor dem Ausbruch der Reformation war es seiner Summa theologiae gelungen, über den Orden hinaus Schule zu machen: der erste Kommentar der ganzen Summa stammte vom klassischen Thomas-Interpreten und zugleich Luther-Gegner Kardinal Cajetan; und erst Francisco de Vitoria, Vater der spanischen Scholastik, führte 1526 die thomanische Summa an der Universität Salamanca als Lehrbuch ein; Löwen folgte später mit zwei Thomas-Professuren und siebenjährigen Summa-theologiae-Kursen. Bis in unser Jahrhundert (1924), sollte man schließlich 90 Kommentare zur ganzen Summa und 218 zu ihrem ersten Teil zählen.

Ähnliches, wenngleich längst nicht im selben Umfang, ließe sich im reformatorischen Raum sagen von *Melanchthons* »Loci« und *Calvins* »Institutio« und im anglikanischen von *Hookers* »Laws of Ecclesiastical Polity«: alle Klassiker und Lehrbücher, die Geschichte machten!

Es läßt sich nicht übersehen: Wie in der Naturwissenschaft, so gibt es auch in der Theologie so etwas wie eine *»Normalwissenschaft«*: eine »Forschung«, die fest auf einer oder mehreren wissenschaftlichen Leistungen der Vergangenheit beruht, Leistungen, die von einer bestimmten wissenschaftlichen Gemeinschaft eine Zeitlang als Grundlagen für ihre weitere Arbeit anerkannt werden« (Kuhn S. 25). Diese großen Theoriegebäude dienen der wissenschaftlichen Alltagsarbeit als »Vorbild«, als »Muster«, als »Verstehensmodell«, als »Paradigma«.

Und ob dies nun in der *Physik* die ptolemäische oder dann die kopernikanische Astronomie, die aristotelische oder dann die newtonsche Dynamik, die Korpuskular- oder dann die Wellenoptik ist; und ob dies in der *Theologie* die alexandrinische oder dann die augustinische oder die thomistische, ob dies die reformatorische, die protestantisch-orthodoxe oder eine neuere Lehre ist:
wer immer – schon als Student – in der betreffenden Wissenschaft mitreden will, der muß sich das betreffende Verstehensmodell intensiv angeeignet haben, das Makromodell und die dazu gehörenden Meso- und Mikromodelle. Und nun das Merkwürdige: Wirkliche Neuheiten sind innerhalb des etablierten Modells weder in der Naturwissenschaft noch in der Theologie sehr erwünscht! Warum? Sie würden das Modell verändern, erschüttern, möglicherweise zerstören. Nein, die Normalwissenschaft ist ganz darauf aus, mit allen Mitteln ihr Verstehensmodell, ihr Paradigma, zu bestätigen, es zwar zu präzisieren, abzusichern, auszubauen: aber eben *Entwicklung durch Anhäufung, Kumulation*, ein langsamer Zuwachsprozeß an Erkenntnis.

Die Normalwissenschaft ist also in der Praxis letztlich gerade nicht an Falsifikation interessiert, die das Modell ja gefährden würde, sondern am *Lösen der noch verbliebenen Rätsel*. Deshalb versucht sie, das eigene Modell zu bestätigen, auftauchende neue Phänomene, Gegenbeispiele, Anomalien – wenn sie zunächst nicht gar geleugnet oder unterdrückt werden – in ihr etabliertes Modell einzubauen und dieses so gut wie irgendwie möglich zu modifizieren oder neu zu formulieren. Der Fall Galilei ist diesbezüglich für Theologie und Physik gleichermaßen interessant. Nicht nur in der Theologie, auch in der Naturwissenschaft können Entdecker von Neuheiten oder Anomalien, die das gewohnte Modell gefährden, zunächst öfters als »Störenfriede« moralisch diskreditiert oder auch schlicht totgeschwiegen werden.

Analogien zwischen Naturwissenschaft und Theologie zeigen sich also gerade bezüglich der Normalwissenschaft, und so läßt sich für unsere Problematik der Entstehung des Neuen eine (vorläufige) *erste These* formulieren, die später wie alle folgenden zu differenzieren sein wird:

Ähnlich wie in der Naturwissenschaft so gibt es auch in der Theologie eine »Normalwissenschaft« mit ihren Klassikern, Lehrbüchern und Lehrern, die charakterisiert ist
– durch ein kumulatives Wachstum der Erkenntnis,
– durch ein Lösen von verbliebenen Problemen (»Rätsel«) und
– durch Widerstand gegen alles, was Veränderung oder Ablösung des etablierten Verstehensmodells oder Paradigmas zur Folge haben könnte.

b) Kein Wort zu voreilig gegen diese Normalwissenschaft: Wir treiben sie alle und hängen denkerisch von ihr ab. Doch: vollzieht sich Wissenschaft wirklich nur dadurch, daß der Fortschritt in ihr sich langsam, aber unaufhaltsam gegen eine Vielzahl von Irrtümern durchsetzt? Entwickeln sich die naturwissenschaftlichen Disziplinen oder auch die der Theologie nur so, daß sie Stück für Stück der Wahrheit einen Schritt näherkommen?

Keine Frage: diese doch wohl allzu einfache Vorstellung von »organischer Entwicklung« ist weitverbreitet, auch unter Naturwissenschaftlern. Und unter Theologen (katholischen zumal) ist sie schon im letzten Jahrhundert durch John Henry Newman und vor allem (unter Hegels Einfluß) durch die Katholische Tübinger Schule theoretisch erarbeitet und schließlich auch in Rom – zur Erklärung des neuen Dogmas von der unbefleckten Empfängnis Mariens – populär gemacht worden: alles eine organische Entwicklung!? Ich möchte aber folgende historische Gegenbeispiele zu bedenken geben, die nicht auf simple Entwicklung, sondern auf *Krisen* verweisen. Zuerst in der *Physik*:

– Was war im 16. Jahrhundert die Ausgangslage für die astronomische Revolution des *Kopernikus*? Es war die offenkundige Krise der ptolemäischen Astronomie, zu der neben anderen Faktoren vor allem die Tatsache beigetragen hat, daß man mit den immer deutlicher erkannten Unstimmigkeiten, ja Anomalien nicht mehr fertig wurde: ein andauerndes Unvermögen der Normalwissenschaft, die aufgegebenen Rätsel zu lösen, insbesondere eine längerfristige Voraussage der Planetenpositionen.

– Und was war im 18. Jahrhundert die Voraussetzung für den grundlegenden Durchbruch *Lavoisiers* in der Chemie? Es war die Krise der vorherrschenden Phlogistontheorie, welche erklären wollte, warum Körper brennen: weil sie angeblich mit Phlogiston angereichert seien. Da sie aber (in all ihren verschiedenen wuchernden Versionen) die immer öfters beobachtete Gewichtszunahme beim Verbrennungsvorgang nicht zu erklären vermochte, begann Lavoisier schließlich, die Existenz einer solchen Wärmeenergiesubstanz zu ignorieren, und erkannte Verbrennung als Sauerstoffaufnahme: Die Grundlage für eine Neuformulierung der gesamten Chemie war geschaffen.

– Und was ging im 19. und 20. Jahrhundert *Einsteins* Relativitätstheorie voraus? Es war die Krise vor allem der vorherrschenden Äther-Theorie, die nicht zu erklären vermochte, warum trotz aller Apparate und Experimente keine Bewegung, Strömung oder Mitnahme von Äther (keinerlei »Ätherwind«) beobachtet werden konnte. Einstein begann deshalb, die Vorstellung eines solchen ruhenden Trägermediums für Gravitationskräfte und Lichtwellen

(»Lichtäther«) schlicht zu ignorieren, und konnte die Lichtgeschwindigkeit als gleich groß ansetzen für alle gegeneinander gleichförmig bewegten Bezugssysteme.

Genug der naturwissenschaftlichen Beispiele! Gibt es ähnliche Vorgänge in der *Theologie*? Krisen in der Theologie?

Schon in *neutestamentlicher Zeit* zeigten sich neben- und nacheinander verschiedene jüdische und hellenistische Interpretationsschemata des einen Christusereignisses, die sich vor allem bei Paulus, dem Apostel der Juden *und* Hellenen, kreuzen. Eine erste kritische Situation bedeutete für das junge Christentum die Nichterfüllung der apokalyptischen Naherwartung: Das in Bälde erwartete Reich Gottes kam nicht! Dieses jüdisch-apokalyptische Modell vom nahen *Ende* (Christus als *Ende* der Zeit) wurde in aller Stille abgelöst – besonders in den lukanischen Schriften, den Pastoralbriefen und im zweiten Petrusbrief – durch ein heilsgeschichtlich-frühkatholisches Interpretationsmodell von Jesus Christus als der *Mitte* der Zeit und von einer offensichtlich länger dauernden Zeit der Kirche. Eine Kirche im übrigen, die ihren judenchristlichen Ursprung nun zunehmend vergaß und sich immer mehr hellenisierte und institutionalisierte.

Dieses tiefe Eindringen in die hellenistische Welt führte aber zu einer *Identitätskrise*, wie sie sich besonders im 2. Jahrhundert in jener Gnosis manifestierte, die, allzu unbekümmert um den geschichtlichen Ursprung des Christentums, auf eine ungeschichtlich-mythische Theologie hin tendierte. Auf diese existenzgefährdende Herausforderung wurden innerhalb der Kirche sukzessiv mehrere Modelle von Theologie herausgebildet:

– im 2. Jahrhundert zuerst die neue philosophische Theologie der *Apologeten*, die mit Anleihen bei der Popularphilosophie und Berufung auf den überall in der Welt wirkenden hellenistisch-johanneischen Logos sowohl Identität wie Allgemeingültigkeit des Christentums rational zu verteidigen suchten;

– dann um die Wende vom 2. zum 3. Jahrhundert die bereits genannte biblisch-heilsgeschichtlich orientierte Theologie des *Irenäus*, der gegen die gnostischen Mythologien auf Schrift und apostolische Überlieferung rekurrierte;

– schließlich in der Mitte des 3. Jahrhunderts (neben Tertullian im Westen) im Osten die Theologie der *Alexandriner* Clemens und Origenes, die alle bisherigen (auch gnostischen) Versuche kühn verarbeiteten und in Auseinandersetzung nun besonders mit der neuplatonischen Philosophie ein erstes reifes und auf Dauer weithin maßgebendes Makromodell einer Theologie entwickelten. Strukturelemente dieser ebenso weltoffenen wie kirchlichen, ebenso geschichtlich verantworteten wie philosophisch reflektierten griechischen Theologie waren biblischer Kanon, Regula fidei und neuplatonisches philosophisches Denken. Die allegorische, sinnbildliche, den Wortlaut umdeutende, geistlich-pneumatische Schriftauslegung des Origenes setzte sich – auch gegen den Einspruch der mehr aristotelisch und historisch-grammatisch orientierten antiochenischen Schule – in der Theologie durch. Das heißt: hier wurde ein Theologiemodell entworfen, das die konstantinische Wende theologisch vorbereiten half. Im 4. Jahrhundert wurde es vor allem durch Athanasios und die Kappadokier (Basilius, Gregor von Nazianz, Gregor von Nyssa) korrigiert und weiterentwickelt zum Paradigma der griechischen Orthodoxie.

Sehr verschieden davon im Westen, bei aller Gemeinsamkeit gerade auch in der Schriftauslegung mit den Griechen, das andere auf Dauer maßgebende Makroparadigma: die Theologie *Augustins*. Sie entstand – mitten in der Krise des Imperium Romanum – zunächst aufgrund von Augustins persönlicher Krise, seiner Abwendung von dualistischem Manichäismus und akademischer Skepsis sowie seiner Zuwendung zum kirchlichen Glauben, zum Neuplatonismus, zur Allegorese, zu Paulus, zu einem asketischen Christentum, schließlich zum Bischofsamt. Doch bestimmend für die spezifische Ausbildung gerade seiner Theologie wurden zwei kirchen- und theologiegeschichtliche Krisen: die *donatistische Krise*, die für das Kirchen- und Sakramentenverständnis Augustins und dann auch des ganzen Westens prägend wurde, und die *pelagianische Krise*, welche die Theologie der Sünde und Gnade bis hin zu Reformation und Jansenismus entscheidend formte.

Ein weiteres Beispiel: was war für einen Mann wie *Thomas von Aquin*, den modernsten Theologen des 13. Jahrhunderts, der Anlaß für seine neuartige Aufwertung der Vernunft gegenüber dem Glauben, des buchstäblichen Schriftsinns gegenüber dem allegorisch-geistlichen, der Natur gegenüber der Gnade, der Philosophie gegenüber der Theologie und so für seine großangelegte neue theologische Synthese, die, wie wir hörten, die spanische Scholastik ebenso bestimmen sollte wie die Neuscholastik des 19. und 20. Jahrhunderts? Es war die *Krise des Augustinismus*, hervorgerufen durch die allgemeine Entwicklung und Rezeption des gesamten Aristoteles im christlichen Europa. Diese führte nicht nur zur Konfrontation mit einer immensen Fülle neuerer, insbesondere auch naturwissenschaftlicher Erkenntnisse, sondern ebenso mit der gleichfalls aristotelisch orientierten arabischen Philosophie. Theologie wird jetzt an der Universität und in neuer Form als Wissenschaft konstituiert: Thomas, methodisch streng und didaktisch geschickt, paßte die platonisch-augustinischen Gedanken in sein neues, außerordentlich einheitliches System ein, ohne je zu polemisieren, zögerte aber nicht, sie gründlich umzuinterpretieren oder auch souverän beiseite zu lassen, wo sie ihm nicht paßten.

Weiter: was war für *Martin Luther* im 16. Jahrhundert Ausgangslage für sein neues Verständnis von Wort und Glaube, Gerechtigkeit Gottes und Rechtfertigung des Menschen und so für seine grundstürzende biblisch-christozentrische Neukonzeption der gesamten Theologie, welche die Allegorese ablehnte und in strenger sprachlich-grammatischer Schriftauslegung gründete? Es war – im Rahmen der Krise der spätmittelalterlichen Kirche und Gesellschaft – die *Krise der systematisch-spekulativen Scholastik*, die, immer mehr bibelfern, vor lauter rationalen Konklusionen die Grundwahrheiten des Glaubens ebenso wie seinen existentiellen Charakter vernachlässigte.

Oder: was war die Ausgangslage für jene im 17./18. Jahrhundert entscheidend mit der deutschen Aufklärung einsetzende *historisch-kritische Theologie*? Diese wollte ja gegen allen pietistischen Biblizismus an der Wissenschaftlichkeit der Theologie und zugleich gegen alle deistische natürliche Theologie an der Geschichtlichkeit des christlichen Glaubens festhalten. Sie wollte in streng neuzeitlicher Rationalität und Freiheit eine kritische Rechenschaft vom biblischen Glauben geben: in bewußt undogmatischer Exegese wurde die Lehre von der Verbalinspiration aufgegeben und durch eine prinzipielle Gleichsetzung der biblischen Schriften mit anderer Literatur sowie eine vorbehaltlose philologisch-historische Schriftauslegung ersetzt. Ausgangslage war ohne Zweifel die am Ende des konfessionellen Zeitalters und seiner »Religionskriege« sich zeigende *Krise der protestantischen Orthodoxie*: Diese lutherische und calvinistische Orthodoxie hatte – noch einmal im Rückgriff auf Aristoteles – ein protestantisch-scholastisches Modell von Theologie auf- und ausgebaut, erlebte aber ihren Zusammenbruch, als an der großen Zeitenwende zum neuzeitlichen Denken und Weltbild der Aristotelismus aufhörte, die maßgebende Denkform aller Wissenschaft zu sein. Die damit verbundene Emanzipation sowohl der Philosophie wie der Einzelwissenschaften wie schließlich des Staates und der Gesellschaft überhaupt von der Autorität der Theologie und Kirche (Säkularisierung) führte dann zu ständig neuen revolutionären Schüben in Philosophie und Einzelwissenschaften und schließlich auch zu einem neuen Gesamtverständnis von Theologie: ein neues modern-kritisches Paradigma.

Was ich hier gleichsam idealtypisch skizzierte, sind in Ursachen, Anbahnung und Entfaltung natürlich höchst komplexe geschichtliche Vorgänge in der Gemeinschaft der Theologen, die kaum je von einem einzelnen allein und sicher nie über Nacht vollzogen werden. Ironie der Geschichte: Meist trug – wie in der Naturwissenschaft so auch in der Theologie – die *Normalwissenschaft selbst ungewollt zur Aushöhlung des etablierten Modells* bei! Wie? Insofern sie, immer mehr verfeinert und spezialisiert, zusätzliche Informationen an den Tag brachte, die nicht ins traditionelle Modell paßten und die Theorie verkomplizierten:

– Je mehr man beispielsweise aufgrund des ptolemäischen Weltsystems die Bewegungen der Gestirne studierte und korrigierte, um so mehr produzierte man auch Material zu dessen Widerlegung.

– Und je mehr etwa die protestantische Orthodoxie in neuaristotelischer Wissenschaftlichkeit machte, um so mehr provozierte sie selbst einerseits den unwissenschaftlichen »einfachen« Biblizismus des Pietismus und andererseits die ungeschichtlich-rationale Natürliche Theologie der Aufklärung.

– Oder je mehr etwa die Neuscholastik unseres Jahrhunderts gewisse spekulative Thesen – zum Beispiel bezüglich Kirchenverfassung, Primat und Unfehlbarkeit – durch historische Forschung abzusichern versuchte, um so mehr förderte sie auch Widersprechendes an den Tag, das zu ihrer Unterminierung führte.

Und so ging, wie in der Naturwissenschaft so auch in der Theologie, der Ablösung eines Erklärungsmodells meist eine *Übergangsperiode der Unsicherheit* voraus, in welcher der Glaube an das etablierte Modell schwankend wurde, Schablonen durchschaut wurden, Bindungen sich lockerten, traditionelle Schulen sich reduzierten und eine Fülle konkurrierender Neuansätze sich zeigten. Eine solche Übergangssituation war für die katholische Theologie, die weit hinter der neuzeitlichen Entwicklung und der protestantischen Theologie zurückgeblieben war, die Zeit des Vatikanum II: Die klassischen Schulunterschiede etwa zwischen Thomisten und Skotisten, Thomisten und Molinisten spielten jetzt keine Rolle mehr, und dafür zeigte sich eine ganze Reihe neuer konkurrierender theologischer Ansätze, die auch jetzt noch die Zukunft der katholischen Theologie reichlich ungewiß erscheinen lassen.

So ist bei aller Komplexität und Plurikausalität jeglicher theologischer Entwicklung doch deutlich geworden: Neue theologische Deutungsmodelle entstehen nicht einfach, weil einzelne Theologen gern heiße Eisen anfassen oder am Schreibtisch neue Modelle konstruieren, sondern weil das traditionelle Deutungsmodell versagt, weil die »Rätsellöser« der Normaltheologie vor neuem zeitgeschichtlichem Horizont auf neue große Fragen keine befriedigende Antwort wissen und »Paradigmenprüfer« neben der normalen Theologie eine extra-normale, eine »außer-ordentliche Theologie« in Gang bringen.

Gewiß ist die Krise nicht »unabdingbare Voraussetzung« für einen Paradigmenwechsel, wie Kuhn ihn in seinem Buch zunächst vertritt, wohl aber, wie er in seinem Postskriptum von 1969 vorsichtiger formuliert, das »gewöhnliche Vorspiel, das einen Mechanismus der Selbstkorrektur bereitstellt, der die Rigidität der ›normalen‹ Wissenschaft nicht für alle Zukunft unangefochten läßt« (S. 193).

In bezug auf die Entstehung des Neuen in der Theologie möchte ich von daher eine vorläufige *zweite These* formulieren:

> *Ähnlich wie in der Naturwissenschaft ist auch in der Theologie meist das Bewußtsein einer wachsenden Krise die Ausgangslage dafür, daß es zu einem einschneidenden Wandel in bestimmten bisher geltenden Grundannahmen und schließlich zum Durchbruch eines neuen Deutungsmodells oder Paradigmas kommt: Wo die vorhandenen Regeln und Methoden versagen, leiten sie zur Suche nach neuen an.*

c) Wir haben bis jetzt erst die Ausgangslage für die Ablösung eines Paradigmas dargelegt: die Krise. Wie aber vollzieht sich solche *Ablösung* im Raum der Wissenschaft? Auch hier sind Kuhns Beobachtungen aus der Geschichte der Naturwissenschaft hilfreich: Für eine Ablösung braucht es nicht nur den kritischen Zustand des alten, sondern auch die *Heraufkunft eines neuen Paradigmas*. Dieses, intuitiv erkannt, ist meist schon früher da als ein bestimmtes System gemeinsamer Forschungsregeln und Forschungsresultate. Die neue Astronomie, die neue Physik, die neue Chemie, die neue Biologie, die allgemeine Relativitätstheorie machen es deutlich: Die Entscheidung, ein altes Modell aufzugeben, ist gleichzeitig mit der Entscheidung, ein neues anzunehmen. Das abzulösende Modell braucht ein würdiges, ein glaubwürdiges Nachfolgemodell, bevor es abtreten kann: einen neuen *»Paradigmakandidaten«*.

Steht aber ein solcher bereit, so geschieht die Ablösung nicht einfach durch kontinuierliche »organische« Entwicklung, nicht durch den gewohnten kumulativen Prozeß der Normalwissenschaft. Geht es doch hier nicht nur um eine Kurskorrektur, sondern um einen Kurswechsel. Man nenne dies eine *»scientific revolution«* oder nicht: es ist eine *wissenschaftliche Umwälzung*, eine grundlegende Umgestaltung der gesamten Wissenschaft, ihrer Begriffe, Methoden und Kriterien mit oft erheblichen gesellschaftlichen Konsequenzen.

Dies alles bedarf bezüglich der großen Umwälzungen in der *Naturwissenschaft* keiner langen Erklärungen. Wichtiger ist auch hier die Applikation auf die *Theologie*: Auch in der Theologie kommt es ja von Zeit zu Zeit, wie wir sahen, nicht nur im beschränkten Mikro- oder Mesobereich, sondern auch im Makrobereich zu einschneidenden Änderungen. Ähnlich wie beim Wechsel von der geozentrischen zur heliozentrischen Auffassung, von der Phlogiston- zur Sauerstoffchemie, von der Korpuskular- zur Wellentheorie, so der Wandel von einer Theologie zur anderen:

– Feststehende und vertraute Begriffe ändern sich;
– Normen und Kriterien, die über die Zulässigkeit bestimmter Probleme und Lösungen bestimmen, verschieben sich;
– Theorien und Methoden werden erschüttert.

Kurz: *es wandelt sich das Paradigma oder Deutungsmodell* mit dem ganzen Komplex der verschiedenen Methoden, Problemgebiete und Lösungsversuche, wie sie bisher von der theologischen Gemeinschaft anerkannt waren. Die Theologen gewöhnen sich gleichsam an ein anderes Sehen, das Sehen im Kontext eines anderen Modells. Manches wird jetzt wahrgenommen, was man früher nicht sah, und möglicherweise wird auch einiges übersehen, was man früher im Blick hatte. Eine neue Sicht von Mensch, Welt und Gott beginnt sich im Raum theologischer Wissenschaft durchzusetzen, wo das Ganze und seine Details in einem anderen Licht erscheinen.

Die Theologie erhält so in Zeiten epochalen Umbruchs eine *neue Gestalt*, und dies bis ins Literarische hinein; man vergleiche nur im Bereich umfassender systematischer Entwürfe des Clemens »Paidagogós« und des Origenes »Peri archôn« mit Augustins »Enchiridion« oder »De doctrina christiana« oder diese wiederum mit den mittelalterlichen Summen und diese schließlich mit Luthers Programmschriften von 1520 oder seinem Großen Katechismus.

Eine erste theologische Umwälzung ereignete sich, wie wir hörten, schon in neutestamentlicher Zeit, als eben jenes Modell der vom Judentum übernommenen apokalyptischen Naherwartung unauffällig ersetzt wurde durch eine hellenistisch verstandene heilsgeschichtliche Konzeption von Jesus Christus als der Mitte der Zeit. Jenes Modell, das seine grandiose erste Vollendung erhalten hat durch *Clemens und Origenes*, die die ganze Menschheitsgeschichte verstanden als großen, kontinuierlich aufwärts führenden erzieherischen Prozeß (»paideia«): Das durch Schuld und Sünde verschüttete Bild Gottes wird im Menschen durch die Pädagogik Gottes selbst wiederhergestellt und zur Vollendung geführt: nach Gottes »oikonomia« die Menschwerdung Gottes selbst als Voraussetzung der Gottwerdung des Menschen! Dies bedeutet eine beachtliche Veränderung in der Gesamtkonstellation theologischer Voraussetzungen, Begriffe, Überzeugungen, Werte und Verfahrensweisen. Weniger Kreuz und Auferweckung wie im Neuen Testament als vielmehr die Inkarnation erscheint jetzt als das primäre Heilsereignis.

Eine solche theologische Umwälzung ereignete sich auch im Westen, als jener ursprünglich äußerst weltliche Mann, jener intensive Denker und scharfe Dialektiker, begabte Psychologe, brillante Stilist und schließlich leidenschaftlich Glaubende *Aurelius Augustinus* daran ging, seine geistig-geistlichen, aber auch früheren sexuellen und späteren amtskirchlichen Erfahrungen theologisch zu verarbeiten. Er wollte wie die Griechen eine Synthese zwischen christlichem Glauben und neuplatonischem Denken. Doch das Einzelne und das Ganze hatte sich aufgrund seines persönlichen Werdegangs und seiner späteren antidonatistischen und antipelagianischen Frontstellungen verändert:
– eine geheimnisvoll-unheimliche doppelte Prädestination, Vorherbestimmung der einen zur Seligkeit, der anderen zur Verdammung;
– ein neues, sexuell bestimmtes Verständnis von Sünde als Erb-Sünde;
– eine neue Geschichtstheologie vom Gottesstaat und vom Weltstaat;
– eine neue psychologische Verhältnisbestimmung von Vater, Sohn und Geist, ausgehend von der einen unveränderlichen Gottesnatur ...

Alles in allem ein epochal neues theologisches Makromodell für fast ein Jahrtausend, dem die Griechen verständlicherweise bis auf den heutigen Tag mit größtem Mißtrauen gegenüberstehen, obwohl hier doch noch die umfassende und durchgängige patristische

Einheit von Vernunft und Glauben, Philosophie und Theologie gewahrt blieb.

Eine solche epochale theologische Umwälzung ereignete sich von neuem unter großen Kämpfen bei *Thomas* und später erst recht bei *Luther*. Alles Beispiele, die ebenfalls erhellen, wie sehr jeder dieser Paradigmenwechsel bestimmte *gesellschaftlich-politische Voraussetzungen und* zugleich auch erhebliche gesellschaftlich-politische *Auswirkungen* hatte: sehr ambivalente Auswirkungen freilich, ob es die hellenistisch-christliche Paideia-Konzeption für die byzantinischen Kirchen war oder Augustins Zwei-Staaten- oder Reiche-Lehre für das Mittelalter, des Thomas papalistische Ekklesiologie oder Luthers neues Rechtfertigungs-, Kirchen- und Sakramentenverständnis für die neue Zeit. Und man könnte ja nun nach Luther, bzw. der lutherischen und reformierten Orthodoxie, wie bereits angedeutet, noch weiterfahren mit den theologischen Umwälzungen der Moderne.

Für unsere Zwecke aber mag das aus der Theologiegeschichte Erhobene ausreichen, um jetzt eine vorläufige *dritte These* zu formulieren:

> *Ähnlich wie in der Naturwissenschaft wird auch in der Theologie ein altes Verstehensmodell oder Paradigma dann abgelöst, wenn ein neues bereitsteht.*

d) Dabei ist nun indirekt ein anderer Aspekt deutlich geworden, der eingangs schon anklang: Ohne Widerstände, ohne Kampf und persönliche Opfer – das zeigt die Geschichte aller jener großen Theologen – ist auch in der Theologie (und in der Kirche) nichts Neues durchgesetzt worden. Aber gerade die subjektiven Begleitumstände dieses Paradigmenwechsels sind nun im Hinblick auf umfassende Wissenschaftsforschung genauer zu bestimmen. Daß bei Theologen eine ganze Menge von verschiedenen Faktoren mitspielt, wenn sie sich – sei es als Initiatoren oder Rezeptoren, jedenfalls meist in einem längeren komplexen Prozeß – für ein neues Erklärungsmodell entscheiden, nimmt man als selbstverständlich an. Dies ist zudem aus Augustins »Confessiones« und Briefen wie aus Luthers Lebensgeschichte und Selbstzeugnissen überreich dokumentierbar, ist aber auch für Origenes (aus der Kirchengeschichte des Eusebios) und für Thomas (besonders bezüglich der Bedeutung des Dominikanerordens) ausreichend bekannt. Daß aber auch bei den Naturwissenschaftlern nicht nur die Poppersche »Logik der Forschung«, sondern zahlreiche andere Faktoren mitspielen, belegt wiederum Kuhn mit einigen für den Theologen durchaus tröstlichen Beobachtungen.

Eine *erste* Beobachtung: Nicht nur der Theologe, auch der Naturwissenschaftler hat in großen Krisen seine *Glaubenszweifel*, wenn ihn nämlich die Normalwissenschaft und ihr traditionelles System im Stich lassen und er auf der Suche nach Neuem ist.

»Es war, wie wenn einem der Boden unter den Füßen weggezogen worden wäre, ohne daß sich irgendwo fester Grund zeigte, auf den man hätte bauen können«; dies sagte nicht ein Theologe von der Theologie, sondern ein Physiker von der Physik: Albert Einstein.

»Zur Zeit ist die Physik wieder einmal furchtbar durcheinander, auf jeden Fall ist sie für mich zu schwierig, und ich wünschte, ich wäre Filmschauspieler oder etwas ähnliches und hätte von der Physik nie etwas gehört.« So der spätere Nobelpreisträger für Physik Wolfgang Pauli in den Monaten, ehe Heisenbergs Schrift über die Matrizenmechanik den Weg zur neuen Quantentheorie zeigte (Zitate bei Kuhn S. 96f.).

Es ist auch bekannt, daß in solch kritischer Situation, wenn kein neuer Weg gefunden wurde, nicht nur Theologen den Glauben an die Theologie, sondern auch – wovon die Wissenschaftsgeschichtsschreibung freilich kaum berichtet – Naturwissenschaftler den Glauben an die Naturwissenschaft verloren und einen anderen Beruf gewählt haben.

Eine *zweite* Beobachtung: Nicht nur in der Theologie, sondern auch in der Naturwissenschaft sind beim Paradigmenwechsel außer wissenschaftlichen *auch nichtwissenschaftliche Faktoren* von Bedeutung. Ein Gemisch von »objektiven« und »subjektiven«, von individuellen und gesellschaftlichen Faktoren: Herkunft, Lebenslauf und Persönlichkeit der Beteiligten spielen eine Rolle, aber oft auch Nationalität, Ruf und Lehrer insbesondere des Neuerers und schließlich auch die – nicht selten ästhetisch bedingte – Attraktivität des neuen Erklärungsmodells: Konsequenz, Transparenz, Effizienz, aber auch Eleganz, Einfachheit, Universalität der vorgeschlagenen Lösung.

Eine *dritte* Beobachtung: Wie sehr auch *religiöse Überzeugungen* auf angeblich rein wissenschaftliche Entscheidungen Einfluß haben können, hat selbst Kuhn nicht bemerkt, und dies nicht nur bei den großen Theologen, sondern auch bei den großen Astronomen von Kopernikus bis Newton. Es ist ja nun gerade um den größten Physiker unseres Jahrhunderts, Albert Einstein, in seinen letzten Jahrzehnten so merkwürdig still geworden, weil er die neue epochale Wende, welche die Physik mit der Quantenmechanik genommen hatte, nicht meinte mitvollziehen zu können, mitvollziehen zu dürfen – aus religiösen Gründen, wie man aus seinem Briefwechsel mit Max Born ersehen kann! Sein berühmter Satz vom Alten, der nicht würfelt, ist kein Witz, sondern Ausdruck einer bestimmten religiösen Überzeugung: Einstein glaubte bis an sein Ende an den pantheistisch-deterministischen Gott Spinozas, was offensichtlich auch Born in jenen Auseinandersetzungen verborgen geblieben war.

Eine *vierte* Beobachtung: Nicht nur in der Theologie, auch in der Naturwissenschaft wird im Hinblick auf ein neues Verstehensmodell so etwas wie eine *Conversio* gefordert, die rational nicht erzwingbar ist. Wir sprechen jetzt weniger vom Initiator, von demjenigen, der (aufgrund einer plötzlichen intuitiven Erfahrung oder eines langen und mühseligen Reifens) ein neues Modell vorgeschlagen hat, als vielmehr von den Rezipienten, die sich dafür oder dagegen zu entscheiden haben. Die Vertreter des alten und des neuen Modells – das darf man nicht unterschätzen – leben in verschiedenen Welten, verschiedenen Denk- und Sprachwelten; sie können sich oft kaum verstehen. Übersetzung aus der alten in die neue Sprache ist notwendig, aber zugleich auch eine neue Überzeugung, eine Bekehrung.

Gewiß sind überzeugende sachliche Gründe für eine solche Bekehrung wichtig; geht es doch hier nicht einfach um einen irrationalen Prozeß. Trotzdem können auch gute Gründe die Bekehrung nicht erzwingen; geht es doch ebensowenig um einen rein rationalen Prozeß. Letztlich geht es um eine – im nichtreligiösen Sinn des Wortes – »Glaubensentscheidung«, besser: um ein »Vertrauensvotum«: Welches Modell wird mit den neuen Problemen besser fertig und wird zugleich die meisten alten Problemlösungen bewahren? Welchem Paradigma wird die Zukunft gehören? Das ist nicht so leicht zu sagen. Und weil es da letztlich um eine Vertrauensfrage geht, sind die Diskussionen zwischen den beiden Denkschulen und Sprachwelten oft weniger rationale Argumentationen als gekonnte Werbungs-, Überredungs- und Bekehrungsversuche. Denn beide Parteien haben nun einmal ihre eigenen Problemlisten, Prioritäten, Normen, Definitionen, ihre letztlich inkommensurablen Standpunkte: der andere möge doch den so einleuchtenden eigenen Standpunkt, möge doch die jeweils anderen Prämissen übernehmen. So hängt denn die Annahme des neuen Paradigmas von der Entscheidung des einzelnen Wissenschaftlers ab, ob er sich diesen Standpunkt, diese bestimmten Prämissen zu eigen machen will. Und gerade dies ist nicht leicht; denn dies ist nicht eine rein theoretische Frage.

Eine *fünfte* Beobachtung: Nicht nur in der Theologie, auch in der Naturwissenschaft hat ein neues Modell am Anfang nur *wenige und meist jüngere Befürworter*:

– Kopernikus war 34 Jahre alt, als er das heliozentrische System erarbeitete.
– Newton, Begründer der klassischen Physik, formulierte das Gravitationsgesetz mit 23 Jahren.
– Lavoisier, Begründer der modernen Chemie, war 25 Jahre alt, als er beim Sekretär der Académie Française seine berühmte versiegelte Niederschrift mit dem Zweifel an der herrschenden Phlogistontheorie deponierte.

– Einstein legte die spezielle Relativitätstheorie mit 26 Jahren vor.

Und was die *Theologen* angeht:

– Der erste methodisch forschende Gelehrte der Christenheit, Origenes, nahm schon mit 18 Jahren erfolgreich die seit dem Fortgang des Clemens in Alexandrien brachliegende christliche Bildungsarbeit unter den Gebildeten auf.

– Augustin war zur Zeit seiner »letzten« Conversio 32, und Thomas war noch nicht 30, als er in Paris seinen Sentenzenkommentar in aristotelischem Geist begann.

– Luther schließlich war 34 Jahre, als er seine Ablaßthesen der Öffentlichkeit kundtat.

Aber lassen wir die Zahlenbeispiele. Sicher gilt Kuhns Feststellung für Naturwissenschaft *und* Theologie, daß sich erst mit der Zeit mehr und mehr Wissenschaftler zu einem neuen Paradigma bekehren und dann die Erforschung des neuen Paradigmas intensiver vorantreiben. Nicht nur aus Altersstarrsinn, sondern weil sie eben ganz und gar diesem Modell verhaftet sind, leisten oft gerade die erfahrensten älteren Forscher des etablierten Modells lebenslang Widerstand. Und es bedarf dann einer neuen Generation – was kein geringerer als Charles Darwin im Vorwort zur »Entstehung der Arten« mit beinahe deprimierender Deutlichkeit ausgedrückt hat –, bis schließlich die große Mehrheit der wissenschaftlichen Gemeinschaft zum neuen Erklärungsmodell übergeht. Und nicht an diesem oder jenem Forscher, sondern an der wissenschaftlichen Gemeinschaft als Ganzer hängt es schließlich, ob ein neues Modell sich durchsetzt oder nicht. Das bekannte Wort von Max Planck in seiner »Wissenschaftlichen Selbstbiographie« gilt dabei vielleicht noch mehr von den Theologen als von den Physikern: »Eine neue wissenschaftliche Wahrheit pflegt sich nicht in der Weise durchzusetzen, daß ihre Gegner überzeugt wären und sich als bekehrt erklären, sondern vielmehr dadurch, daß die Gegner allmählich aussterben und daß die heranwachsende Generation von vornherein mit der Wahrheit vertraut gemacht ist«[8].

Doch dürfte jetzt genügend Material angeführt worden sein, um eine vorläufige *vierte These* zu formulieren:

> *Ähnlich wie in der Naturwissenschaft sind auch in der Theologie bei Annahme oder Zurückweisung eines neuen Paradigmas nicht nur wissenschaftliche, sondern auch außerwissenschaftliche Faktoren beteiligt, so daß der Übergang zu einem neuen Modell nicht rational erzwungen werden kann, sondern als Conversio beschrieben werden darf.*

e) Eine letzte, kurz zu beantwortende Frage bleibt übrig: Ist es denn so sicher, daß sich das neue theologische Paradigma, das neue Verstehensmodell, immer durchsetzt? Ich meine: wie in den großen Auseinandersetzungen der Naturwissenschaft, so gibt es auch in der Theologie grundsätzlich drei mögliche Auswege aus der Krise.

Die *erste Möglichkeit*: Das neue Erklärungsmodell wird vom alten absorbiert! Gegen allen Anschein erweist sich die Normalwissenschaft als fähig, mit den krisenerzeugenden Problemen fertigzuwerden; sie kann bestimmte Neuentdeckungen assimilieren und das tradierte Modell verbessern, ohne es aufgeben zu müssen: so etwa der Augustinismus nach Thomas, der Thomismus nach Luther. Das heißt:

Der *Augustinismus* der Franziskanerschule, der sich vermehrt auch aristotelische Gedanken einverleibte, konnte sich auch nach Thomas am Leben erhalten, wurde dann in den »modernen« Skotismus aufgenommen und endete schließlich in jenem Ockhamismus, dem Luther wahrscheinlich eine erste Prägung seiner Theologie verdankt.

Auch der *Thomismus* konnte sich bis weit in die Neuzeit hinein (und besonders in relativ abgeschlossenen Regionen wie Spanien) halten, wobei freilich – weil moderne Naturwissenschaft und Philosophie von ihm ignoriert wurden – aus der theologischen Vorhut des 13. Jahrhunderts die Nachhut des 17. und (mit dem von Rom mit allen Mitteln geförderten Neuthomismus) die des 19. und 20. Jahrhunderts wurde, welche erst mit dem Vatikanum II ihre Herrschaft in der katholischen Kirche weithin verloren hat.

Die *zweite Möglichkeit*: Das neue Erklärungsmodell setzt sich gegen die Normalwissenschaft durch und löst das alte ab! Das bedeutet konkret, daß nun wissenschaftliche Bücher, gemeinverständliche Darstellungen und umfassende Deutungen, die auf dem bisherigen Modell beruhen, ganz oder teilweise neu geschrieben werden müssen. Was ursprünglich einmal das Neue war, wird alt. Was als ketzerische Neuerung begonnen hat, wird rasch zur ehrwürdigen Überlieferung.

Dies alles läßt sich sowohl bei den naturwissenschaftlichen wie den theologischen Makroparadigmen beobachten. Dabei ist zu beachten, daß die Lehrbücher normalerweise vor allem die rezipierten *Ergebnisse* der wissenschaftlichen Umwälzung darlegen, ihr Faktum und Ausmaß dagegen eher verschleiern. Insofern gibt ein Lehrbuch der Physik oder Chemie und oft auch ein Lehrbuch der Dogmatik oder Ethik einen eher irreführenden Eindruck vom Fortschritt der Wissenschaft. Solche Lehrbücher machen die Re-volution, die Umwälzung, vielfach unsichtbar und lassen sie einfach als E-volution, als Erweiterung des traditionellen Wissens, erscheinen: der Anschein also eines kumulativen Wachsens der Normalphysik, eines organischen Wachsens der Normaldogmatik.

Die *dritte Möglichkeit*: Die Probleme und möglicherweise auch die Zeitumstände sperren sich gegen radikal neue Ansätze; es kommt zur vorläufigen »Archivierung« dieser Probleme! Das neue Paradigma wird »auf Eis gelegt«.

Eine solche Archivierung kann ein rein wissenschaftlicher Prozeß sein. Aber gerade in Theologie und Kirche wurde sie des öfteren mit Zwang, mit der Inquisition durchgesetzt: doch das führt bereits von den Analogien zu den Unterschieden zwischen Naturwissenschaft und Theologie, und diese sind Gegenstand des nächsten Abschnittes.

Mit einer vorläufigen *fünften These* läßt sich die Folge von Analogien abschließen:

> *Ähnlich wie in der Naturwissenschaft ist auch in der Theologie mitten in großen Auseinandersetzungen nur schwierig vorauszusagen, ob ein neues Verstehensmodell oder Paradigma vom alten absorbiert wird oder das alte ablöst oder aber für längere Zeit archiviert wird. Wird es akzeptiert, so verfestigt sich die Innovation zur Tradition.*

»Es ist schwieriger, Vorurteile zu zertrümmern als Atome«, sagte einmal Albert Einstein. Und ich würde hinzufügen: Werden sie aber zertrümmert, so geben sie Kräfte frei, die vielleicht sogar in der Kirche Berge bewegen können. Doch es wurde nun genügend Denkstoff aufbereitet im Hinblick auf eine Strukturähnlichkeit von Naturwissenschaft und Theologie bei der Entstehung von Neuem. Es drängt sich jetzt die Frage auf: Verfällt hier die Theologie, ja, die christliche Wahrheit selbst, nicht vor lauter Paradigmenwechsel und Neukonzeption dem historischen Relativismus, der die christliche Sache nicht mehr erkennen und jedes Paradigma gleich wahr, gleich gültig sein läßt? Dieses Problem mag den Naturwissenschaftler weniger beschäftigen, ist aber für den christlichen Theologen von größter Tragweite. Nicht umsonst sprachen wir von »vorläufigen« Thesen. Eine *theologischere Kontrapunktik* ist überfällig und wird gesetzt werden, wenn wir im folgenden in Auseinandersetzung mit den anhand von Kuhn entwickelten fünf Thesen von der Funktion der christlichen Theologie handeln werden, vom christlichen Wahrheitsverständnis und von dem, was eine neuzeitlich-kritische ökumenische Theologie heute paradigmatisch auszeichnet. Wir wollen uns der Frage stellen: Geht es beim Paradigmenwechsel um einen *totalen Bruch*?

6. Totaler Bruch? Die Frage nach der Kontinuität

Hier ist zunächst zu bedenken: Auch in der *Naturwissenschaft* handelt es sich bei allen wissenschaftlichen Revolutionen keineswegs um einen totalen Bruch. Vielmehr gibt es in jedem Paradigmenwechsel bei aller Diskontinuität doch eine *grundlegende Kontinuität*. Thomas Kuhn betont: Auch in der Naturwissenschaft geht es um »das gleiche Paket Daten wie vorher«, die allerdings »in ein neues System gegenseitiger Beziehung gestellt werden« (S. 98). Der Übergang etwa von der newtonschen zur einsteinschen Mechanik bringt ja »nicht die Einführung zusätzlicher Objekte oder Begriffe mit sich«, sondern nur »eine Verschiebung des Begriffsnetzes, durch welches die Wissenschaftler die Welt betrachten« (S. 115): »Was immer er dann auch sehen mag, der Wissenschaftler betrachtet nach einer Revolution noch dieselbe Welt. Außerdem sind seine Sprache und die meisten seiner Laborgeräte nach wie vor die gleichen, mag er sie vorher auch anders angewandt haben« (S. 141).

Wir müssen noch mehr sagen. Es gibt nun einmal eine gemeinsame Sprache für die theoretische Diskussion, und es gibt auch Verfahren, um Resultate zu vergleichen; so ist die »Konversion« von einem Paradigma zum anderen nicht notwendig ein irrationaler Vorgang, ist sie nicht ohne Argumente, die den Wechsel des Standpunktes rechtfertigen, ist sie nie ein absoluter Bruch mit der Vergangenheit. Stephen Toulmin hat recht: »Man muß sehen, daß Paradigmenwechsel nie so vollständig sind, wie die ausgewachsene Definition besagt; daß konkurrierende Paradigmen nie wirklich auf ganze miteinander unvereinbare Weltbilder hinauslaufen; und daß die theoretischen Diskontinuitäten in der Wissenschaft untergründige tiefere, methodologische Kontinuitäten verdecken« (S. 130).

Dies ist in der Tat meine Überzeugung: Wenn wir je die Entwicklung der *Theologie* verstehen wollen, so müssen wir die Wahl vermeiden nicht nur zwischen einer absolutistischen und einer relativistischen Sicht, sondern auch zwischen einer totalen Kontinuität und einer totalen Diskontinuität. Jeder Paradigmenwechsel zeigt gleichzeitig Kontinuität *und* Diskontinuität, Rationalität *und* Irrationalität, Begriffsstabilität *und* Begriffsveränderung – kurz, evolutionäre *und* revolutionäre Elemente. Und wenn es jemand nicht liebt, von »revolutionären« Veränderungen zu sprechen, so mag er von *drastischen* (und nicht nur graduellen) oder *paradigmatischen* (und nicht nur begrifflichen) *Änderungen* sprechen, die selbstverständlich graduelle und begriffliche Änderungen einschließen.

In den historischen Wissenschaften und in der *Theologie* noch sehr viel mehr als in den im Grunde unhistorischen Naturwissenschaften, die ihre Väter und Helden nur in Einleitungen und am Rande erwähnen, geht es also *nicht* um *Neuerfindung einer Tradition.* Es handelt sich *vielmehr* um *Neuformulierung der Tradition,* freilich im Lichte eines neuen Paradigmas: »Neuheit um ihrer selbst willen ist in der Wissenschaft kein Desideratum, wie in so vielen anderen kreativen Bereichen« (Kuhn S. 181). Neue Verstehensmodelle sollen somit, »auch wenn sie selten oder niemals alle Fähigkeiten ihrer Vorgänger besitzen, gewöhnlich doch eine große Zahl der konkretesten Bestandteile vergangener Leistungen bewahren und immer zusätzliche konkrete Problemlösungen gestatten« (S. 181).

Für die Theologie stellt sich das Problem der Kontinuität nun freilich in noch ganz anderer Tiefe. Denn hier geht es ja doch um etwas, wofür Kuhn bis auf die allerletzten Seiten schon das Wort vermeidet: um die »Wahrheit« (S. 182). Ja, um die »Lebenswahrheit« oder – wie Wittgenstein sagt – um die »*Lebensprobleme*«. Denn der Naturwissenschaftler geht im allgemeinen weniger direkt von Lebensproblemen aus: »Im Gegensatz zum Ingenieur, zu vielen Ärzten und den meisten Theologen braucht der (Natur-)Wissenschaftler nicht Probleme zu wählen, weil sie dringend einer Lösung bedürfen ...« (S. 175 f.). Und weil es dem Theologen unmittelbarer um Lebensprobleme geht, muß ihm auch mehr an der Anerkennung nicht nur durch die »Fachwelt«, sondern durch eine weitere Öffentlichkeit gelegen sein: Selbst der »abstrakteste Theologe ist weit mehr als der (Natur-)Wissenschaftler um die Anerkennung seiner Arbeit durch den Laien besorgt, mag ihn auch Anerkennung allgemein weniger berühren« (S. 175). Kuhn weiß denn auch als Naturwissenschaftler keine Antwort auf die so naheliegende Lebensfrage nach dem Wohin des riesigen Entwicklungsprozesses sowohl der Wissenschaft wie der Welt überhaupt: »Zweifellos wird diese ›Lücke‹ viele Leser gestört haben« (S. 182). Er weiß aber auch keine Antwort auf die Lebensfrage nach dem Woher: »Jeder, der meiner Argumentation bis hierher gefolgt ist, wird sich trotzdem genötigt fühlen zu fragen, warum der evolutionäre Prozeß denn funktioniere« (S. 184).

Tatsächlich stoßen wir hier an die *Grenzen der Naturwissenschaft*, die in ihren Urteilen an den Horizont unserer Erfahrung in Raum und Zeit gebunden bleibt und gebunden bleiben will. Möglicherweise kommen wir auch an die Grenzen der Human- und Sozialwissenschaft und – wenn Kant recht hat – selbst an die Grenzen der *Philosophie*, sofern sie Wissenschaft der reinen Vernunft ist. Lebensfragen nach dem Woher und Wohin von Welt und Mensch, also nach letzten-ersten Sinngebungen und Maßstäben, Werten und Normen und damit überhaupt nach einer letzten-ersten Wirklichkeit: das sind Fragen eines – gewiß nicht irrationalen, sondern durchaus vernünftigen – glaubenden Vertrauens oder vertrauenden Glaubens. Für sie ist als Wissenschaft die *Theologie* verantwortlich: die Theologie als denkende Rede oder Rechenschaft von Gott (Augustin, De civ. Dei III,1 »de divinitate ratio sive sermo«). Verantwortlich freilich entsprechend der ihr eigenen Methode. Denn wie die Fragen der Natur, wie die Fragen der Psyche und der Gesellschaft, des Rechts, der Politik, der Historie und der Ästhetik, so sind auch die Fragen der Moral und der Religion nach einer eigenen, ihrem Objekt entsprechenden Methodik und einem eigenen Stil zu behandeln. Was bedeutet dies?

7. Unterschiede zwischen Theologie und Naturwissenschaft

Für die *christliche* Theologie, die ja noch weniger als andere Wissenschaften voraussetzungslose Wissenschaft ist, ist charakteristisch, daß die *christliche Botschaft*, wie sie in der Schrift ursprünglich bezeugt ist, von der kirchlichen Gemeinschaft durch die Jahrhunderte überliefert wurde und auch heute verkündigt wird, ihre *Voraussetzung* und ihr *Gegenstand* ist. Die christliche Theologie ist deshalb bei aller Wissenschaftlichkeit wesentlich bestimmt durch

Geschichtsbezogenheit, *Geschichtlichkeit*. In der christlichen Theologie geht es um eine zutiefst geschichtliche Wahrheit. Gerade als geschichtliche unterschied sie sich von Anfang an (1) von den *un*geschichtlich-mythologischen »Theologien«, das heißt den Götter-Sagen und Götter-Ansagen der Mythendichter und Kultpriester (in diesem Sinn hatte Platon das Wort »Theologia« zum erstenmal gebraucht und zugleich kritisiert); (2) von den *über*geschichtlich-philosophischen »Theologien«, das heißt den natürlichen Gotteslehren der Philosophen.

Das ist genauer zu bedenken. Christliche Theologie ist ganz entscheidend denkende Rechenschaft von der Wahrheit des *christlichen* Glaubens, von dem Glauben also, dem es um die Sache *Jesu Christi* geht und damit um die Sache Gottes und zugleich die Sache des Menschen. Dieser Jesus Christus ist weder ein ungeschichtlicher Mythos noch eine übergeschichtliche Idee, Lehre oder Weltanschauung. Er ist vielmehr der geschichtliche Jesus von Nazaret, der nach den neutestamentlichen Zeugnissen für die Glaubenden aller Zeiten und aller Kirchen als der Christus Gottes maßgebend ist. Das ursprüngliche *Glaubenszeugnis von diesem Christus Jesus* bildet die *Basis christlicher Theologie*.

Schließt dies jedoch kritisches wissenschaftliches Arbeiten nicht von vornherein aus? Keineswegs! Wie zum Beispiel der Historiker oder der Staatsrechtler in kritischer Loyalität keine andere Geschichte oder Verfassung zu interpretieren hat als die gegebene, so der Theologe – jedenfalls wenn er christlicher Theologe sein und bleiben will – kein anderes Glaubenszeugnis als das im Alten und Neuen Testament ursprünglich niedergelegte, welches durch die Zeiten in immer wieder neuer Sprachgestalt überliefert wurde und für die Menschen der Gegenwart immer wieder neu zu übersetzen ist.

Insofern ist nun die christliche Theologie nicht *nur* wie die Naturwissenschaft *gegenwarts- und zukunftsbezogen*. Sie ist auch nicht *nur* wie jede historische Wissenschaft (Literatur-, Kunst-, Philosophie-, Weltgeschichte) *traditionsbezogen*. Sie ist darüber hinaus in einem ganz spezifischen Sinn *ursprungsbezogen*: Das Ursprungsgeschehen in der Geschichte Israels und Jesu Christi und von daher das Ur-Zeugnis, die alt- und neutestamentliche Ur-

Kunde, bleibt für sie nicht nur der historische Anfang des christlichen Glaubens, sie bleibt zugleich dessen ständiger Rück*bezugspunkt*.

Und dies vor allem ist es, was nun bei allen Parallelen doch gewichtige Differenzen *zwischen einem Paradigmenwechsel in der Naturwissenschaft und einem solchen in der Theologie*, einer christlichen Theologie, sehen läßt. Die fünf vorläufigen Thesen, mit denen ich die Entstehung des Neuen in der Theologie zu erklären versucht habe, sind von daher zu differenzieren:

a) Zur These 1 über die *Normalwissenschaft*: Für die theologische Normalwissenschaft sind Klassiker, Lehrbücher und Lehrer wichtig. Bieten sie doch das etablierte theologische Makromodell samt seinen Meso- und Mikromodellen in schulmäßig leicht anzueignender Form. Doch anders als in der Naturwissenschaft kommt ihnen bestenfalls immer nur sekundäre, abgeleitete Autorität zu. Dies gilt auch von allen konziliaren und theologischen Instanzen, auf die sich die Normaltheologie ständig beruft und die immer nur normierte Norm (»norma normata«) sein können.

Primäre Norm, die »norma normans«, welche alle anderen Normen (auch Konzilien und Päpste) normiert, ist das biblische Urzeugnis. Es hat auch nach katholischer Auffassung (Vatikanum II) die »Seele«, das »Lebensprinzip«, jeder Theologie zu sein. Auf dieses biblische Urzeugnis kann sich der Theologe jederzeit berufen. Und weil dies Theologen faktisch auch immer wieder – in vermittelter Unmittelbarkeit – getan haben, hat es gleichzeitig mit den großen paradigmatischen Schulen auch immer wieder kreative Einzelne und Gruppen gegeben, die ihren eigenen Weg gegangen sind und denen man doch den Titel des Theologen keineswegs absprechen konnte (die Unterscheidungskriterien für eine genuine Vermittlung von Unmittelbarkeit werden später diskutiert werden). Sie haben – man denke etwa an die holländischen und deutschen Mystiker des Spätmittelalters oder an Pascal, Bérulle und die École Française des 17. Jahrhunderts – mit Berufung auf das Urzeugnis ihr eigenes theologisches Modell abseits vom großen Strom der Theologie entwickelt. Daraus ergibt sich bereits das zur These 2 zu Sagende:

b) Zur These 2 über die *Krise als Ausgangslage*: Auch in der Theologie kann eine Krise ausgelöst werden durch bestimmte zeitgeschichtliche sozio-politische Faktoren oder durch wissenschaftsimmanente Entwicklungen. Aber nicht nur: sie kann in einer bestimmten zeitgeschichtlichen Situation – wie im Falle Luthers und anderer »Reformatoren« in Altertum, Mittelalter und Neuzeit – durch eine unmittelbare, ganz persönliche spirituelle Erfahrung der ursprünglichen christlichen Botschaft zum Durchbruch kommen.

Das christliche Urzeugnis – von der Theologie nie voll eingeholt – hat ja immer wieder eine die Theologie beunruhigende und überraschende inspiratorische Kraft entfaltet, ja, in Fällen allzu großer kirchlicher und theologischer Verfestigung sogar eine geradezu revolutionäre Sprengkraft. Dann kamen unter Umständen sogar ältere, vergessene Paradigmata wieder, und Rückblicke wurden zu neuen Durchblicken. Man denke an die Berufung auf des Paulus Römerbrief bei Augustin, Luther und Karl Barth, deren Folge in jedem Fall eine »Theologie der Krise« war. Man denke auch an die Wiederentdeckung der zukünftig-endzeitlichen Reich-Gottes-Verkündigung Jesu durch Johannes Weiß und Albert Schweitzer.

Das Evangelium selbst also – selbstverständlich immer im Zusammenhang der großen zeitgeschichtlich-gesellschaftlichen Entwicklung – erscheint hier als direkter Auslöser der theologischen Krise, als Grund der Diskontinuität in der Theologie, als Anstoß zum neuen Paradigma. – Dies führt zur dritten These:

c) Zur These 3 über die *paradigmatischen Umbrüche*: Dasselbe christliche *Ur*-Zeugnis ist für Theologie und Kirche auch bleibendes *Grund*-Zeugnis. Es kann Anlaß sein nicht nur dafür, daß es in der Theologie zur Krise kommt, sondern auch dafür, daß es in der theologischen Umwälzung zwar zu einem neuen Paradigma, nicht jedoch einfach zur Totalablösung, zur Totalverdrängung des alten Paradigmas kommt.

Nun ist freilich schon in der Naturwissenschaft Kuhns Zuspitzung umstritten, daß in wissenschaftlichen Revolutionen das neue Modell das alte – zum Beispiel die einsteinsche Mechanik die newtonsche – völlig ersetze, völlig verdränge. In der Theologie jedenfalls sorgt das christliche Ur- und Grundzeugnis – welches ja den

»Altdenkern« und »Neudenkern«, den »Rätsellösern« der Normalwissenschaft und den oppositionellen »Paradigmenprüfern« gemeinsam ist – gerade dafür, daß das alte Paradigma nicht völlig verdrängt wird. Das bedeutet: Grundsätzlich können Elemente des alten in ein neues Paradigma übernommen werden, wenn sie dem Ur- und Grundzeugnis nicht widersprechen. So ist denn schon von vornherein dafür gesorgt, daß nicht nur zwischen Origenes und Augustin, sondern auch zwischen Augustin und Thomas und selbst zwischen Thomas und Luther eine Umwälzung nicht zu einem totalen Bruch führt, sondern daß mit einer Gemeinsamkeit im christlichen Glauben auch eine gewisse theologische Gemeinsamkeit bewahrt wird. Man denke etwa an die Bejahung der Rechtfertigung durch den Glauben allein nicht nur im Römerbriefkommentar Luthers, sondern auch in dem des Thomas, des Augustin und des Origenes.

Gewiß, christliche Botschaft (Evangelium, Glaube) einerseits und christliche Theologie (Lehre, Wissenschaft) andererseits müssen unterschieden werden. Aber sie können nicht völlig getrennt werden. Aus zwei Gründen: weil einerseits schon die neutestamentlichen Schriften selbst die christliche Botschaft immer in bestimmten und sehr verschiedenen theologischen Sprachgestalten und Schemata bieten, andererseits die nach-neutestamentlichen theologischen Modelle immer die eine und selbe christliche Botschaft auslegen wollten. Von daher gab es also nicht nur Opportunitätsgründe, sondern auch einen durchaus ernsthaften Sachgrund, warum große Theologen – und auch Luther! – stets Hemmungen gezeigt haben, die vorausgegangene Theologie völlig abzulehnen und von ihren neuen theologischen Einsichten wie von der Neuentdeckung bisher unbekannter Sterne zu sprechen. In diesem Kontext ist auch eine Aversion selbst gegen das Wort »Revolution« in der Theologie verständlich.

Dies alles heißt: Ein drastischer, paradigmatischer Umbruch kann sich in der christlichen Theologie – wenn sie christlich sein und bleiben soll – immer nur *aufgrund* des Evangeliums und letztlich *wegen* des Evangeliums, nie aber *gegen* das Evangelium abspielen! Das Evangelium Jesu Christi selbst – sosehr die Zeugnisse von ihm historisch-kritisch zu hinterfragen sind – steht für den Theologen ebensowenig zur Wahrheitsdisposition wie für den Historiker oder den Verfassungsrechtler die Geschichte oder die Verfassung. Das Evangelium selbst erscheint hier als Grund nicht nur der Diskontinuität, sondern auch der Kontinuität in der Theologie: ein theologischer Paradigmenwechsel also aufgrund der Permanenz der christlichen Botschaft! – Und von da nun zur These 4:

d) Zur These 4 über *Conversio und außerwissenschaftliche Faktoren* beim Paradigmenwechsel: Diese These verschärft sich eher noch in spezifisch theologischer Betrachtung. Denn anders als in der Naturwissenschaft (wo solches freilich auch vorgekommen ist), besteht in der Theologie immer die Gefahr, daß die wissenschaftliche Entscheidung für dieses oder jenes Paradigma zu einer existentiellen Entscheidung für oder gegen die Sache des Glaubens selbst gemacht wird.

Die »Glaubensentscheidung« (im nicht-religiösen Sinn), das »Vertrauensvotum« für oder gegen ein theologisches Paradigma, wird dann emporstilisiert zur Glaubensentscheidung (im streng religiösen Sinn) für oder gegen Gott und seinen Christus. Und Bekehrung zum »Evangelium« oder zur »katholischen Lehre« wird von protestantischen Fundamentalisten oder katholischen Traditionalisten dort gefordert, wo es doch nur um die Bekehrung zu einem (vielleicht längst überholten) theologischen Paradigma geht. Der theologische Gegner wird dann notwendig zum Irrgläubigen oder Ungläubigen, wird entweder unkatholisch oder unevangelisch, ja, wird potentiell zum Antichristen und Atheisten. Von daher ergibt sich auch eine Verschärfung bezüglich These 5.

e) Zur These 5 über die *drei möglichen Ausgänge* einer Auseinandersetzung: Wenn in Theologie und Kirche ein bestimmtes Verstehensmodell *abgelehnt* wird, so wird aus der Ablehnung leicht eine Verurteilung und aus der Diskussion eine Exkommunikation: Man identifiziert Evangelium und Theologie, kirchliches Wesen und kirchliches System, Glaubensgehalt und Glaubensgestalt! Und umgekehrt aus derselben Identifikation heraus:

Wenn ein Verstehensmodell jedoch *angenommen* wird und aus der Innovation Tradition wird, so wird wiederum leicht aus einer theologischen Deutung eine Offenbarungswahrheit; das Theologumenon wird Dogma, die Tradition Traditionalismus.

Wenn ein Verstehensmodell schließlich *archiviert* wird, so kann, hörten wir, eine solche Archivierung ein rein wissenschaftlicher Prozeß sein. Aber gerade in Theologie und Kirche wurde sie des öfteren mit Zwang und Repression durchgesetzt: gegen alle Menschenrechte Ketzerverfolgung, Inquisition, physisches oder psychisches Verbrennen der Opponenten oder einfach Unterdrückung der Diskussion! Selbst die genannten großen Theologen – Origenes, Augustin, Thomas, Luther – entgingen, zumindest posthum, dem Tadel oder gar der Verurteilung nicht. Man überlege:

– Origenes etwa hatte einen nicht kleinen Konflikt mit seinem Bischof Demetrios. Nach seinem Tod wurde er – bei fortschreitender Verfestigung der kirchlichen Lehre nach dem Konzil von Nikaia – von Epiphanios und Hieronymus der Häresie angeklagt und im 6. Jahrhundert verurteilt von Papst Anastasios, dann von Kaiser Justinian (der den größten Teil seiner Werke vernichten ließ), schließlich vom fünften ökumenischen Konzil von Konstantinopel.

– Vor Augustin, dessen Autorität man nicht der des Lehramtes vorziehen dürfe, wurde schon früh, dann vor allem in der Zeit des Jansenismus und bis in unser Jahrhundert hinein in aller Form gewarnt (möglicherweise nicht zu Unrecht bezüglich seiner Lehre von der doppelten Prädestination und der irresistiblen Gnadenwirkung); später ist der Augustinismus faktisch untergegangen.

– Die Verurteilung des Thomas 1277 (drei Jahre nach seinem Tod) durch die Bischöfe der beiden führenden Universitäten der Christenheit, Paris und Oxford, hat man als »die schwerwiegendste Verurteilung des Mittelalters« (van Steenberghen) bezeichnet, durch die die weitere freie Entwicklung der Theologie für längere Zeit zum Stillstand gebracht wurde.

– Was die Verurteilung und Exkommunikation Luthers für die Christenheit bedeutet hat und bedeutet, ist bekannt.

Doch die Frage kann nun nicht mehr länger aufgeschoben werden: Welches Paradigma, welches Verstehensmodell ist denn heutiger Theologie angemessen? Ich versuche, es vorsichtig zu skizzieren: keine allumfassende Hermeneutik (von Schrift, Tradition, Lehramt war schon ausführlich die Rede), sondern einige Leitlinien (besonders in bezug auf die Konstanten eines neuen theologischen Paradigmas).

8. *Eine kritische ökumenische Theologie*

a) *Heuristische Kriterien:* Ich erwähne hier einige entscheidende Voraussetzungen des neuen Paradigmas, welche nicht nur auf die Theologie anwendbar sind, sondern welche verstanden werden sollten als heuristische Kriterien, die jegliches genuine menschliche Forschen bestimmen. Diese Kriterien sind besonders wichtig zur Erhellung des Vermittlungsprozesses, in welchem das ursprüngliche biblische Zeugnis durch die Geschichte immer wieder in neuen Situationen aktualisiert wird. Gerade weil diese Kriterien alles menschliche Forschen bestimmen, kann der paradigmatische Ansatz nicht dazu benützt werden, um ein traditionalistisches oder fundamentalistisches theologisches Sektierertum (»wir haben ein anderes – ›christliches‹, ›biblisches‹, ›katholisches‹ – Paradigma als die ›Welt‹«) zu legitimieren. Ich kann hier den heuristischen Charakter dieser Voraussetzungen nicht voll entwickeln. Statt dessen will ich nur kurz die Relevanz dieser sehr grundlegenden menschlichen Haltungen für die Theologie angeben. Theologie muß sein:
(1) Eine *wahrhaftige* (nicht eine konformistische, opportunistische) Theologie: eine denkende Rechenschaft vom Glauben, welche die christliche Wahrheit in Wahrhaftigkeit sucht und sagt.
Und dies durchaus zum Dienst an der *Einheit* der Kirche. Denn: keine wahrhaftige Kirche ohne eine wahrhaftige Theologie!
(2) Eine *freie* (nicht eine autoritäre) Theologie: eine Theologie, die ihrer Aufgabe ohne Behinderung durch administrative Maßnahmen und Sanktionen nachkommen und ihre begründeten Überzeugungen nach bestem Wissen und Gewissen aussprechen und publizieren kann.

Und dies durchaus zum Dienst an der *Autorität* der Kirche. Denn: keine freie Kirche ohne eine freie Theologie!
(3) Eine *kritische* (nicht eine traditionalistische) Theologie: eine Theologie, die frei und wahrhaftig, sich verpflichtet weiß dem wis-

senschaftlichen Wahrheitsethos, der methodologischen Disziplin und der kritischen Überprüfung all ihrer Problemstellungen, Methoden und Ergebnisse.

Und dies durchaus zum Dienst an der »*Erbauung*« der Kirche, ihres Aufbaus in dieser Gesellschaft. Denn: keine kritische Kirche in dieser Gesellschaft ohne eine kritische Theologie!

(4) Eine *ökumenische* (nicht eine konfessionalistische) Theologie: eine Theologie, die in der je anderen Theologie nicht mehr den Gegner, sondern den Partner sieht und die statt der Trennung auf Verständigung aus ist, und dies nach zwei Richtungen: ad intra, für den Bereich der zwischenkirchlichen, innerchristlichen Ökumene, und ad extra, für den Bereich der außerkirchlichen, außerchristlichen Weltökumene mit ihren verschiedenen Regionen, Religionen, Ideologien und Wissenschaften. Diese Art von Ökumenizität entspricht den transkulturellen, universalistischen Aspekten der Paradigmaanalyse in Theologie und in anderen Disziplinen.

Und dies durchaus zum Dienst an der *Sendung* der Kirche in dieser Gesellschaft. Denn: keine ökumenische Kirche ohne eine ökumenische Theologie!

b) *Historische Voraussetzungen:* Dieses Paradigma einer wahrhaftigen und freien *kritischen ökumenischen Theologie* ist nun freilich nicht etwa heute erst zu erfinden oder völlig neu vorzuschlagen; dies wäre angesichts der bedeutenden theologischen Gestalten unseres Jahrhunderts wie etwa Albert Schweitzer, Karl Barth, Rudolf Bultmann, Dietrich Bonhoeffer, Paul Tillich – von den noch Lebenden ganz zu schweigen – lächerlich. Ein solches Paradigma ist viel mehr durch einen längeren Zeitraum hindurch – und auch Kuhn kennt im Zusammenhang der naturwissenschaftlichen Entwicklung diesen Begriff – »herangereift«, und es hat heute nicht zuletzt die entscheidenden theologischen Impulse der eben genannten Theologen aufzunehmen. Es ist ja nun eine allgemein akzeptierte Einsicht, daß das Ende des konfessionalistischen Denkens im 17./18. Jahrhundert und die Heraufkunft eines neuzeitlichen Denkens mit Aufklärung, Deutschem Idealismus und Romantik für die Theologie den großen, epochalen Einschnitt bedeutete. Eine Fülle verschiedenster Erfahrungen sind seither auf diese *Theologie der*

Neuzeit zugekommen und oft auch in sie eingegangen und haben ihr Verständnis von Mensch, Gesellschaft, Kosmos und auch Gott von Grund auf verändert. Verändert haben die Theologie – knapp angedeutet – bleibende Ergebnisse:
(1) der modernen *Naturwissenschaft*, die von Kopernikus bis Darwin und Einstein die Stellung des Menschen im Kosmos, die »creatio« und »evolutio mundi« und damit auch den »creator« und »evolutor« selber in einem völlig anderen Licht sehen lassen;
(2) der modernen *Philosophie*, die von Descartes, Kant und Hegel bis zu Heidegger, Whitehead und zur Kritischen Theorie nicht nur Vernunft, Freiheit, Geschichtlichkeit und Gesellschaftlichkeit des Menschen, sondern auch Geschichtlichkeit und Weltlichkeit Gottes neu verstehen lassen;
(3) der modernen *Demokratie*, die – einsetzend mit den amerikanischen Unabhängigkeits- und Menschenrechts-Erklärungen und mit der Französischen Revolution – zu einem neuen Verständnis der individuellen Freiheit, der Menschenrechte, aber schließlich auch der sozialen Gerechtigkeit und zu einem neuen Verständnis von Staat, Gesellschaft und so auch Kirche geführt haben;
(4) der modernen *Religionskritik*, die den stets möglichen Mißbrauch der Religion zur antihumanen Entfremdung (Feuerbach), zur Stabilisierung ungerechter gesellschaftlicher Strukturen (Marx), zur moralischen Erniedrigung des Menschen (Nietzsche) und zu seiner infantilen Regression (Freud) aufdeckte;
(5) der modernen *Human- und Sozialwissenschaften*, die insbesondere seit dem 19. Jahrhundert den Menschen, seine Psyche (Bewußtsein und Unbewußtsein), sein Verhalten, seine gesellschaftliche Verfaßtheit ganz anders konkret und differenziert verstehen ließen, als dies zu Zeiten des Aristoteles, des Augustin, des Thomas oder Martin Luthers je möglich war;
(6) der modernen *Exegese und Historie*, die seit Spinoza, Simon und Bayle, seit Reimarus, Lessing, Semler und Strauß sowohl die Geschichte Israels und die Jesu von Nazaret wie auch die Kirchen- und Dogmengeschichte kritisch neu verstehen lehrte;
(7) der modernen *Befreiungsbewegungen*, die bereits im 19. Jahrhundert gegen die rein formale Freiheit (allein für den »Bourgeois«) kämpften, gegen Sexismus, ungerechte soziale Strukturen, gegen

Rassismus, Imperialismus und Kolonialismus, um so Frauen, Farbigen und der Dritten Welt volle Gerechtigkeit widerfahren zu lassen.

Dies sind also einige (nicht alle!) der historischen Elemente und Entwicklungen, die für ein neuzeitlich-theologisches und wahrhaft ökumenisches Paradigma zu beachten sind. Wir haben damit die heuristischen Kriterien und historischen Voraussetzungen des neuen theologischen Paradigmas kennengelernt. Nur diejenige Theologie kann eine Theologie für die Neuzeit sein, die sich auf die Erfahrungen des neuzeitlichen Menschen kritisch-konstruktiv eingelassen hat. Wenn wir nun – mitten im Fluß der Geschichte – nach einigen Konstanten des neuen Paradigmas Ausschau halten, so können wir all das Gesagte wie folgt zusammenfassen: Die erste Konstante des neuen theologischen Paradigmas hat die gegenwärtige Welt der Erfahrung zu sein.

9. Horizont? Die Welt (erste Konstante)

Damit ist bereits der eine Pol des Paradigmas einer neuzeitlichen ökumenischen Theologie aufgezeigt, genauer: ihr *Horizont*. Keine zeit- und weltlose Theologie also! Horizont kann nur *unsere eigene heutige menschliche Erfahrungswelt* sein: alle die historischen und aktuellen Erfahrungen, die unsere heutige ambivalente Wirklichkeit ausmachen.

Die *Wirklichkeit*? Ja, das ist alles Wirkliche, ist alles, was ist: alles Seiende, die Gesamtheit der Seienden, das existierende Sein überhaupt. Was Wirklichkeit ist, kann hier natürlich nicht eingehend analysiert werden. Definiert werden kann Wirklichkeit ja von vornherein nicht. Ist doch das Allumgreifende per definitionem nicht definierbar, nicht abgrenzbar. Nur soll kurz ins Bewußtsein gerufen werden, was hier mit diesem vielschichtigen und vieldimensionalen Begriff konkret gemeint ist, damit wir nicht abstrakt oder inhaltsleer reden.

Die Wirklichkeit, mit der es Theologie zu tun hat: das ist in erster Linie die *Welt* und alles, was Welt in Raum und Zeit ausmacht, Makrokosmos und Mikrokosmos mit ihren Abgründen. Die Welt in ihrer Geschichte, in Vergangenheit, Gegenwart und Zukunft. Die Welt mit Materie und Energie, mit Natur und Kultur, mit all ihren Wundern und Schrecken. Keine »heile Welt« jedenfalls, sondern die reale Welt in ihrer ganzen Fraglichkeit: mit all ihren konkreten Bedingungen und natürlichen Katastrophen, mit ihrem realen Elend und all dem Leid. Tiere und Menschen in ihrem Kampf um das Dasein: dem Entstehen und Vergehen, »Fressen« und »Gefressenwerden« ausgeliefert. Die ganze Welt, in ihrer Ambivalenz, so schwierig zu akzeptieren, wie es Dostojewski in seinem Roman »Die Brüder Karamasow« beschreibt: »Nun, so laß Dir denn kurz gesagt sein«, sagt der Skeptiker Iwan Karamasow zu seinem gottgläubigen jungen Bruder Aljoscha, »daß ich im Endresultat diese Gotteswelt – *nicht* akzeptiere, und wenn ich auch weiß, daß sie existiert, so will ich sie doch nicht gelten lassen. Nicht Gott akzeptiere ich nicht, verstehe mich recht, sondern die von ihm geschaffene Welt akzeptiere ich nicht und kann ich nicht akzeptieren.«

Die Wirklichkeit: das sind in der Welt besonders die *Menschen*, die Menschen aller Schichten und Klassen, aller Farben und Rassen, Nationen und Regionen, das sind Einzelmenschen und Gesellschaft. Die Menschen: die Fernsten und vor allem die Nächsten, die uns oft am fernsten sind. Die Menschen mit all ihrem Menschlich-Allzumenschlichen. Keine ideale Menschheit jedenfalls, sondern auch alles das miteingeschlossen, was wir beim »Seid umschlungen, Millionen« und beim »Kuß der ganzen Welt« lieber ausschließen möchten. Auch alle die also miteingeschlossen, die uns das Leben im großen oder kleinen zur Hölle machen können. »L'enfer c'est les autres!« – »die Hölle – das sind die anderen«: das ist in Jean-Paul Sartres Drama »Huis clos« (»In geschlossener Gesellschaft«) die Hauptthese jener drei in einem Zimmer bei ewigem Licht zum Miteinander Verdammten: einem Miteinander, dessen Scheitern Sartre im großen philosophischen Werk »L'être et le néant« (»Das Sein und das Nichts«) nach allen Richtungen analysiert.

Die Wirklichkeit: das bin vor allem *ich selbst*, der ich als Subjekt mir selber Objekt werden kann. Ich selber mit Geist und Leib, mit Veranlagung und Verhalten, mit Schwächen und Stärken. Kein Idealmensch jedenfalls, sondern ein Mensch mit seinen Höhen und Tiefen, Tag- und Nachtseiten, mit all dem, was C. G. Jung den

»Schatten« der Person nennt, mit all dem, was der Mensch abgeschoben, unterdrückt, verdrängt hat und was Freud mit den Mitteln der Analyse ins Bewußtsein zu heben und annehmbar zu machen versucht. Ein Mensch auch, der immer in verschiedene soziale Rollen zerfällt, die er in der Gesellschaft zu spielen hat, der immer auch bestimmte gesellschaftliche Funktionen erfüllen muß, die die Gesellschaft von ihm erwartet. Oft nimmt man leichter die Welt an als sich selbst, wie man nun einmal ist oder durch andere gemacht wurde. »Ich bin nicht Stiller«, so beginnt der Roman »Stiller« des Schweizer Schriftstellers Max Frisch, der die Geschichte eines Mannes erzählt, der sich beharrlich weigert, sich selber anzunehmen: weil er sich den Bildern entziehen will, die andere sich von ihm gemacht haben; weil er die Rollen abschütteln will, die andere ihn zu spielen zwingen; weil er darunter leidet, daß er nicht sein kann, wie er will, sondern wie er soll. Vor diesem Hintergrund der für den modernen Menschen charakteristischen Identitäts- und Rollenproblematik wird die Selbstannahme des Menschen zu einem schwierigen Problem. So sagt C. G. Jung: »Das Einfache aber ist immer das Schwierigste. In Wirklichkeit ist nämlich Einfachsein höchste Kunst, und so ist das Sichselbst-Annehmen der Inbegriff des moralischen Problems und der Kern einer ganzen Weltanschauung.«[9]

Dies eine dürfte somit deutlich geworden sein: Die Wirklichkeit von Welt, Mensch, meiner selbst zeigt sich zutiefst in ihrer *Ambivalenz*: Gelingen und Scheitern, Schönheit und Häßlichkeit, Glück und Unglück, Heil und Unheil, Sinn und Unsinn. Und nicht um ein Schlechtmachen der Welt geht es dabei, damit Theologen um so besser ihren Gott ins Spiel bringen können, sondern um eine vorurteilslose Bestandsaufnahme dessen, was ist. Theologie schafft keine Wirklichkeit, sondern deutet sie.

Wenn wir alle diese Gedanken in einer kurzen *sechsten These* zusammenfassen wollen, können wir sagen:

Die erste Konstante, der erste Pol oder Horizont einer kritischen ökumenischen Theologie ist unsere gegenwärtige Erfahrungswelt in all ihrer Ambivalenz, Kontingenz und Veränderlichkeit.

Nur eine Theologie vor heutigem Erfahrungshorizont, nur eine streng wissenschaftliche und gerade so weltoffene und gegenwartsbezogene Theologie: nur eine solche Theologie, scheint mir, verdient heute einen Platz an der Universität inmitten aller anderen Wissenschaften. Nur eine solche Theologie ist eine wahrhaft ökumenische Theologie, welche die noch immer weitverbreitete konfessionalistische Gettomentalität abgelegt hat und die größtmögliche Toleranz gegenüber dem Außerkirchlichen, Allgemeinreligiösen, dem Menschlichen überhaupt zu verbinden vermag mit dem Herausarbeiten des spezifisch Christlichen. Und damit sind wir nun beim zweiten Pol eines heutigen Paradigmas neuzeitlicher Theologie angekommen, die sich so gleichsam elliptisch von einem Pol zum anderen und wieder zurück zu bewegen hat. Spannung also nicht nur zwischen beiden Polen, sondern ständige Bewegung in »kritischer Korrelation« (Paul Tillich). Wie *keine welt-lose* so auch *keine gott-lose* Theologie!

10. Maßstab? Die christliche Botschaft (zweite Konstante)

Angesichts des weiten Horizonts solcher ökumenischer Theologie, angesichts insbesondere der Widersprüchlichkeit zahlreicher individueller und kollektiver, historischer und alltäglicher Erfahrungen, stellt sich die große Frage: Woran soll Theologie sich bei all dem halten? Was ist ihr *Kriterium*? Nun, die grundsätzliche kriteriologische Antwort haben wir bereits gegeben: Sofern ökumenische Theologie christliche Theologie sein will, kann ihr Kriterium, kann ihre erste *Norm* nichts anderes sein als die *christliche Bot-*

schaft, auf der sie auch als ihrem letzten *Grund* aufbaut: Das christliche Ur- und Grundzeugnis also, das Evangelium selbst, wie es sich in den alt- und neutestamentlichen Schriften niedergeschlagen hat, ist die Grund-Norm ökumenischer Theologie. Wenn der universale temporale wie spatiale (raum-zeitliche) Horizont die *katholische* Dimension solcher ökumenischer Theologie manifestiert, so die Ausrichtung nach dem christlichen Ur- und Grundzeugnis (das Evangelium) ihre *evangelische* Dimension; und nur in der Verbindung von katholischer und evangelischer Dimension, von katholischer Weite und evangelischer Tiefe, ist wahrhaft *ökumenische* Theologie möglich.

Wir zögern nicht, im Zusammenhang des alt- und neutestamentlichen Zeugnisses von *Gottes Wort und Offenbarung* zu sprechen, die an des Menschen *Glauben* appellieren. Wie keine zeit- und welt-lose, so auch keine gott-lose Theologie! Aber dies darf nicht mythologisch oder fundamentalistisch, sondern muß geschichtlich verstanden werden: Denn Gottes Offenbarung fällt nicht vom Himmel, wie etwa der Koran – nach der Vorstellung strenggläubiger Muslime –, der Muhammad durch Engel wörtlich diktiert wurde und deshalb auch heute wörtlich zu akzeptieren, zu wiederholen, zu applizieren ist, bis hin zu den Bestimmungen eines archaischen Strafrechts. Nein, so ist uns immer deutlicher geworden, Gottes Offenbarung ereignet sich in und durch die Geschichte Israels und Jesu von Nazaret und wird vernommen in und durch die *Erfahrungen*, die glaubende Menschen in dieser Geschichte mit ihrem Gott auf sehr verschiedene Weise gemacht haben. Auch die alt- und neutestamentlichen Schriften sind somit nicht direkt, nicht unmittelbar Gottes Wort, wie dies der Koran zu sein beansprucht. Sie sind und bleiben Menschenworte, welche das Wort Gottes bezeugen und es bereits in sehr individueller Weise deuten.

Deshalb sei es wiederholt: Es geht um Erfahrungen aus der Geschichte Israels und Erfahrungen mit Jesus, die von den verschiedenen biblischen Verfassern immer schon in je verschiedener Weise interpretiert werden, manchmal vertiefend, manchmal auch verflachend. Die gemeinsame Grunderfahrung eines Heils in Israel und Jesus von Gott her ist ja nie »pur«, »rein«, gegeben, sondern immer schon durch unterschiedliche Interpretamente, durch unterschiedliche Begrifflichkeiten und Bildlichkeiten, Schemata und Verstehensmodelle hindurch. Das können Begriffe sein wie Menschensohn und Gottessohn, Bildlichkeiten wie Höllenfahrt und Himmelfahrt, einzelne Schemata wie in der Erlösungslehre blutiger Sühneopfer und Sklavenloskauf, ganze Verstehensmodelle wie das apokalyptisch-endzeitliche oder das kirchlich-heilsgeschichtliche: Sie alle entstammen der *damaligen* Erfahrungs- und Sprachwelt, die uns heute meist nicht mehr unmittelbar anspricht. Sie alle müssen deshalb immer wieder neu vermittelt, müssen zum besseren Verständnis der Sache selbst differenziert, müssen manchmal auch ersetzt werden. Jedenfalls kommt alles darauf an, daß durch alle Texte hindurch die Sache selbst, daß die christliche Botschaft, das Evangelium, wieder neu vernommen *und* verstanden werden kann. Eine sowohl sachgemäße wie zeitgemäße Theologie also. Nur wenn die jüdisch-christliche Erfahrungstradition, wenn selbst Worte wie Gott, Heil, Gnade, Erlösung mit unseren *heutigen* Erfahrungen in Bezug gebracht werden, können wir unsere eigenen Erfahrungen mit den biblischen Erfahrungen machen. Nicht nur um die simple »Anwendung« einer angeblich ewigen Lehre also geht es in der Theologie. Vielmehr um die *»Über-Setzung«* einer geschichtlichen Botschaft aus der damaligen Erfahrungswelt in unsere heutige Erfahrungswelt hinein.

Insofern steht die Theologie vor der großen Aufgabe der *kritischen Korrelation*, die oft genug die Gestalt einer kritischen *Konfrontation* annimmt: unsere eigenen Erfahrungen mit den Erfahrungen der jüdisch-christlichen Tradition in Bezug zu setzen und sie im Lichte der jüdisch-christlichen Erfahrungsgeschichte zu interpretieren, ja, im Fall des Widerspruchs zu korrigieren. Denn wenn biblische und zeitgenössische Erfahrungen sich fundamental widersprechen, wenn uns zeitgenössische »Erfahrungen« wie im Dritten Reich wieder einmal von rechts (oder links) einen »Führer«, irgendeine politische »Heilsbewegung« oder ähnliche »Errungenschaften« bescheren: Was sollte dann in den entscheidenden letzten und ersten Fragen des Menschen und der Menschheit den Ausschlag geben? Die biblischen Erfahrungen, die christliche Botschaft, das Evangelium, Jesus Christus selbst! Denn dieser Christus Jesus ist in Person »das Wesen des Christentums«, die »christliche Botschaft«, das »Evangelium« selbst, ja, Gottes »Wort«, das »Fleisch geworden«.

Wir können diesen Abschnitt in einer *siebten These* zusammenfassen:

> *Die zweite Konstante, der zweite Pol oder die Grundnorm einer kritischen ökumenischen Theologie ist die jüdisch-christliche Tradition, die letztlich auf der christlichen Botschaft beruht, dem Evangelium Jesu Christi.*

Diese, so scheint mir, sind die wesentlichen Strukturen eines neuen Paradigmas von Theologie: eine Theologie im Horizont der gegenwärtigen Erfahrungswelt, aber kritisch fundiert in der christlichen Botschaft. Das ist gewissermaßen der »cantus firmus« dieses Buches. Dies ist eine Theologie, die in einem neuen Zeitalter gleichzeitig beides zu sein versucht:

(1) »katholisch«, beständig um die »ganze«, die »universale« Kirche bemüht – *und* gleichzeitig »evangelisch«, streng auf die Schrift, auf das Evangelium bezogen;

(2) »traditionell«, stets vor der Geschichte verantwortet – *und* zugleich »zeitgenössisch«, betroffen die Fragen der Gegenwart aufgreifend;

(3) »christozentrisch«, entschieden und unterschieden christlich – *und* doch »ökumenisch«, auf die »Ökumene«, den ganzen »bewohnten Erdkreis«, alle christlichen Kirchen, alle Religionen, alle Regionen ausgerichtet;

(4) theoretisch-wissenschaftlich, mit der Lehre, der Wahrheit befaßt – *und* gleichzeitig praktisch-pastoral, um das Leben, die Erneuerung und Reform bemüht.

In diesem Kapitel habe ich versucht, so genau wie möglich die Grundzüge eines lang herangereiften Paradigmas einer kritischen ökumenischen Theologie zu skizzieren. Ich bin mir darüber im klaren, daß nur die praktisch-theologische Durchführung über die Effektivität, Überzeugungskraft und den Wahrheitsgehalt eines solchen neuen Paradigmas entscheiden kann. Aber inmitten aller Probleme und Schwierigkeiten von Theologie, Kirche und Gesellschaft möchte ich hoffen, daß – trotz aller Unterschiede – hier ein Weg geöffnet wurde zu einem *Grundkonsens* in der Theologie: nicht eine uniforme theologische Schule, nicht eine allumfassende Theorie, nicht eine exklusive Methode, sondern ein theologisches Paradigma, das verschiedene Methoden, Theorien, Schulen und Theologien erlaubt.

III. Ein neues Grundmodell von Theologie?

Strittiges und Unstrittiges

Brauchen wir heute, gibt es heute so etwas wie ein neues Paradigma oder Grundmodell von Theologie? Das war die Ausgangsfrage unseres Internationalen Ökumenischen Symposions 1983 in Tübingen, das von den verschiedensten theologischen Schulen, Ländern und Kontinenten und von allen möglichen Gesichtspunkten aus die Lage der Theologie diskutierte. Gibt es trotz aller verschiedenen Theorien, Methoden, Strukturen, ja, trotz verschiedener Theologien auch in einem solchen »neuen Paradigma« durchgängige Konstanten, die jede christliche Theologie voraussetzen muß, will sie heute wissenschaftlich verantwortete Rechenschaft vom christlichen Glauben sein?

Sowohl die Vorbereitungspapiere für dieses Symposion [1] als auch die auf dem Symposion selbst vorgelegten Papiere [2] wie schließlich auch die Diskussion auf dem Symposion selbst haben deutlich werden lassen, daß es bei allen Divergenzen auch Konvergenzen hinsichtlich der Dimensionen eines neuen Paradigmas von Theologie gibt. In Aufnahme der Beiträge der Kollegen von der University of Chicago, vor allem von Stephen Toulmin, Langdon Gilkey, Martin Marty, Anne Carr, David Tracy, meiner Tübinger Kollegen Jürgen Moltmann, Eberhard Jüngel, Norbert Greinacher, Rüdiger Bubner sowie der Beiträge von J. B. Metz (Münster), Gregory Baum (Toronto), Leonardo Boff (Petropolis), Jean-Pierre Jossua und Claude Geffré (beide Paris), Josef Blank (Saarbrücken), Edward Schillebeeckx (Nijmegen), John Cobb (Claremont), Elisabeth Schüssler-Fiorenza (Notre Dame), Mariasusai Dhavamony (Rom) habe ich versucht, sowohl die Diskussion des Symposions selbst als auch die erarbeiteten Dimensionen des neuen Paradigmas in einer Synthese zur Diskussion zu stellen [3].

1. »Paradigma«: ein umstrittener Begriff

Zweifellos war es von Nachteil, daß Thomas S. Kuhn, wiewohl eingeladen, leider aufgrund besonderer Umstände beim Symposion schließlich doch nicht anwesend sein konnte. Auf diese Weise war zwar die philosophische »Opposition« gegen den Paradigmenbegriff gut vertreten, der professionelle wissenschaftstheoretische »Verteidiger« in eigener Sache aber fehlte.

Denn es war zu erwarten, daß der *Begriff Paradigma* kontrovers diskutiert werden würde – unter Theologen, für die er weitgehend neu war, aber auch unter Philosophen. Der scharfsinnigste Kritiker der Kuhnschen Paradigmentheorie, der Philosoph Stephen Toulmin, machte denn auch in den Diskussionen aus seiner Skepsis gegen das Wort »Paradigma« kein Hehl. Deutlich wurde dennoch, wieviel Kuhn und Toulmin trotz des unterschiedlichen methodischen Ansatzes (bei Toulmin mehr der ins Detail der Entwicklung von Begriffen und Urteilen gehende »piece-meal-approach«, bei Kuhn der mehr großräumige, an der Gesamtkonstellation von Überzeugungen, Werten, Verfahrensweisen interessierte »paradigmatische approach«) *verbindet*. Negativ: die Ablehnung des antihistorischen, logischen Empirismus und seines formalistischen Ansatzes, wie er uns von der Wiener Schule her auch noch bei Popper begegnet, wo man nur an der Veränderung der Begriffe und am logischen Konnex im Fortschritt von Erkenntnis und Wissenschaft interessiert ist. Positiv: die Bejahung der Einheit von Wissenschaftstheorie, Wissenschaftsgeschichte und Wissenschaftssoziologie und so die Betrachtung der geistigen Entwicklung der wissenschaftlichen Theorien im Kontext der gesellschaftlichen-historischen Entwicklung wissenschaftlicher Schulen, Professionen und Institutionen. Die Diskussionen zeigten klar, daß, wenn man »Paradigma« differenziert in die Theologie aufnimmt, die sachlichen Differenzen um den Begriff auf ein Minimum zusammenschrumpfen, praktisch auf die Frage, ob das *Wort* Paradigma glücklich ist oder nicht (Stephen Toulmin beim Abschied: »Between you and myself is only *one word*, nothing else!«).

Nun ist die *Sache*, um die es uns allen ging, zu wichtig, als daß sie zur Frage eines Wortes gemacht werden könnte. Ein Wort indessen braucht es eben doch. Und statt des Wortes Paradigma (Grundmodell) gab es kaum andere Vorschläge, die überzeugender gewesen wären, auch nicht der Begriff »structural horizon« (Geffré). Im Gegenteil: Feststellbar war, daß der Begriff letztendlich doch benutzbar erschien, sich aber auch zunehmend klärte, so daß die anfängliche Skepsis wich, je mehr Material zur Klärung der Sache beigebracht wurde: Es geht nun einmal um die großräumigen, tiefgreifenden Veränderungen in der Geschichte von Theologie und Kirche. Und da zeigte sich, daß man für diese *epochalen Umbrüche* (»epochal shifts«, Gilkey: »continental shifts«) kaum einen besseren Ausdruck findet, als den des Wechsels, aus dem dann ein *neues »Paradigma«* (für die hellenistisch-byzantinische Reichskirche, für die lateinisch-westliche Papstkirche, für die Reformation, für die Moderne oder Aufklärung, für die Nachaufklärung oder Postmoderne) hervorgeht.

Voraussetzung ist freilich, daß dieser Begriff einerseits seine Weite und Elastizität, andererseits aber auch seine Bestimmtheit und Präzision behält, so wie das aus den Vorbereitungspapieren klar hervorgeht. Wird das Paradigma für alles mögliche gebraucht, wird der Begriff verschlissen: Es kann nicht *alles* Paradigma sein! Nein, nicht jede Theorie, nicht jede Methode, nicht jede Hermeneutik, nicht jede Theologie ist schon ein Paradigma. Ein Paradigma im präzisen Sinn ist, wie es in den Vorbereitungspapieren im Anschluß an die geklärte Definition von Thomas S. Kuhn hieß, eine *»Gesamtkonstellation«*: »an entire constellation of beliefs, values and techniques, and so on, shared by the members of a given community«, »eine Gesamtkonstellation von Überzeugungen, Werten und Verfahrensweisen und so fort, die von den Mitgliedern einer bestimmten Gemeinschaft geteilt werden«.

Wichtig war, daß gegen zweierlei keine Einwände erhoben wurden: erstens die Tatsache *epochaler Umbrüche*, die Theologie-, Kirchen- und Weltgeschichte überhaupt bestimmen, und zweitens die vorgeschlagene *Periodisierung* (vgl. Schema S. 157), die ja weithin der vertrauten welt-, kirchen- und theologiehistorischen Periodisierung Rechnung trägt, sosehr wir nur die bisherige Christentumsgeschichte (bisher unter Absehung anderer Kulturräume und

Religionen) vorausgesetzt haben und ja auch voraussetzen mußten (Moltmann).

Oft war in der Diskussion die Rede von den zum Paradigmenwechsel führenden *Krisen* in der Theologie- und Kirchengeschichte (etwa die von Metz betonte Ablösung des Judenchristentums durch das hellenistische Christentum oder die Krise im frühen Mittelalter und ost-westliches Schisma oder die immer wieder zitierten beiden großen Krisen der Reformation und der frühen Neuzeit). Doch will ich mich in diesem Bericht auf Faktoren der *heutigen Krise* beschränken, die der Profilierung eines neuen Paradigmas (ein nachaufklärerisches oder postmodernes Paradigma) dienen können, für das wir noch kein Schlüsselwort benennen können. Über die dabei wirksamen Mechanismen und mitspielenden wissenschaftlichen wie außerwissenschaftlichen Faktoren, über die Notwendigkeit der Conversio beim Übergang zu einem neuen Paradigma und die Ungewißheit des Ausgangs bei einem Paradigmenstreit wäre sicher noch mehr zu sagen.

Sicher ist jedenfalls: Weder der einzelne Theologe noch die Theologie insgesamt kann ein Paradigma einfach schaffen. Ein solches bildet sich vielmehr in einem außerordentlichen Komplex verschiedener gesellschaftlicher, politischer, ekklesialer und theologischer Faktoren heraus und reift heran. Im Laufe dieses höchst komplexen Prozesses, der nicht immer so dramatisch zu verlaufen braucht wie im Falle Luthers, der aber durchaus nicht nur graduelle, sondern drastische, eben paradigmatische Änderungen einschließt, wird der einzelne Theologe früher oder später vor der Frage stehen, ob sein *Paradigma von Theologie* noch dem *Paradigma seiner Zeit* entspricht; er wird damit vor die Entscheidung gestellt, mit welchem Paradigma er arbeiten will. Einmal wird er wählen und seine Loyalitäten, Bindungen und Interessen freilegen müssen.

2. *Klärungen*

Bevor ich die Krisenfaktoren im einzelnen benenne, noch einige wenige grundsätzliche Bestimmungen, die unsere Diskussion hervorgebracht hat.

(1) Die »bestimmte Gemeinschaft« (Kuhn), in der sich der theologische Paradigmenwechsel vollzieht, ist die *Gemeinschaft der Theologen* (Wissenschaftler oder Nichtwissenschaftler, Theologen an einer Universität oder in einer Basisgemeinschaft, professionelle Schriftsteller oder Laien, Männer oder Frauen), im Kontext der *Gemeinschaft der Glaubenden* (also der Kirche im weiten Sinn des Wortes), vor dem Hintergrund der *Gemeinschaft der Menschen überhaupt* (also der menschlichen Gesellschaft).

(2) Das *Paradigma von Theologie* ist zu sehen im Kontext des Paradigmas *von Kirche* auf dem Hintergrund des paradigmatischen Wandels *der Gesellschaft* überhaupt: Theologie-, Kirchen- und Weltgeschichte sind deshalb im Zusammenhang zu analysieren, und zwar, wie immer wieder (besonders von Boff, Dussel und Metz) betont wurde, nicht von einem eurozentrischen Standpunkt aus.

(3) *Subjekte* der Theologie und *Orte* der Theologie – dies kam vielfach zum Ausdruck – können also wechseln (Baum, Boff, Greinacher, Jossua, Metz): nicht nur die Universität, auch die Basisgemeinde kann Ort der Theologie sein, nicht nur der Akademiker, und dann gar noch männlichen Geschlechts allein, sondern auch die Frau und der Nichtakademiker sind ihr Subjekt.

(4) Die *Theologie* kann von der *Naturwissenschaft* nicht einfach ein Paradigma übernehmen oder aus ihr gleichsam das Rohmaterial zur Konstruktion eines neuen theologischen Paradigmas sammeln (wie dies Thomas von Aquin mit der aristotelischen Physik oder protestantische Theologen mit Descartes und Newton getan haben). Allerdings darf die Theologie die Ergebnisse der Naturwissenschaft auch nicht ignorieren, wie dies sowohl neuscholastische wie protestantisch-fundamentalistische Theologen tun. Vielmehr hat der Dialog zwischen Naturwissenschaft und Theologie auf der Basis der Gleichberechtigung stattzufinden (Toulmin): dann werden einerseits die Beschränktheiten der Naturwissenschaft (bis zu Behaviorismus und Psychoanalyse) deutlich, andererseits aber auch

die »aktuelle Bedeutung« naturwissenschaftlicher Ideen und Analysen (in geduldiger »piece-meal examination« zu untersuchen) für die Theologie fruchtbar gemacht.

(5) Die philosophische Auseinandersetzung mit der Theorie vom Paradigmenwechsel zwingt die Theologie, ihrerseits das *Verhältnis von Rationalität und Irrationalität* (streng nach theologischen und nicht-theologischen Faktoren) zu klären, insbesondere (so Bubner):

– das Verhältnis von *Wirklichkeit und Sprache*, von Empirie und Theorie, von Fakten und Wahrnehmung;

– das Problem der *Periodisierung* durch Paradigmen: nur durch das Neue wird das Normale zum Alten; das Alte, das Neue und die Epochenschwelle entstehen aneinander und miteinander; Gliederung von Zeit kann nicht von der Zeit selbst oder von einem überhistorischen Standpunkt (außerhalb der Zeit) erfolgen, sondern immer nur immanent und relativ vorgenommen werden;

– das Problem der *Dialektik von Wissen und Geschichte*: die interne Wissenschaftsgeschichte von Theologie und deren externe Rahmenbedingungen können nicht getrennt werden, sondern sind im Zusammenhang zu sehen; weder kann Theologie aus gesellschaftlichen Faktoren erklärt werden noch von ihnen einfach abstrahieren. Auch für die Theologie gilt: Keine Theorie wird letztlich Herr ihrer Bedingungen, aber im Rahmen dieser Dialektik von Wissen und Geschichte ist sie ihnen doch nicht mehr restlos ausgeliefert.

(6) Die *Kriterien* für ein neues Paradigma wären in Zukunft noch mehr zu diskutieren. Eine wichtige Spezifizierung der Kriterien, wie sie sich bei Kuhn finden, sind für die Theologie die Krisenwahrnehmungs- und Krisenverarbeitungskapazität (Metz): Krisen sind Unterbrechung von gewohnten Lebens- und Denkzusammenhängen, so daß die Welt in Kirche und Theologie vorher und nachher nicht mehr dieselbe ist.

3. Die heutige Krise: Worüber man nicht mehr zu streiten braucht

(1) Der Verlust der 400 Jahre dauernden politisch-militärischen und wirtschaftlich-kulturellen Vorherrschaft des Westens (Europas und dann auch Amerikas) seit dem Zweiten Weltkrieg und die *Entwicklung anderer* politisch-militärischer und wirtschaftlich-kultureller *Machtzentren* (Gilkey): *Polyzentrismus* (Metz).
(2) Eine tiefe Zweideutigkeit (»ambiguities«) der potentiell *ebenso kreativen wie destruktiven Grundkräfte* unserer Kultur in West und Ost, der *Wissenschaft, Technologie* und *Industrialisierung*. Die technologisch-industrielle Kultur trägt fatale Zerstörungspotentiale in sich: Zerstörung der Umwelt und mögliche Selbstzerstörung der Menschheit durch atomare Überrüstung (Blank, Cobb, Gilkey, Metz, Moltmann, Schillebeeckx).
(3) Neben dem kulturellen Polyzentrismus stellt der *soziale Antagonismus* – Ausbeutung und Unterdrückung, Rassismus und Sexismus – in unserem Jahrhundert die zentrale Herausforderung für Theologie, Kirche und Gesellschaft dar (Boff, Carr, Cobb, Gilkey, Metz, Moltmann).
(4) Eine sichtbare *Erschütterung des grundlegenden Symbolsystems der modernen Kultur*, die im Zeichen des Mythos vom wissenschaftlich-technologisch-industriellen sowie des politisch-sozialen *Fortschritts* steht: Einer optimistischen modernen Geschichtsschau (gestützt von fortschrittlichen Theologien und Ideologien liberal-demokratischer wie sozialistisch-marxistischer Provenienz) folgten eine weitverbreitete pessimistische Orientierungslosigkeit, Hoffnungslosigkeit, Zukunftsangst (Gilkey u. a.); dies ist freilich vor allem für die modernen Industrie- und Überflußgesellschaften charakteristisch, nicht dagegen für alle Dritte-Welt-Länder (Cobb).
(5) Krisenhafte und gerade für die Theologie folgenschwere Entwicklungen im Rahmen des neuzeitlichen Paradigmas sind ablesbar an der veränderten, prekär gewordenen Stellung des *Buches*, der Rolle der *Universität*, der *Theologie* als einer Disziplin der Humanwissenschaften und auch an der Stellung der christlichen *Gemeinde* (Marty): Buch, Universität, Theologie und Gemeinde sind allesamt

gefährdet durch entgegengesetzte Pressionen: sowohl durch *hypermoderne* Differenzierung und Spezialisierung, durch Individualismus und Pluralismus, wie durch *antimodern*-reaktionäre Entdifferenzierung und Uniformierung, durch »Hunger nach Ganzheit« und totalitäre Tendenzen säkularer wie religiöser Provenienz. Viele Impulse für die oft so sterile Universitätstheologie kommen heute von außerhalb (Baum, Jossua, Schüssler-Fiorenza).

(6) Mit dem Verlust der politisch-militärischen und wirtschaftlich-kulturellen Vorherrschaft geht auch eine *Erschütterung der Vorherrschaft des Christentums* als der »einzig wahren«, »allein seligmachenden«, »absoluten« Religion einher: zum erstenmal Begegnung des Christentums mit den anderen *Religionen auf der Ebene »ungefährer Gleichberechtigung«* (Cobb, Gilkey). Daraus folgt:

(7) Ein *Glaubwürdigkeitsverlust* bei Christen wie säkularen Postchristen, wenn das Christentum noch immer als die von vorneherein *»höhere Zivilisation«* angesehen wird (weil es angeblich die Entwicklung von Wissenschaft, Technik und Industrie fördere oder individuelle Freiheitsrechte, Gleichberechtigung der Frau und Stabilität der Familie mit sich bringe). Statt dessen ist man auf christlicher Seite heute ernsthaft bereit, auf die anderen Religionen wirklich zu hören und auch von ihnen zu lernen (Cobb, Dhavamony, Gilkey).

(8) *Geschichtliche Katastrophen* wie die beiden Weltkriege, dann Auschwitz, Hiroshima und Archipel Gulag, aber auch das Faktum des periodisch wiederkehrenden Massenhungers in der Dritten Welt haben uns bewußt gemacht, daß idealistische theologische Geschichtskonstruktionen heute nicht mehr möglich sind; Theologie muß vielmehr getrieben werden angesichts dieser konkreten pluralen *Leidensgeschichten* der Menschen (Metz). Gerade diese Leidensgeschichten lassen eine »Option für die Armen« (Boff) als dringlich erscheinen, wobei der Arme nicht nur der materiell Bedürftige ist, sondern auch der physisch und psychisch Leidende (Marty).

(9) Zu den pluralen Leidensgeschichten gehört das Leiden von Millionen *Frauen*, die durch all die Jahrhunderte patriarchaler Vorherrschaft beherrscht, geschlagen, vergewaltigt, gequält und zerstört wurden. Wenige Entwicklungen in unserem Jahrhundert haben so

deutlich gemacht, wie sehr wir im Umbruch von einem alten zu einem neuen Paradigma sind wie das *neue Bewußtsein der Frau* von ihrer Identität, Gleichberechtigung und Würde. Für dieses neue Bewußtsein der Frauen ist das alte Paradigma, wie es auch in den theologischen, kirchengeschichtlichen und kirchenrechtlichen Textbüchern der Normaltheologie bis heute tradiert wird, zusammengebrochen (Carr, Schüssler-Fiorenza).

4. *Vier Dimensionen des postmodernen Paradigmas*

Gesichtspunkte, die in sämtlichen Gebieten und Themen von Theologie und Kirche bedacht und realisiert werden müssen:

a) Biblische Dimension

(1) Das Problem der *Kontinuität* bei einem Paradigmenwechsel bedarf in der christlichen Theologie besonderer Reflexion, insofern auch in einem neuen Paradigma *das alte Evangelium* und kein anderes für unsere Zeit neu ausgelegt werden muß (Schillebeeckx). Die Bedeutung der christlichen Tradition, des Evangeliums, des Glaubens an Gott in Jesus Christus – das wurde von allen Seiten immer wieder betont – ist die eine *Konstante*, die sich in allem Paradigmenwechsel von Theologie und Kirche immer wieder durchhält und durchsetzen muß (Jüngel).

(2) Das *Zeugnis für das Evangelium* und seine Implikationen sind nötig gerade in »a time of troubles«, die nicht mehr vom säkularen Fortschrittsglauben, sondern von Zukunftsangst, Erschütterung der Institutionen und der Möglichkeit tödlicher Konflikte aller Art bedroht ist (Jüngel, Gilkey).

(3) Die Bedeutung und die Notwendigkeit der *historisch-kritischen Methode* für eine zeitgemäße Interpretation der Schrift und der Texte christlicher Tradition wurden klar affirmiert (Blank, Ogden, Kannengiesser). Die Rolle der Schrift im neuen Paradigma bleibt eine kriteriologisch-befreiende; biblische Hermeneutik hat sich in Kontinuität mit historischer Kritik seit der Aufklärung zu vollziehen, sosehr heutiges hermeneutisches Instrumentarium (so die strukturale Textanalyse) sich verfeinert haben mag. Ein Zurück zu

einer antiaufklärerisch-fundamentalistisch versteiften oder einer nachaufklärerisch-dogmatisch reduzierten biblischen Hermeneutik (im Stile etwa des soeben erschienenen deutschen Katholischen Erwachsenenkatechismus) wollte niemand.

(4) Das Evangelium von dem in Jesus Christus sich offenbarenden Gott kann heute nicht mehr verkündigt werden, ohne daß man sich der Problematik einer patriarchalen Symbolsprache bewußt wird: An Jesus Christus als dem Gottessohn ist nicht sein Mannsein, sondern sein Menschsein theologisch relevant. Gott selber aber sollte nicht länger exklusiv in männlicher Metaphorik als Vater, Herrscher und Richter, sondern sollte inklusiv unter *Einbeziehung der Erfahrungen des Weiblichen und Mütterlichen* gedacht und verkündigt werden (Carr).

b) Historische Dimension

(1) In einem nachaufklärerisch-postmodernen Paradigma von Theologie ist die *Zeit* nicht einfach linear, sondern *geschichtlich zu verstehen*: Die drei Dimensionen der Zeit – Vergangenheit, Gegenwart und Zukunft – sind nicht als lineare Abfolge, sondern in ihrem dialektischen Ineinander als Zeitnetz zu sehen (Moltmann).

(2) *Historische Kritik* behält in einem neuen Paradigma ihre Funktion, Absolutheitsansprüche dogmatischer und institutioneller Verfestigungen zu kritisieren und zu relativieren (Moltmann):

– Sie darf aber nicht – wie der liberale Historismus in Gefahr ist – zu einer Verabsolutierung der Gegenwart und einem Absolutismus des menschlichen Subjekts und damit zu einem allgemeinen Relativismus führen.

– Vielmehr hat die historische Kritik auch die Relativität der eigenen Gegenwart und des subjektiven Standpunkts zu bedenken. An die Stelle des allgemeinen Relativismus tritt der Relationalismus eines allgemeinen Beziehungsgeflechtes.

(3) *Geschichte und Natur* dürfen nicht in einer geschichtslosen Auffassung von Natur und einer naturlosen Auffassung von Geschichte auseinandergerissen werden (Moltmann):

– Das Mensch-Natur-Verhältnis darf nicht, wie in neuzeitlicher Wissenschaft, Technologie und Industrialisierung üblich geworden, als Herr-Sklavin-Verhältnis gesehen und praktiziert werden.

– Vielmehr ist die menschliche Geschichte mit der Geschichte der Natur zu synchronisieren, um zu einer neuen lebensfähigen Symbiose zwischen menschlicher Gesellschaft und natürlicher Umwelt zu kommen.

(4) In einer gemeinsamen Welt und einer gemeinsamen Weltgeschichte, deren Subjekt die *Menschheit als ganze* ist, gibt es nur eine gemeinsame Zukunft oder keine Zukunft; Weltfriede wird zur Bedingung für das Überleben der Menschheit. Insofern muß das neue Paradigma angesichts unbeschreiblicher Inhumanität ein *»paradigm of humanity«* (Schillebeeckx) sein, das heißt zutiefst geprägt, durchdrungen von Humanität, die freilich nur in *Gottes* Humanität, wie sie sich in *Jesus von Nazaret* gezeigt hat, richtig begründet und gegründet ist.

(5) Die Geschichte dieser Menschheit wurde bisher weithin als Geschichte von und mit Männern geschrieben. Die Geschichte des größeren Teiles der Menschheit, eben der Frauen, wurde vielfach ignoriert und zum Teil auch unterdrückt. Frauen fordern zu Recht die *Integration der Frauengeschichte in die Geschichte selbst*: sowohl was die Geschichte der Unterdrückung der Frau, wie auch was die Geschichte ihrer Aktivität und Kreativität in Gesellschaft, Staat und Kirche durch all die Jahrhunderte betrifft (Carr).

c) Ökumenische Dimension

(1) Angesichts vielfacher politischer, wirtschaftlicher und militärischer Bedrohungen der einen Welt und der gemeinsamen Zukunft der Menschen ist der *Übergang von einem partikulären zu einem universalen Denken*, von einer *»Kontroverstheologie«* zu einer *»ökumenischen Theologie«* ein unabweisbares Desiderat. Konfessionelle christliche Traditionen sind nicht zu verewigen, sondern daraufhin zu rezipieren, was sie zu einer ökumenischen Gemeinschaft aller Christen beitragen. Ein ökumenischer Denkstil ist gefordert, bei dem das Partikulär-Konfessionelle nicht schon als Verwirklichung der ganzen, sondern als Teil einer umfassenden christlichen Wahrheit verstanden werden kann. Diese innerchristliche Ökumene kann ihrerseits Modell einer zukünftigen Ökumene der Religionen und Kulturen werden (Moltmann).

(2) Angesichts des Problems der *Vielfalt der Religionen* und des

religiösen Relativismus ist der richtige Weg zu finden, um die *Einzigartigkeit des christlichen Glaubens* zu verstehen und zu interpretieren (Dhavamony): eine »relative Absolutheit«, die zahllose Konsequenzen für das Verständnis von Offenbarung, Christologie, Rechtfertigung, Kirche, Eschatologie und soziale Praxis hat (Gilkey).

(3) Der *indische* (chinesische, japanische, afrikanische, lateinamerikanische) *»way of reading the bible«* ist nicht nur legitim, sondern notwendig: nur so kommt es zur Bereicherung durch die spirituellen, moralischen und ästhetischen Werte der anderen Religionen und Kulturen (Dhavamony).

(4) Die ökumenische Dimension des neuen Paradigmas schließt nicht nur eine Ökumene zwischen den Kirchen, Religionen und Kulturen, sondern auch eine *Ökumene zwischen den Geschlechtern* ein (Carr): »In Christus« ist nicht nur der Unterschied zwischen Herren und Sklaven, Hellenen und Barbaren, sondern auch zwischen Männern und Frauen »aufgehoben«. In einem neuen Paradigma von Theologie und Kirche wäre die weitere Zementierung einer inferioren Stellung der Frau und insbesondere die weitere Verweigerung ihrer kirchlichen Ordination nachgerade absurd (Carr).

d) Politische Dimension

(1) Dem Neuen Paradigma von Theologie ist eine *fundamentale politische Dimension* eigen (Metz): Das Theorie-Praxis-Verhältnis der Theologie sollte nicht länger von einer Arbeitsteilung zwischen praktischer Theologie, Sozialethik, gar christlicher Soziallehre einerseits und systematischer Theologie, Dogmatik, gar kirchlicher Lehre andererseits bestimmt sein. Die gesamte Theologie muß politisch-praktisch denken lernen. Eine *politisch-praktische Hermeneutik* also ist gefordert, die allen Versuchen einer Politisierung der Religion (als Mittel zur Legitimierung und Stabilisierung bestimmter Herrschafts- und Machtverhältnisse) kritisch gegenübersteht.

(2) Daß die Theologie im neuen Paradigma wesentlich eine politische Dimension hat, war und ist unbestritten. *Strittig* war, ob etwa die europäische, gar bundesrepublikanische politische Theolo-

gie oder auch die Befreiungstheologie Lateinamerikas das neue universelle Paradigma sein könne. Fraglich war, ob eine einzige Theologie diesen Totalanspruch stellen könne, zumal wenn es sich um Theologien handelt, die sonst allen universalen, »imperialistischen« Geltungsansprüchen mißtrauen.

(3) Ich selber möchte im Rückblick an dem Standpunkt festhalten, der in allen Vorbereitungspapieren zum Ausdruck gebracht wurde: *innerhalb des einen* nachaufklärerischen-postmodernen *Paradigmas* oder Grundmodells sind *mehrere Theologien* (theologische Richtungen, Schulen, Orte) möglich, die untereinander um die beste Ausformung des Paradigmas, seiner Voraussetzungen und Konsequenzen, konkurrieren. Eine hermeneutische und eine politische Theologie, eine »process-theology« und die verschiedenen Richtungen einer Befreiungstheologie (feministische, schwarze oder Dritte-Welt-Theologie) können im Rahmen eines heutigen nachaufklärerisch-postmodernen Paradigmas einer christlichen (ökumenischen) Theologie koexistieren und konkurrieren. Das neue Paradigma bedarf in jedem Fall der *welt-politischen* Perspektiven, so daß die verschiedenen Kontinente (nicht nur Lateinamerika!) und die verschiedenen Religionen (nicht nur das Christentum!) mitbedacht werden müssen.

Wichtig ist, daß wir Theologen eines neuen Paradigmas – konfrontiert mit festverwurzelten, zähen und langlebigen traditionalistischen Paradigmen (und gerade jetzt läuft die römische Inquisition gegen Theologen und Bischöfe wieder auf vollen Touren!) – die Gemeinsamkeit nicht aus dem Blick verlieren. Alle gegenseitige theologische Provokation und Konfrontation, so berechtigt und notwendig sie ist, sollte nicht zur Eigenprofilierung, partikulären Interessenvertretung, zu Isolation und Separation führen. Sie sollte vielmehr zur gegenseitigen geistigen Durchdringung, zur wechselseitigen Bereicherung und zur allseitigen Transformation führen, um so alle die zu vereinen, denen es in einem post-konfessionalistischen, post-kolonialistischen, post-patriarchalischen, kurz *postmodernen Paradigma* um die umfassende Befreiung des Menschen geht, um das, was Edward Schillebeeckx treffend den »Schrei nach dem Humanum« genannt hat.

Die Arbeit im Rahmen der christlichen Theologie muß trotz aller Hemmnisse und Behinderungen weitergehen, sie muß präziser, konkreter, fakten- und materialreicher werden. Die Paradigmentheorie ist nur ein hermeneutischer Rahmen, und erst die materialhistorische wie gegenwartsanalytische Durchführung wird ihre ganze Leuchtkraft zeigen – und dies keineswegs nur für das Christentum. So ließe sich eine *Anwendung der Paradigmenwechselanalyse auf andere Religionen* denken, auf Judentum, Islam, Buddhismus, Hinduismus und die chinesischen Religionen. Ein Anfang wurde auch hier gemacht. Im Januar 1984 fand an der University of Hawaii in Honolulu – inspiriert von dem Tübinger Symposion und geleitet von Professor David Chappell – ein ähnliches Symposion statt unter dem Leitthema »Paradigm Changes in Buddhism and Christianity«, das es noch auszuwerten gilt (vgl. Kap. C II).

IV. Theologie auf dem Weg zu einem neuen Paradigma

Rückblick auf den eigenen Weg

»Was in meinen Büchern von mir selbst stammt, ist falsch, Madame«, soll der Philosoph Hegel einer ihn anstaunenden Bewunderin gesagt haben. Und wenn es schon dem Philosophen nicht um *sein* System, *seine* Wahrheit gehen kann, um wieviel weniger dem Theologen, der *Gottes* Wort, *Gottes* Wahrheit nach-denken darf. Ich zögere deshalb, auf diesen Seiten »meine« Theologie zu umreißen, wie dies von mir erbeten wurde.[1]

Es gibt freilich noch einen anderen Grund. Seit meiner Dissertation vor bald 30 Jahren bis zu meinen letzten Büchern habe ich sehr viel lieber statt der Abgrenzung die Integration anderer Theologien gesucht. Und dies im Bewußtsein, daß am allerwenigsten der Theologe unfehlbar ist, daß eine Theologie nie zu einem abgeschlossenen System werden darf, sondern immer neu entworfen werden muß: nicht nur ein »Entwurf der Theologie«, sondern immer wieder neu eine »Theologie im Entwurf«. Also auch für mich persönlich: »Theologia semper reformanda« – eine immer wieder zu erneuernde Theologie.

1. *Das Paradigma des katholischen Traditionalismus*

Das »iurare in verba magistri«, das »Schwören auf die Worte eines Lehrers« habe ich nie gelernt, wohl aber habe ich das tagtägliche Lernen gelernt; denn auch das Lernen will in der Theologie gelernt sein. Und lernen meint hier ja zweifellos mehr als ein Auswendiglernen von Lehren, Thesen, Dogmen; mit solchem Lernen habe ich freilich als Zwanzigjähriger in der Theologie angefangen – und es nicht bereut.

Ein Studium sieben Jahre lang These um These – hundert schließlich für das Schlußexamen auswendig zu wissen in der Philosophie und hundert in der Theologie –, darin vor allem bestand meine theologische Ausbildung in Rom: auf Latein selbstverständlich, stets in strenger terminologischer Zucht, klarem Aufbau und in sich kohärenter Beweisführung; zuerst den »Status quaestionis«, dann die Begriffe, dann die Gegner, schließlich die Argumente dafür und die Objektionen dagegen. Alles in allem mit lateinischen Vorlesungen und Tausenden von Seiten Text eine harte Schule, die in den Prüfungen kein Drumherumreden in der Muttersprache erlaubte, die nicht nur die Bibel, sondern auch die konziliaren und päpstlichen Definitionen im Wortlaut abforderte und die selbst in den spekulativen Höhen etwa der Trinitäts-, Inspirations- oder Prädestinationslehre auf begriffliche Vivisektion drang.

Inhaltlich und formal war diese Theologie orientiert an der *mittelalterlichen Scholastik*: Neben den mächtig gewordenen römischen Bischöfen hatte vor allem Augustin, das große Genie der lateinischen Patristik, von der Trinitätslehre angefangen bis zur Sakramenten- und Staatslehre, das mittelalterliche Paradigma in Theologie und Kirche initiiert: jene »Gesamtkonstellation von Überzeugungen, Werten und Verfahrensweisen usw., die von einer bestimmten Gemeinschaft geteilt werden«. Und es war dann – nach dem Durchbruch des römischen Zentralismus im Westen in der Gregorianischen Reform zu Beginn des zweiten Jahrtausends und dem daraus folgenden Bruch mit der Ostkirche – im 13. Jahrhundert Thomas von Aquin, der, universal interessiert und doch eigenständig im Denken, mit methodischer Strenge und didaktischem Geschick jene große philosophisch-theologische Synthese von noch nie dagewesener Einheitlichkeit durchkonstruiert hat, die zum klassischen Ausdruck des *mittelalterlichen* und spezifisch *römisch-katholischen Paradigmas* wurde (vgl. Schema S. 157). Thomas hat der augustinischen Theologie nicht nur eine entschieden römische Ausrichtung gegeben, sondern auch – mit Hilfe der aristotelischen Philosophie – eine durch und durch rationale Basis: Auf der ganzen Linie unterschied er zwischen einer doppelten Erkenntnis- und Seinsordnung: eine natürliche Basis und ein übernatürlicher Überbau. Konkreter: zwei Erkenntnisvermögen (natürliche Vernunft –

gnadenhafter Glaube), zwei Erkenntnisebenen (natürliche Wahrheit – gnadenhafte Offenbarungswahrheit), zwei Wissenschaften (Philosophie – Theologie). Durchgängig zwei Stockwerke also: klar unterschieden und doch keineswegs gegensätzlich, sondern das untere auf das obere, höhere ausgerichtet.

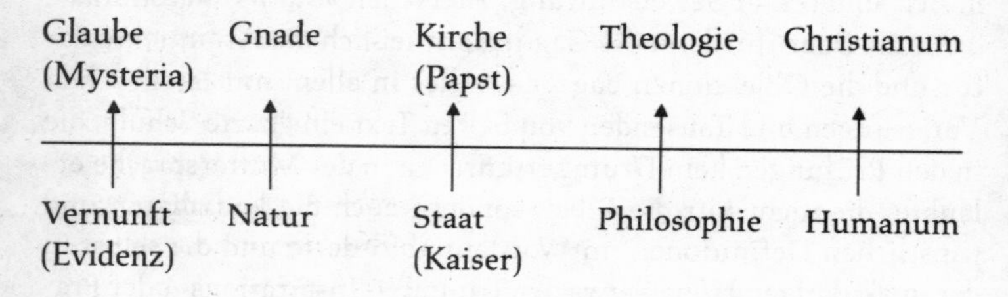

Dieses römisch-katholische Paradigma von Theologie unterschied sich nicht nur gänzlich vom judenchristlich-apokalyptischen Paradigma der Urchristenheit, sondern auch vom griechisch-hellenistischen der byzantinischen Christenheit. Im Spätmittelalter geriet es in die Krise, die – nach vergeblichen Reformversuchen – zum revolutionären Paradigmenwechsel der Reformation und zur zweiten großen Kirchenspaltung führte. Im Lauf der tridentinischen Restauration wurde es trotzdem zum *Paradigma der Gegenreformation* ausgebaut und kam theologisch besonders in der spanischen Barockscholastik zum Zuge. Obwohl von den modernen geistigen und politischen Strömungen besonders in Nordeuropa – moderne Philosophie und Naturwissenschaft, Aufklärung, amerikanische und französische Revolution – zunehmend bedroht und überspielt, wurde dieses mittelalterlich-gegenreformatorische Paradigma in den katholischen Ländern des 19. Jahrhunderts mit Hilfe von Theologie und Politik, von Textbüchern und Editionen, Enzykliken und Inquisition erneut repristiniert, durch noch mehr rationale Analyse und noch weniger Bibeltheologie äußerlich modernisiert und schließlich durch das Vatikanum I (1870) dogmatisch sowie durch den Codex Iuris (1918) rechtlich sanktioniert.

Auch nach eigenem Selbstverständnis wollte diese Neu-Scholastik, in der wir zur Zeit Pius' XII. erzogen wurden und die in der römischen Inquisitionsbehörde (A. Ottaviani, F. Šeper, J. Ratzinger) bis heute ihre mächtige ideologische Bastion behalten hat, alles andere als eine »neue« Theologie bieten. Nein, sie wollte die »Theologie der Vorzeit« (J. Kleutgen), eben jene mittelalterlich-gegenreformatorische Theologie wiederherstellen. Im Geist der Romantik und der Metternichschen Restauration versuchte sie im großen Stil (Neuscholastik, Neuromanik, Neugotik, Neugregorianik) das mittelalterlich-gegenreformatorische Paradigma in der gesamten Kirche durchzusetzen. Aus Thomas, dem seinerzeit verurteilten Vorkämpfer einer »nouvelle théologie«, war ja unterdessen der »Doctor communis«, der »gemeinsame Lehrer« der Christenheit geworden; aus der wissenschaftlichen Avantgarde des 13. freilich die Nachhut des 19./20. Jahrhunderts, die in Abwehrhaltung gegen modernes Weltbild und moderne Wissenschaft mit allen Mitteln eine rational-deduktive Konklusionen-Theologie vertrat (1950: Pius' XII. Enzyklika »Humani generis« als neuer »Syllabus der Irrtümer« und zugleich Definition der Himmelfahrt Mariens).

Eine gründliche Kenntnis zumindest der römischen Tradition war damals durch eine solche Theologie freilich gewährleistet. Und wer einmal all die Gedankengänge der Scholastik und Neuscholastik – in Auseinandersetzung nicht zuletzt mit der modernen Philosophie – nachvollzogen hat, wird vieles in Theologie, Kirche und Lehramt bis zu neuesten päpstlichen Verlautbarungen besser begreifen. Zweifellos konnte die hier erzielte theologische Klarheit faszinieren, konnte eine Zeitlang sogar glauben machen, man habe ein sicheres, unerschütterliches Lehrfundament – zuerst in der Philosophie und dann auch in der Theologie – unter den Füßen, auf dem man nachher nur noch weiterzubauen brauche.

Wer aber nur ein wenig Distanz gewann, merkte, wie wenig diese Thesen der Neuscholastik oft sagen, ja, wieviel sie verschweigen; wie merkwürdig selektiv, auswählend, wörtlich »häretisch« sie im Grunde sind. Das biblische Bekenntnis zum Vater, Sohn und Geist etwa war zu einer höheren Begriffsmathematik und die Botschaft vom Christus Jesus zu einer blutleeren Christustheorie geworden; die Bergpredigt Jesu, des Nazareners, spielte ebensowenig eine konstitutive Rolle wie sein tödlicher Konflikt mit Hierarchie und Theologie.

Tatsächlich ging es hier nicht in erster Linie um die christliche Botschaft, eine frohmachende, befreiende Kunde, sondern um die

»sana doctrina«, die gesunde katholische Lehre: die römisch-katholische Doktrin als ein juristisch formuliertes und mit Kirchenstrafen abgesichertes Lehrgesetz, mit dem der Theologe so umzugehen hat wie der Jurist mit seinen Paragraphen. Das heißt: Wie der Rechtspositivismus jedes Prinzip, das nicht aus dem positiven Recht entstammt, ablehnt und das bestehende Recht als Anfang und Ende von Recht und Gerechtigkeit ansieht, so nimmt der Dogmenpositivismus die offiziellen Dokumente der Konzilien und der Päpste als Anfang und Ende der Theologie, ja, der Offenbarung Gottes; er macht etwa Heinrich Denzingers »Enchiridion kirchlicher Lehrentscheidungen« aus dem »Marienjahr« 1854 zu einem indiskutablen dogmatischen Gesetzbuch, das, mit Schriftzitaten unterbaut, den Theologen vom kritischen Bedenken der Grundlagen dispensiert und ihn dafür – von der Trinitätslehre über die Christologie bis hin zur Unfehlbarkeit des Papstes – auf ein »Sacrificium intellectus«, ein »Schlachtopfer des Verstandes« angesichts von »Mysterien«, verpflichtet.

In der Tat: die neuscholastische Denzinger-Theologie macht diesen »Denzinger« faktisch zum Schema für den Aufbau der ganzen Dogmatik. Was hineinpaßt, gilt als kirchlich; was nicht hineinpaßt, als unkirchlich oder belanglos. Und dies unbekümmert darum, ob die Terminologie von Menschen unserer Gegenwart verstanden wird, ob die exegetische Basis für viele Sätze dem Stand der Forschung entspricht, ob Beweise für die Thesen glaubwürdig sind oder Antworten auf Objektionen als verbale Spiegelgefechte erscheinen. Erst recht wird die Situation der Verkündigung ignoriert, Steine statt Brot bekommen Prediger und Katecheten; es regiert der Buchstabe anstelle des Geistes, so daß bei einer rasch sich wandelnden Wirklichkeit schließlich die mechanische Anwendung der Glaubensgesetze versagt und zu einer Krise des Glaubens in seiner Wahrheit und seiner Wahrhaftigkeit führt.

Unter diesen Umständen kam es vielen in vorkonziliarer Zeit als eine Befreiung vor, daß mitten im goldenen Gefängnis des neuscholastischen Systems eine Theologie entstand, die den Schwierigkeiten jener rein positivistischen Dogmeninterpretation durch eine »spekulative« Interpretation aus dem Wege zu gehen versuchte. Diese Theologie war für mich vor allem mit dem Namen Karl Rahners verbunden.

2. *Spekulative Auswege? Karl Rahner*

Es waren nach dem Zweiten Weltkrieg vor allem die großen Franzosen Yves Congar, Henri de Lubac, Jean Daniélou, Henri Bouillard und Teilhard de Chardin, welche die katholische Normaltheologie überragten und in Frage stellten; Congars Werk blieb mir exemplarisch für Ekklesiologie und Kirchenreform, das Teilhards für die Versöhnung von Theologie und Naturwissenschaft – trotz (und wegen) aller inquisitorischen Maßnahmen gegen sie im Zusammenhang mit der Enzyklika »Humani generis« (1950) und der Unterdrückung der Arbeiterpriester (1953). Doch wir deutschsprachigen Studenten horchten auf, als schließlich besonders ein deutscher Dogmatiker die Denzinger-Theologie zu kritisieren und zu sagen wagte, daß auch nach katholischer Auffassung Dogmen ihre Zeitbedingtheit hätten, daß es nicht nur eine Geschichte der Dogmenentwicklung, sondern auch eine des Dogmenvergessens gebe, ja, daß selbst feierlichste konziliare Definitionen zur Person Christi (»wahrer Gott und wahrer Mensch«) nicht bloß Ende, sondern zugleich Anfang theologischen Denkens sein könnten. Dogmen sollten deshalb nicht nur repetiert, sondern in einer neuen Zeit auch neu »verstanden« werden.

Anders gesagt: in Rahners Theologie werden die dogmatischen Formulierungen aus Gründen formaler Orthodoxie zwar noch wörtlich und buchstäblich beibehalten (und Rahner selbst hat später den Denzinger nur unwesentlich verändert neu herausgegeben), aber nicht selten wird der ganze Wortlaut uminterpretiert. Lange Zeit habe ich die hohe Dialektik – an Aristoteles, Thomas und an Hegel wie Heidegger geschult – ebenso aufrichtig bewundert, wie ich die bei dieser Interpretation von Glaubensbekenntnissen und Lehrsätzen vielfältig zum Ausdruck kommende Sorge um die Einheit und Kontinuität der Kirche im Glauben bejaht habe (und bejahe). Gelingt es denn auf diese Weise nicht glänzend, eine Formel »dialektisch« so zu interpretieren, daß die Formel bleibt (und das ist für die »Konservativen« die Hauptsache), aber der Inhalt umgegossen wird (woran die »Progressiven« interessiert sind)?

Solche formale Begriffsdialektik in der Dogmeninterpretation brauchte nicht unlogisch zu sein und war es meist auch nicht. Es genügte, daß die Begriffe nicht mehr im alten Sinn verstanden wurden, um ihren Inhalt ins Gegenteil hinein interpretieren zu können. Was dann allerdings für manchen unvoreingenommenen Beobachter, der das nicht immer leicht Durchschaubare durchschaute, gegen die historische Wahrheit und die wissenschaftliche Redlichkeit zu sprechen schien. Da werden zum Beispiel aus all den Häretikern und Schismatikern, den Juden, Muslimen, Hindus und gar Atheisten (guten Glaubens), die nach dem unfehlbar definierten Dogma »Außerhalb der Kirche kein Heil« ins »ewige Feuer« gehen müssen, plötzlich »anonyme Christen«, die samt und sonders schon zur (römisch-katholischen) Kirche gehören und (selbstverständlich) das ewige Heil erlangen können. Da wird das tridentinische Dogma, daß alle sieben Sakramente von Christus eingesetzt sind, zu einer vagen Aussage über die Einsetzung einer Kirche (und so »implizit« dieser sieben Sakramente) durch jenen Jesus Christus. Da wird aus der absolutistischen Primatsdefinition des Vatikanum I eine implizite Aussage über bischöfliche Kollegialität ... War das alles, fragte ich mich, exegetisch und historisch zu rechtfertigen?

Was aber das mittelalterliche theologische Paradigma betrifft: Rahners Hypothese eines »übernatürlichen Existentials«, das jedem (natürlichen) Menschen zukommt, blieb ebenso dem neuscholastischen Stockwerkdenken verhaftet wie die (von Pius XII. unverzüglich verurteilte) Lösung seines jesuitischen Ordensbruders (und heutigen Kardinals) Henri de Lubac, nach welchem jedem Menschen ein natürliches Streben nach ewiger glückseliger Gottesschau (»desiderium naturale beatitudinis«) zukomme: beides von der katholischen Transzendentalphilosophie Joseph Maréchals herkommende und damals heiß umkämpfte Scheinüberwindungen des thomistischen Stockwerkdenkens, die heute mitsamt der ganzen Natur-Übernatur-Terminologie weithin vergessen sind. Daß Rahner sich in der Unfehlbarkeitsdebatte (1970) auf die Seite der Kurie schlug und sich in aller Form zum »systemimmanenten« Theologen erklärte, machte ihn nachträglich für jedermann als letzten großen (und anregenden) Neuscholastiker kenntlich.

Wie aber sollte man es denn anders machen? Was für ein Fundament sollte die Theologie haben, wenn selbst kirchliche Dogmen so interpretationsbedürftig sind? Wer als junger Theologe nach einem neuen Fundament Ausschau hielt, dem bot sich in der »Kirchlichen Dogmatik« Karl Barths eine Theologie an, die in der Bindung an die Heilige Schrift, in der Tiefe ihrer Interpretation, der kunstvollen Architektonik ihrer Durchführung und der gedanklichen und sprachlichen Kraft ihrer Formulierung ihresgleichen suchte.

3. Theologie der Krise: Karl Barth

In der protestantischen Theologie hatte sich nach einer Phase strenger lutherischer und calvinistischer Orthodoxie im 17./18. Jahrhundert weithin ein *aufgeklärt-modernes Paradigma* von Theologie durchgesetzt, das im 19. Jahrhundert mit Schleiermacher seine klassische Ausprägung und mit der liberalen Theologie seine führende Stellung erhalten sollte; diese Theologie, sich an die Moderne allzu sehr anpassend, segelte schließlich ganz und gar im Fahrwasser jenes optimistischen protestantischen Kulturprotestantismus, der erst mit der Katastrophe des Ersten Weltkrieges sein Ende fand. Die führenden Theologen Deutschlands hatten diesen Krieg in einer feierlichen Erklärung begrüßt und damit die liberale Theologie gründlich kompromittiert.

So war es denn der Schweizer Pfarrer und dann deutsche Professor *Karl Barth*, der in der allgemeinen politischen, ökonomischen, kulturellen, geistigen Krise nach der Katastrophe des Ersten Weltkrieges gegen die herrschende bürgerlich-liberale Theologie, deren großer Exponent jetzt Adolf von Harnack war, einem neuen Paradigma von Theologie zum Durchbruch verholfen hatte. Barths »Theologie der Krise«, dann »dialektische Theologie« genannt, forderte angesichts des Zusammenbruchs von Gesellschaft und Kultur, der Institutionen, Traditionen und Autoritäten, eine paradigmatische Wende: weg von der subjektiven Erfahrung und dem frommen Gefühl, hin zur Bibel; weg von der Historie, hin zur Offenbarung Gottes; weg von der religiösen Rede über den Gottesbegriff, hin zur Verkündigung des Wortes Gottes; weg von Religion und Religiosität, hin zum christlichen Glauben; weg von den religiösen Bedürfnissen des Menschen, hin zu Gott, der der »ganz Andere« ist, offenbar allein in Jesus Christus.

Im Namen dieses ganz anderen Gottes, im Namen der Göttlichkeit Gottes, protestierte Karl Barth entschieden gegen jede »natürliche Theologie«: ob sie nun auftrat in der Gestalt des liberalen Neuprotestantismus, der sich im Gefolge Schleiermachers ganz am frommen, religiösen Menschen statt an Gott und seiner Offenbarung orientierte, oder aber in der Gestalt des römischen Katholizismus, der, im Gefolge von Scholastik und Vatikanum I Gott und Mensch gleichordnend, ein Zusammenspiel von Mensch und Gott, Natur und Gnade, Vernunft und Glaube, Philosophie und Theologie etabliert hatte. Insofern nahm die »dialektische Theologie« die großen *Intentionen der Reformatoren* wieder auf und sah den Menschen nicht mehr im harmonischen Natur-Übernatur-Schema, sondern in scharfer Frontstellung als den »Menschen im Widerspruch« (E. Brunner), wenngleich diese Theologen der Krise nicht gerade in der Weise Martin Luthers von der Vernunft als verführerischer »Hure« und der Philosophie als »Gauklerspieler Aristoteles«, von der Natur des Menschen als »völlig korrupt« und von der Welt als »des Teufels« sprachen. Aber grundsätzlich hatte schon mit der Reformation die protestantische Diastase die thomistische Synthese abgelöst:

Glaube	←——→	Vernunft
Gnade	←——→	Natur
Kirche	←——→	Welt
Theologie	←——→	Philosophie
Christianum	←——→	Humanum
+		–

So war Barths Theologie ein programmatischer Protest sowohl gegen das mittelalterliche römisch-katholische wie gegen das aufgeklärt-modern-liberale Paradigma von Theologie und Kirche. Sowohl der liberale Neuprotestantismus wie der römische Katholizismus hatten sich schließlich unkritisch-anpasserisch mit den herrschenden politischen Systemen arrangiert: nicht nur mit dem Kaiserreich und seiner Kriegspolitik, sondern auch mit dem Nationalsozialismus. Protestantische »deutsche Christen« sahen im Nationalsozialismus so etwas wie eine Art Offenbarung, im »Führer« einen – Christentum und Deutschtum verbindenden – neuen Luther oder gar Christus. Prominente Vertreter der katholischen Stockwerktheologie wie der Dogmatiker Michael Schmaus oder der Kirchenhistoriker Joseph Lortz aber befanden, der Nationalsozialismus wolle auf natürlicher Ebene das, was das Christentum auf übernatürlicher Ebene wolle (Ordnung, Einheit, Autorität, ein Reich, ein Führer).

In diesem Kontext initiierte Karl Barths »Theologie der Krise« den *Paradigmenwechsel vom modernen zu einem post-modernen Paradigma,* welches damals allerdings nur in schwachen Umrissen erkennbar war. Immerhin ist erstaunlich: Schon damals, nach dem Ersten Weltkrieg, sprach sich Karl Barth entschieden gegen jenen Nationalismus und Imperialismus aus, der das Erbe der modernen Epoche darstellte: für eine Politik des Friedens und sozialer Gerechtigkeit, für einen christlichen »Sozialismus«, für eine kritisch-prophetische Haltung der Kirche gegenüber allen politischen Systemen. Aber in alldem auch ein neuer theologischer Einsatz: 1934 inspirierte er die Barmer Synode mit ihrem klaren Bekenntnis zu Jesus Christus als dem »einen Worte Gottes«, neben dem nicht »noch andere Ereignisse und Mächte, Gestalten und Wahrheiten als Gottes Offenbarung« anerkannt werden dürfen.

Die großen Intentionen Karl Barths müssen heute bewahrt, aber zugleich in eine neue Zeit hinein übersetzt werden: In den menschlichen Zeugnissen der Bibel geht es um das Gotteswort, das zum Glauben (und nicht nur zur historischen Forschung) herausfordern will. In der Verkündigung hat die Kirche in ihrem Menschenwort dieses Gotteswort anzukündigen, auf das sich der Mensch vertrauensvoll einlassen darf: Die biblische Botschaft, entscheidendes Kriterium aller Rede von Gott, ist konzentriert auf Jesus Christus, in welchem für die Glaubenden Gott selber gesprochen und gehandelt hat.

Als ich Karl Barths Theologie zu studieren begann, lehrte Karl Barth, 1935 von seinem Bonner Lehrstuhl vertrieben, schon fast zwei Jahrzehnte an der Universität Basel »Kirchliche Dogmatik« und veröffentlichte Band um Band seines monumentalen Werkes, das er nie vollenden sollte. Aus der prophetisch-expressionistischen Theologie des Römerbriefes war unterdessen – das Wort, in Amerika beliebt, kann hier nicht ganz vermieden werden – die »neuorthodoxe« Systematik des Dogmatikers geworden, der selbst das Geheimnis der göttlichen Prädestination auf Hunderten von Seiten christologisch zu enthüllen versuchte und auch über Engel und Dämonen riesige Kapitel zu schreiben wußte. Gottes Schöpfung, in der »dialektischen« Phase des Anfangs nur als Einschlagtrichter für Gottes Gnade ernst genommen, wurde in der »Kirchlichen Dogmatik« in vier dicken Bänden abgehandelt, was selbstverständlich auch für die Gotteserkenntnis (der Heiden!) aus der Schöpfung Konsequenzen haben mußte. Doch wehrte sich Barth auch noch in der Schöpfungslehre gegen diese Einsicht, um erst in der Versöhnungslehre im letzten, noch vollständig veröffentlichten Band seiner Dogmatik – mit vielen Kautelen – endlich zuzugeben, daß es neben »dem einen Licht Jesus Christus« auch »andere Lichter«, neben dem »einen Wort« auch noch »andere wahre Worte« gebe. Eine Neubewertung der »natürlichen Theologie«, der Philosophie und der menschlichen Erfahrung überhaupt zeichnete sich hier ab, indirekt (und verschwiegen) aber auch der Weltreligionen, die von Karl Barth früher einfachhin als Formen des Unglaubens, des Götzendienstes und der Werkgerechtigkeit abqualifiziert worden waren.

Damit war das geschlossene System der »Kirchlichen Dogmatik«, das aus der Notwendigkeit eines Paradigmenwechsels weg von der liberalen Theologie unwillkürlich zu einer Neoorthodoxie geführt hatte, zumindest im Prinzip aufgesprengt und Barths »Offenbarungspositivismus«, wie ihn Dietrich Bonhoeffer in seinen Briefen aus dem Nazigefängnis kritisiert hatte, im Grunde die Basis entzogen worden. Barth wäre heute, wäre er wieder jung geworden, gewiß kein Barthianer, der sich selbst repetierte! Er, der sich gegen Ende seines Lebens – jetzt mehr im Zeichen der Menschlichkeit Gottes als nur seiner Göttlichkeit – mit seinem alten Kampfgefährten Emil Brunner versöhnt hatte, der früher mit seiner Theorie eines »Anknüpfungspunktes« im Menschen für Gottes Gnade Barths scharfes »Nein« und den Bruch provozierte: er hätte sich wohl heute auch mit seinem großen Gegenspieler Rudolf Bultmann versöhnt, der bei aller Bejahung von Barths theologischen Grundintentionen (die Gottheit Gottes, Gottes Wort, Verkündigung, Glaube ...) doch die wichtigen Anliegen der liberalen Theologie nicht einfach aufgeben und an der historisch-kritischen Methode in der Exegese und der Notwendigkeit von Entmythologisierung und einer Schriftinterpretation auf die menschliche Existenz hin festhalten wollte – postmodern, nicht vormodern!

4. *Überwindung der Kluft zwischen Exegese und Dogmatik*

Historisch-kritische Exegese konnte man in meinen Studienjahren zwar nicht innerhalb des neuscholastischen Programms der Gregoriana, wohl aber am Päpstlichen Bibelinstitut und später auch in Paris am Institut Catholique und an der Sorbonne (Oscar Cullmann!) lernen. Der Umzug an die deutsche Universität (1959) forderte auch für den Dogmatiker die intensive Beschäftigung mit der historischen Bibelkritik. Am Ende der fünfziger und zu Beginn der sechziger Jahre war die deutsche Theologie ohnehin weniger von der Dogmatik Karl Barths als von *Rudolf Bultmanns* – und seiner Schüler – Hermeneutik und Exegese beherrscht.

Es hatte mich von Anfang an tief beeindruckt, wie Bultmann in unbestechlicher Wahrhaftigkeit und aus einem umfassenden exegetisch-historisch-philosophischen Wissen heraus – inhaltlich an die Reformatoren, methodisch an Heideggers Existenzanalyse anknüpfend – das Wort der Bibel für den modernen Menschen so verständlich zu machen versuchte, daß dieser es wieder als Anrede Gottes vernehmen konnte. Aber von Anfang an schien es mir auch bedenklich, wie Bultmann (an den frühen Heidegger gefesselt) sich einer existentialistischen Reduktion verschrieb:

– wie er – bei aller berechtigten Kritik an Mythologemen wie Jungfrauengeburt, Höllen- und Himmelfahrt – in Hyperkritik den Jesus der Geschichte vernachlässigte;

– wie er den Kosmos, die Natur, die Umwelt zugunsten der menschlichen Existenz abblendete;

– wie er die reale Weltgeschichte auf menschliche Geschichtlichkeit, die echte Zukunft auf menschliche Zukünftigkeit reduzierte und so die konkrete Gesellschaft und die politische Dimension in seiner Theologie des In-der-Welt-Seins vernachlässigte, obwohl er in der nationalsozialistischen Zeit zusammen mit Barth tapfer seinen Mann gestellt hatte.

In Tübingen war Bultmannsche Exegese mit der Person *Ernst Käsemanns*, der seinem Lehrer Bultmann ebenso loyal wie kritisch gegenüberstand, eine echte Herausforderung für einen jungen katholischen Systematiker, der vor seinem katholischen Horizont – exegetisch bestens beraten von Karl Hermann Schelkle – seinen Standpunkt zwischen Barth und Bultmann zu finden hatte (seit 1960). Käsemann vor allem verdankt die Bultmann-Schule die Wiederentdeckung des historischen Jesus und der ekklesiologischen Problematik sowie eine geschärfte hermeneutische Problemstellung.

Seit jener Zeit ist mir klar: Evangelium und Neues Testament sind grundsätzlich zu unterscheiden. Was diese grundsätzliche Unterscheidung alles an Sachkritik am Neuen Testament einschließt, wurde mir freilich erst dann im vollen Ausmaß bewußt, als ich als Dogmatiker – anders als in katholischer und auch evangelischer Dogmatik bis heute üblich – die Ergebnisse der historisch-kritischen Exegese nicht nur intensiv studierte, sondern auch in die Dogmatik umfassend integrierte. Es war ein langer, mühseliger und konfliktreicher Weg zu gehen.

Zunehmend war mir so deutlich geworden, wie sehr die systematische Theologie die Exegese nicht nur als Hilfswissenschaft, sondern als »theologische Basiswissenschaft« (J. Blank) benötigt; eine von den meisten Dogmatikern faktisch abgewiesene, von mir grundsätzlich zu akzeptierende, praktisch zu realisierende, wenngleich kritisch zu ergänzende hermeneutisch-methodische Konsequenz, die aus jenem Primat der Schrift folgt, die nach dem Zweiten Vatikanischen Konzil, welches sowohl den Paradigmenwechsel der Reformation wie den der Moderne nachzuvollziehen versuchte, die »Seele«, das »Lebensprinzip«, auch der katholischen Theologie sein soll. Die Vorordnung der im Neuen Testament niedergelegten *ursprünglichen* (authentischen) Tradition von Jesus, dem Christus (normierende Norm), gegenüber aller *nachfolgenden* kirchlichen Tradition (die normierte Norm der Väter, Konzilien, Päpste) muß für die Verhältnisbestimmung von Exegese und Dogmatik Konsequenzen haben. Nein, die Würde der Dogmatik – ich ziehe den Namen »systematische Theologie« (der freilich auch Fundamentaltheologie und Ethik miteinschließt) vor – wird damit in keiner Weise angetastet, vielmehr wird sie von der Basis her untermauert.

Allerdings darf die These von der Exegese als theologischer Basiswissenschaft nicht einseitig auf die Dogmatik (und Ethik und Praktik) hin formuliert werden. Sie ist – unter Berücksichtigung insbesondere der Dogmen-, Theologie- und Kirchengeschichte, die ebensowenig wie das Neue Testament nur als »Steinbruch« benützt werden dürfen! – als Herausforderung auch an die Exegese selbst zu präzisieren. Ist doch die »Basis« der Theologie das Ganze nicht! Man kann somit als Systematiker, und ich habe es schon verschiedentlich getan, auf die Herausforderung des Exegeten hin eine umfassendere These so formulieren: *Die historisch-kritisch begründete Exegese ruft nach einer historisch-kritisch verantworteten Dogmatik!*

In der Tat: Die Kluft zwischen Exegese und Systematik ist das Elend heutiger Dogmatik! Eine vom christlichen Ursprung her verantwortete Dogmatik läßt sich heute – darauf insistiert Gerhard Ebeling zu Recht – nur auf der Grundlage des von der Exegese historisch-kritisch ermittelten biblischen Befundes treiben. Man kann es nicht oft genug sagen: Eine ungeschichtliche Dogmatik ist ebenso überholt wie eine ungeschichtliche Exegese, mag sie sich noch so modern geben. Eine Dogmatik, die die exegetischen Ergebnisse nur ungenügend (selektiv) zur Kenntnis nimmt, ist selbst ungenügend. Eine Dogmatik, die – statt kritisch zu arbeiten – auf katholische, orthodoxe oder protestantische Manier autoritär bleibt, ist nicht wissenschaftlich: Wissenschaftliches Wahrheitsethos und methodische Disziplin, kritische Diskussion der Ergebnisse und kritische Überprüfung der Problemstellungen und Methoden sind von der Dogmatik ebensosehr gefordert wie von der Exegese. Wie die Bibel (vgl. Vatikanum II), so muß auch das Dogma historisch-kritisch interpretiert werden. Wie die moderne Exegese, so muß auch die moderne Dogmatik einen streng geschichtlichen Ansatz verfolgen und kompromißlos durchhalten: Auch ihre Wahrheit muß stets geschichtlich verankerte Wahrheit sein!

Nun beansprucht heute bekanntlich jede halbwegs ernsthafte Dogmatik, in irgendeiner Weise wissenschaftlich, kritisch, geschichtlich zu sein. Und jede ernsthafte Dogmatik ist somit irgendwie an historisch-kritischer Verantwortung interessiert. Entscheidend ist indessen, *wie* man diese historisch-kritische Verantwortung konkret wahrnimmt, wie man die Ergebnisse der Exegese anwendet. Die Gretchenfrage: Ist man *bereit, die Dogmen der eigenen Kirche* (und jede Kirche hat die ihren!) *im Lichte der kritischen Exegese* und nicht umgekehrt *zu interpretieren?* Oder beruft man sich etwa plötzlich auf »Grenzen« der historisch-kritischen Methode, wo man in Konflikt mit der etablierten kirchlichen (katholischen, orthodoxen oder protestantischen) Lehre gerät?

Es läßt sich nicht übersehen: ein ungeschichtlich-kompromißlerischer Biblizismus und Dogmatismus beherrschen in der evangelischen Theologie – etwa bezüglich Erbsünde, Hölle und Teufel, aber auch Christologie und Trinität – noch mehr das Feld, als man dort in selbstbewußter Fortschrittlichkeit gerne zugibt. Bultmann wird gelobt, aber faktisch ebenso ignoriert wie Harnack; man rühmt seine existenzbezogene Interpretation und unterschlägt seine Entmythologisierung. In der katholischen Theologie wiederum gesteht man nur ungern ein, daß sich bestimmte Aussagen des Konzils von Trient, etwa bezüglich der Sakramente, oder gar des Vatikanum I, bezüglich der Unfehlbarkeit des Papstes und der Konzilien, kaum vom Neuen Testament und der Geschichte der alten Kirche her verantworten lassen. In Angst vor der wiedererstandenen römischen Inquisition (J. Ratzinger) wagt man bestenfalls kuriose Scheinlösungen (eine »gemäßigte« oder »fehlbare« Unfehlbarkeit) vorzutragen; wir leben in einer »winterlichen Kirche«, sagte jetzt kurz vor seinem Tod auch Karl Rahner.

Nicht selten kann man gerade dort, wo man nicht von vornherein dogmatisch von oben herab kommt, einen typischen Sprung in der Vorgehensweise beobachten: Da beginnt ein katholischer oder evangelischer Dogmatiker exegetisch verantwortet Schritt um Schritt den Berg zu besteigen, kommt dann aber, wo der Weg theologischer Erkenntnis nicht weiterzugehen scheint, plötzlich von oben her auf den »Gipfel« eingeflogen und redet nun vom dreieinigen Gott und seinen »Geheimnissen« so, als ob er inzwischen den Himmel gleichsam von innen gesehen hätte. Auf diese Weise ignoriert man zwar nicht mehr die Ergebnisse der historischen Kritik, aber man überspielt sie spekulativ, statt daß man die Provokation der Exegese und Dogmengeschichte annimmt und seine Theologie – auch bezüglich der genannten hohen Dogmen – modifiziert.

Es ist also auch heute keineswegs selbstverständlich, wenn man sich als systematischer Theologe statt für neuscholastische Konservierung oder spekulative Harmonisierung für konsequente historisch-kritische Verantwortung entscheidet. Geht es hier doch um eine erste Konstante allen Theologisierens, nach der ich mich in allem, was ich theologisch zu entwerfen trachte, zu richten versuche.

5. *Die christliche Botschaft als Grundnorm der Theologie*

Die erste Konstante der Theologie auch in einem neuen ökumenischen Paradigma habe ich wie folgt formuliert: Grundnorm einer kritischen ökumenischen Theologie ist die – jüdischer Tradition entspringende – christliche Botschaft, das *Evangelium Jesu Christi*. Dieses christliche Ur- und Grundzeugnis, wie es sich in den alt- und neutestamentlichen Schriften niedergeschlagen hat, ist ganz und gar konzentriert auf den lebendigen Jesus der Geschichte, der auch für meinen ganz persönlichen christlichen Glauben Norm und Kriterium ist. Das älteste christliche Glaubensbekenntnis lautet ja einfach: »Iesous Kyrios«, »Jesus ist Herr«. Das heißt: nicht der Kaiser und nicht der Papst, nicht der Staat und nicht die Kirche, nicht die Partei und nicht der Führer, nicht das Geld und nicht die Macht, nein, dieser Mensch Jesus von Nazaret, sofern er in seiner Verkündigung und seinem Verhalten, seinem Kämpfen, Leiden, Sterben und neuem Leben für Gott selbst steht – sein Bild, Wort, Sohn, Christus.

Angesichts des heutigen Problembewußtseins ist aber dieser Glaube an Jesus Christus von der Theologie durch historisch-kritische Jesusforschung zu verantworten und gegen unkirchliche wie kirchliche Mißdeutungen zu schützen. Die historische Rückfrage auf den Jesus der Geschichte ist aufgrund der neutestamentlichen Quellen möglich und angesichts des heutigen fortgeschrittenen Problembewußtseins notwendig. Das Christentum gründet ja nicht auf Mythen, Legenden oder Märchen, auch nicht nur auf einer Lehre (es ist keine »Buchreligion«), sondern primär auf einer geschichtlichen Persönlichkeit: Jesus von Nazaret, der als der Christus Gottes geglaubt wird. Man weiß es: Die neutestamentlichen Zeugnisse – kerygmatische Berichte – ermöglichen es zwar nicht, die biographische oder psychologische Entwicklung Jesu zu rekonstruieren, was auch gar nicht notwendig ist. Aber sie ermöglichen, was aus theologischen wie pastoralen Gründen heute dringend erfordert ist: die im Lauf der Jahrhunderte so oft übermalten und verdeckten ursprünglichen Umrisse seiner Botschaft, seiner Lebenspraxis, seines Lebensschicksals und so seiner Person neu in den Blick zu bekommen. *Nicht* eine *»Rekonstruktion«, sondern* eine *»Wiederentdeckung« des Jesus der Geschichte:* Dem heutigen Menschen soll ermöglicht werden – darin weiß ich mich mit dem katholischen Dogmatiker Edward Schillebeeckx einig –, dem *itinerarium mentis* der ersten Jünger von der Taufe Jesu bis zu seinem Tod nachzugehen, um zu verstehen, warum sie ihn nach seinem Tod als den lebendigen Christus, als Bild, Wort und Sohn Gottes bekannt haben. Nur von seiner Verkündigung und Lebenspraxis her wird ja auch seine Hinrichtung verständlich, werden Kreuz und Auferweckung nicht zum abstrakten »Heilsereignis« formalisiert.

Nur diejenige Theologie, welche die von der Geschichte selbst gestellten Probleme berücksichtigt und weitestmöglich beantwortet, ist eine Theologie auf der Höhe heutigen Problembewußtseins, wie es zumindest unter den westlich Gebildeten in West *und* Ost lebendig ist, und ist in diesem Sinne eine auf der Höhe der Zeit stehende wissenschaftliche Theologie. Deshalb ist es unumgänglich, die historisch-kritische Methode, aber auch andere literar-kritische Methoden anzuwenden, um herauszufinden, was mit wissenschaftlicher Gewißheit oder größtmöglicher Wahrscheinlichkeit über den Jesus der Geschichte feststeht.

6. Die heutige Erfahrungswelt als Horizont der Theologie

Eine Theologie mag sich noch so einigeln, ob sie es will oder nicht, immer ist sie mit der Welt konfrontiert. Eine zeitgenössisch-zeitgemäße Theologie ist sie freilich nur, wenn sie sich der gegenwärtigen Welt stellt und ihren Nöten und Hoffnungen öffnet. Als die *zweite Konstante* der Theologie auch in einem neuen Paradigma habe ich festgestellt: Horizont einer kritischen ökumenischen Theologie ist unsere *gegenwärtige Erfahrungswelt* in all ihrer Ambivalenz, Kontingenz und Veränderlichkeit. Diese unsere heutige so ambivalente Wirklichkeit wird allerdings nicht nur durch aktuelle, sondern auch durch historische Erfahrungen konstituiert. Und nur diejenige Theologie kann eine Theologie für heute sein, die sich auf die Erfahrungen der heutigen Menschheit, welche sich im Übergang von der Moderne zur Postmoderne befindet, kritisch-konstruktiv einläßt.

Es bedarf wohl keiner breiten Ausführungen, daß sich nach dem Paradigmenwechsel der Reformation im 17./18. Jahrhundert ein neuer Paradigmenwechsel zur Modernität abgezeichnet hat: das *moderne Paradigma,* wie es von der modernen Philosophie und Naturwissenschaft und vom neuen Verständnis von Staat und Gesellschaft bestimmt ist. Diese im strengen Sinn »neuzeitliche« Gesamtkonstellation orientierte sich – im Gegensatz zur Reformation und im Anschluß an manche Tendenzen der Renaissance, die sich aber, rückwärts orientiert, gegen Reformation und Gegenreformation zunächst nicht durchzusetzen vermochten – am *Primat der Vernunft* gegenüber dem Glauben, der *Philosophie* (mit ihrer Wende zum Menschen) gegenüber der Theologie, der *Natur* (Naturwissenschaft, Naturphilosophie, Naturreligion) gegenüber der Gnade, der sich nun immer mehr säkularisierenden *Welt* gegenüber der Kirche, kurz: gegenüber dem Proprium Christianum wird das universale *Humanum* betont. Insofern erscheint die Moderne, schematisch betrachtet, als Gegenkonstellation zum Paradigma der Reformation.

Vernunft	←——→	Glaube
Natur	←——→	Gnade
Welt	←——→	Kirche
Philosophie	←——→	Theologie
Humanum	←——→	Christianum
+		–

7. Vom modern-aufklärerischen zum postmodernen Paradigma

Religion wurde so in der Neuzeit immer mehr privatisiert und ignoriert, verdrängt und – wegen der reaktionären Haltung der Kirchen – geradezu verfolgt. Jedenfalls darf sich die Theologie von dieser oppositionellen Gesamtströmung nicht beirren lassen und sich gar nun ihrerseits auf Apologetik versteifen. Das Ende des konfessionalistischen Denkens im 17./18. Jahrhundert und die Heraufkunft eines neuzeitlichen Denkens mit Aufklärung, deutschem Idealismus und Romantik bedeutet für die Theologie einen keineswegs nur negativ zu verstehenden epochalen Einschnitt. Auch in dieser Zeit gab es große Theologie, und dem klassischen Repräsentanten neuzeitlicher Theologie, Friedrich Schleiermacher, hat selbst Karl Barth immer wieder seinen Respekt entgegengebracht. Eine Fülle verschiedenster Erfahrungen ist bis zur Zeit des Ersten Weltkrieges auf diese Theologie der Neuzeit zugekommen und hat ihr Verständnis von Mensch, Gesellschaft, Kosmos und auch Gott von Grund auf verändert. Diese Erfahrungen können und dürfen in der Postmoderne nicht rückgängig gemacht werden. Verändert haben die Theologie – knapp angedeutet – bleibende Ergebnisse der modernen *Naturwissenschaft*, der modernen *Philosophie*, der modernen *Demokratie*, der modernen *Religionskritik*, der modernen *Human- und Sozialwissenschaften*, der modernen *Exegese und Historie* ...

Seit dem gesamtkulturellen Umbruch im Zusammenhang der beiden Weltkriege hat man »*das Ende der Neuzeit*« (Romano Guardini) und die neue »geistige Situation der Zeit« (Karl Jaspers) immer wieder diagnostiziert, und wenn nicht alles täuscht, befinden wir uns tatsächlich mitten im Übergang vom modernen zu einem *postmodernen Paradigma*, das hier ebenfalls nur knapp skizziert werden kann. Unübersehbar ist ja in unserer Epoche:

– daß sich – verglichen mit 1918 oder noch 1945 – die weltpolitische Konstellation völlig verändert hat und der europäische Imperialismus und Kolonialismus abgelöst wurde durch eine polyzentrische Weltökumene;

– daß moderne Befreiungsbewegungen, die sich bereits im 19. Jahrhundert ankündigten und zwischen den Kriegen erstark-

ten, nach dem Zweiten Weltkrieg auf breiter Basis durchgebrochen sind;
– daß sich der Kampf nicht nur gegen Imperialismus und Kolonialismus, sondern auch gegen Rassismus, Sexismus und ungerechte soziale Strukturen richtet, um so Frauen, Farbigen und der Dritten Welt volle Gerechtigkeit widerfahren zu lassen;
– daß die Mächte der Neuzeit – Wissenschaft, Technologie und Industrie – zutiefst fragwürdig geworden sind und um der Menschlichkeit des Menschen und der Bewohnbarkeit der Erde willen neu der ethischen Verantwortung und Kontrolle unterstellt werden müssen;
– daß manche alternativen Bewegungen – von der Umweltbewegung bis zur Friedensbewegung – in vieler Hinsicht eine post-materialistische Weltsicht anzukünden scheinen;
– daß so von vielen der große Gott der Moderne, »Fortschritt« genannt, als falscher Gott entlarvt wurde und der Ruf nach dem wahren Gott wieder laut geworden ist, und dies nicht nur im Christentum ...

Alles in allem eine ungeheure Herausforderung für jede Theologie, besonders diejenige, die heutzutage noch nicht einmal die Desiderate der Moderne integriert hat und jetzt den Anforderungen des neuen postmodernen Paradigmas genügen sollte. Übersprungen werden dürfen die kritischen Desiderate der Moderne dabei nicht: allzugerne (und wenig ehrlich) reichen sich Verehrer des mittelalterlich-gegenreformatorisch-antimodernistischen Paradigmas in ihrer Vernunft- und Aufklärungskritik mit Vertretern des postmodernen Paradigmas die Hand! Nein, »Aufklärung« darf nicht übersprungen oder rückgängig gemacht werden. Sie muß vollendet werden: durch eine über ihre eigene Leistungsfähigkeit und Grenzen aufgeklärte Aufklärung, welche Religion nicht mehr ignoriert, verdrängt oder gar unterdrückt, sondern auf neue Weise kritisch integriert. Wenn nicht alles täuscht, stehen wir mitten im Prozeß der *Wiederentdekkung von Religion in der Ersten, Zweiten und Dritten Welt*. Religion erweist sich offenbar als resistenter, als Kulturdiagnostiker aller religionskritischen Schattierungen wahrhaben wollen. Und die Theologie? Die Chance, die in dieser geistesgeschichtlichen Situation für die Theologie gegeben ist, kann ich nur andeuten.

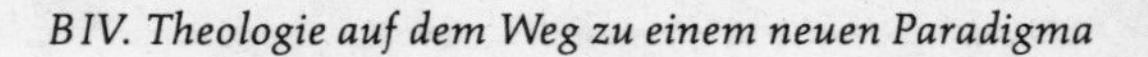

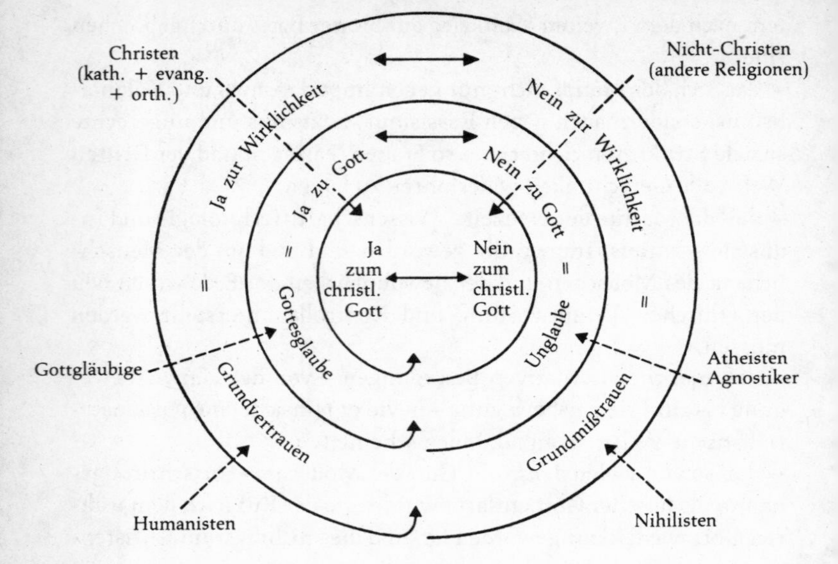

8. Theologie im postmodernen Paradigma

Nur eine Theologie vor heutigem Erfahrungshorizont, nur eine streng wissenschaftliche und gerade so weltoffene und gegenwartsbezogene Theologie: nur eine solche Theologie, so scheint es mir, rechtfertigt ihren Platz an der Universität inmitten aller anderen Wissenschaften. Nur eine solche Theologie ist eine wahrhaft ökumenische Theologie, welche die noch immer weitverbreitete konfessionalistische Gettomentalität abgelegt hat und die größtmögliche Toleranz gegenüber dem Außerkirchlichen, Allgemeinreligiösen, dem Menschlichen überhaupt zu verbinden vermag mit der Herausarbeitung des spezifisch Christlichen.

Wo kann Theologie ansetzen? Was sind ihre erkenntniskritischen Grundlagen? Anders gesagt: muß sich die Theologie nicht angesichts der Ambivalenz, Kontingenz und Veränderlichkeit unserer Erfahrungswelt heute – und hier kommen wir gegen Ende unserer Überlegungen auf unseren Anfang zurück – die Frage nach dem *angeblich evidenten Unterbau unserer Erkenntnis* stellen? Diese Frage ist nicht nur an die Neuscholastik und das mittelalterliche Paradigma, sondern auch an Descartes und das Paradigma der Moderne gerichtet: War man auf dem Weg des methodischen Zweifels nicht auf einer recht schmalen Spur, eben der der intellektuellen, gedanklichen Gewißheit? Hätte man, wirklich radikal zweifelnd, nicht gerade an dieser Gewißheit zweifeln müssen? Müßte man also nicht sehr viel tiefer ansetzen und nicht nur nach der Wahrheit unseres vernünftigen Denkens fragen, sondern – welcher radikalen Fragestellung auch der »kritische Rationalismus« (Hans Albert) beharrlich ausweicht – überhaupt nach der Vernünftigkeit der Vernunft? Nicht nur nach der Überwindung des Zweifels, sondern der Überwindung der Verzweiflung? Nicht nur nach der Wirklichkeit von Gott und Welt, sondern nach der Wirklichkeit der im Zweifeln und Denken erfahrenen eigenen Existenz? Kann also gerade der heutige Mensch noch auf kartesianisch-intellektuelle Weise zur Grundgewißheit kommen?

Menschen machen sich oft nicht bewußt, daß sie in all ihrem Denken und Tun praktisch ständig die Vernünftigkeit der Vernunft voraussetzen und sich so auf die ambivalente Wirklichkeit von Welt und Mensch verlassen. Das heißt: es waltet in all unserem Zweifeln und Denken, in unseren Intuitionen und Deduktionen ein Apriori, ein *Voraus des Vertrauens*, das wir freilich meist selbstverständlich praktizieren und das jeder Mensch – Christ oder Nichtchrist, Theist oder Atheist – in durchaus vernünftiger Weise wagen, aber doch auch verweigern kann.

Diese Grundeinsicht, die mir in meinen römischen Studienjahren aufgegangen ist, die ich in meiner ersten Tübinger Vorlesung (1960) zum erstenmal wissenschaftlich dargelegt und schließlich in »Existiert Gott?« (1978) breit entfaltet habe, bildet für mich den theologischen Grundansatz für die Überwindung sowohl der mittelalterlich-neuscholastischen Stockwerkharmonie (»Glaube über Vernunft«) wie der Dichotomie reformatorisch-protestantischer (»Glaube gegen Vernunft«) oder aufgeklärt-moderner (»Vernunft gegen Glaube«) Provenienz. Solch traditionelle Fragestellungen werden radikal, von der Wurzel her, überholt, wenn man bedenkt:

– daß es angesichts der ganz und gar fraglichen Wirklichkeit insgesamt um eine grundsätzliche Stellungnahme, eine positive oder negative Grundentscheidung geht, welche die Grundeinstellung des

Menschen zur Wirklichkeit überhaupt bestimmt, trägt, einfärbt: die Grundeinstellung zu sich selbst, zu den anderen Menschen, zur Gesellschaft, zur Welt;

– daß der Mensch in einem grundstürzenden Mißtrauen dem Leben, der Vernunft, der Wirklichkeit gegenüber ein grundsätzliches oder faktisches, wenngleich in der Praxis kaum konsequent durchhaltbares Nein zur fraglichen Wirklichkeit seiner selbst und der Welt sagen kann, in welchem er sich der Wirklichkeit verschließt (die Option des – grundsätzlichen oder faktischen – Nihilismus);

– daß der Mensch aber auch in einem grundlegenden Vertrauen zum Leben, zur Vernunft, zur Wirklichkeit überhaupt ein grundsätzliches oder faktisches und in der Praxis trotz aller Schwierigkeiten und Anfechtungen konsequent durchhaltbares Ja zur fraglichen Wirklichkeit seiner selbst und der Welt sagen kann, in welchem er sich der Wirklichkeit öffnet (die Option des – grundsätzlichen oder faktischen – Grundvertrauens);

– daß dieses Grundvertrauen im Vollzug selbst eine ursprüngliche Vernünftigkeit, eine innere Rationalität offenbart: ein Grundvertrauen, das in dieser so unheilen Welt als Gabe erfahren werden kann, aber zugleich immer wieder Aufgabe bleibt, ein rational verantwortbares, also nicht unvernünftiges, sondern durchaus vernünftiges Wagnis, das aber so immer ein letztlich überrationales Wagnis bleibt.

Dies ist der Weg zwischen einem irrationalen »unkritischen Dogmatismus« und einem letztlich ebenfalls irrational fundierten »kritischen Rationalismus«: der *Weg kritischer Rationalität.* Im Hinblick auf die klassischen Lösungen der Theologiegeschichte aber sind damit folgende Abgrenzungen deutlich geworden:

(1) Gegenüber dem mittelalterlich-neuscholastischen Stockwerkdenken läßt sich zeigen: der *Glaube* ist *nicht einfach über der Vernunft!*

– Denn schon auf der angeblich »natürlichen« Ebene der Vernunft und der Evidenz geht es um ein (gerade nicht einfach evidentes) Grundvertrauen (oder Grundmißtrauen), geht es um eine vertrauensvoll angenommene oder aber nihilistisch zurückgewiesene »Gnade«.

– Auch daß Gott ist, wird angenommen nicht stringent aufgrund eines Beweises oder Aufweises der reinen Vernunft, wie dies die »natürliche Theologie« beansprucht, sondern aufgrund eines – in der Wirklichkeit selbst begründeten – Vertrauens.

(2) Gegenüber der protestantisch-Barthschen Dichotomie ist zu betonen: Der *Glaube* ist *nicht gegen die Vernunft!*

Was sich auf der Ebene der Vernunft abspielt – im Alltagsdenken, in Beruf und Wissenschaft, in der Philosophie, in den Religionen –, ist für den Glauben nicht einfach irrelevant oder ihm von vornherein entgegengesetzt, sondern ist bestimmt durch die Dialektik von Bejahung und Verneinung, Grundvertrauen und Grundmißtrauen, Rechtfertigung und Verwerfung, in der jeder Mensch – Christ und Nichtchrist – steht. Auch der Glaube an Gott ist nicht ausschließlich aufgrund des biblischen Offenbarungszeugnisses möglich, wie die Barthsche Theologie behauptet, sondern – wie im Fall der nichtchristlichen Gottgläubigen – auch aufgrund eines (in der Wirklichkeit selbst begründeten) Vertrauens, das so zum Gottvertrauen, zum Gottesglauben (aus Gottes Offenbarung und Gnade) wird.

(3) Gegenüber der modern-aufklärerischen Dichotomie läßt sich herausarbeiten: Die *Vernunft* ist *nicht gegen den Glauben!*

– Denn schon das vernünftige Funktionieren der Vernunft setzt ein Vertrauen in die Vernunft voraus, das nicht rein rational begründet werden kann.

– Auch der Glaube an Gott ist nicht ein unvernünftiges, blindes Wagnis, sondern ein vor der Vernunft verantwortbares, in der Wirklichkeit selbst begründetes Vertrauen.

Von diesem ökumenischen Grundansatz her ließ sich entwickeln, was Gottesglaube und insbesondere christlicher Gottesglaube, ja, was »Christ sein« (1974) im *postmodernen Paradigma* bedeuten und wie von dort her »Christentum und Weltreligionen« (1984) zu verstehen sind. Aber hier muß ich meine weniger inhaltliche als historisch-hermeneutische Einführung in »meine« Theologie abbrechen und will zum Schluß nur kurz vermerken, welche konkreten Maßstäbe im Rahmen dieses zeitgenössischen Paradigmas ich meiner Theologie gestellt habe; anderen sei das Urteil anheimgestellt, wie weit ich ihnen entsprochen habe.

9. Ethos und Stil kritischer ökumenischer Theologie

Was zunächst das *Ethos* allen Theologisierens betrifft, so sind für mich folgende Kriterien von Bedeutung, die sich hier erneut einzuschärfen lohnen, sind sie doch der »cantus firmus« dieses Buches: Für eine Theologie im neuen postmodernen Paradigma braucht es:
(1) Eine nicht opportunistisch-konformistische, sondern eine *wahrhaftige* Theologie: eine denkende Rechenschaft vom Glauben, welche die christliche Wahrheit in Wahrhaftigkeit sucht und sagt.

Und dies durchaus zum Dienst an der *Einheit* der Kirche Jesu Christi. Denn: keine wahrhaftige Kirche ohne eine wahrhaftige Theologie!
(2) Eine nicht autoritäre, sondern eine *freie* Theologie: eine Theologie, die ihrer Aufgabe ohne Behinderung durch administrative Maßnahmen und Sanktionen von seiten der Kirchenleitungen nachkommt und ihre begründeten Überzeugungen nach bestem Wissen und Gewissen ausspricht und publiziert.

Und dies durchaus zum Dienst an der *Autorität* der Kirche. Denn: keine freie Kirche ohne eine freie Theologie!
(3) Eine nicht traditionalistische, sondern *kritische* Theologie: eine Theologie, die frei und wahrhaftig sich verpflichtet weiß dem wissenschaftlichen Wahrheitsethos, der methodologischen Disziplin und der kritischen Überprüfung all ihrer Problemstellungen, Methoden und Ergebnisse.

Und dies durchaus zum Dienst an der *Erbauung* der Kirche, ihres Aufbaus in dieser Gesellschaft. Denn: keine kritische Kirche in dieser Gesellschaft ohne eine kritische Theologie!
(4) Eine nicht konfessionalistische, sondern *ökumenische* Theologie: eine Theologie, die in der je anderen Theologie nicht mehr den Gegner, sondern den Partner sieht und die statt der Trennung auf Verständigung aus ist, und dies nach zwei Richtungen: *ad intra*, für den Bereich der zwischenkirchlichen, innerchristlichen Ökumene, und *ad extra*, für den Bereich der außerkirchlichen, außerchristlichen Weltökumene mit ihren verschiedenen Regionen, Religionen, Ideologien und Wissenschaften. Diese Art von Ökumenizität entspricht den transkulturellen oder universalistischen Aspekten der Paradigmenanalyse in Theologie und in anderen Disziplinen.

Und dies durchaus zum Dienst an der *Sendung* der Kirche in dieser Gesellschaft. Denn: keine ökumenische Kirche ohne eine ökumenische Theologie!

Es ist hier der Ort, programmatisch herauszustellen, was ich bereits im Zusammenhang des Erscheinens von »Existiert Gott?« (1978) formulierte: Eine Theologie im neuen Paradigma fordert ebenfalls einen anderen *Stil* allen Theologisierens. Folgende Grundsätze sollten für eine solche Theologie gelten:

(1) Keine Geheimwissenschaft nur für schon Glaubende, sondern Verständlichkeit auch für Nicht-Glaubende.

(2) Keine Prämierung »schlichten« Glaubens oder Verteidigung eines »kirchlichen« Systems, sondern in strenger Wissenschaftlichkeit kompromißloses Mühen um die Wahrheit.

(3) Ideologische Gegner sollen weder ignoriert noch verketzert noch theologisch vereinnahmt, sondern in größtmöglicher Weite und Toleranz »in optimam partem« interpretiert und zugleich der fairen, sachlichen Diskussion ausgesetzt werden.

(4) Interdisziplinarität ist nicht nur zu fordern, sondern zu üben: Dialog mit den mitbetroffenen Wissenschaften und Konzentration auf die eigene Sache gehören zusammen.

(5) Kein feindliches Gegeneinander, aber auch kein friedlich-schiedliches Nebeneinander, sondern ein kritisch-dialogisches Miteinander, insbesondere von Theologie und Philosophie, von Theologie und Naturwissenschaft, von Theologie und Literatur: Religion und Rationalität, aber auch Religion und Poesie gehören zusammen!

(6) Es sollen nicht Probleme der Vergangenheit Priorität haben, sondern die weiträumigen und vielschichtigen Probleme der Menschen und der menschlichen Gesellschaft von heute.

(7) Die alle anderen Normen normierende Norm einer christlichen Theologie kann nicht wieder irgendeine kirchliche oder theologische Tradition oder Institution, sondern nur das Evangelium, die ursprüngliche christliche Botschaft selbst sein: eine Theologie, überall orientiert am historisch-kritisch analysierten biblischen Befund!

(8) Es soll weder in biblischen Archaismen und hellenistisch-scho-

lastischen Dogmatismen noch in modischem philosophisch-theologischem Jargon geredet werden, sondern in der allgemeinverständlichen Sprache der heutigen Menschen, wofür keine Anstrengung zu scheuen ist.

(9) Glaubbare Theorie und lebbare Praxis, Dogmatik und Ethik, persönliche Frömmigkeit und Reform der Institutionen sind nicht zu trennen, sondern in ihrem unverbrüchlichen Zusammenhang zu sehen.

(10) Keine konfessionalistische Gettomentalität, sondern ökumenische Weite, die die Weltreligionen ebenso mitberücksichtigt wie die modernen Ideologien: Größtmögliche Toleranz gegenüber dem Außerkirchlichen, Allgemeinreligiösen, dem Menschlichen überhaupt und andererseits Herausarbeitung des spezifisch Christlichen gehören zusammen!

Müßte ich der Theologie des neuen Paradigmas schließlich einen Namen geben, so würde ich sie abgekürzt – ohne mich darauf festzulegen – eine *kritische ökumenische Theologie* nennen. Was für mich auch ganz persönlich – es sei hier wiederholt – heißt: eine Theologie, die in einem neuen Zeitalter *gleichzeitig* zu sein versucht:

(1) »katholisch«, beständig um die »ganze«, die »universale« Kirche bemüht – *und* gleichzeitig »evangelisch«, streng auf die Schrift, auf das Evangelium bezogen;

(2) »traditionell«, stets vor der Geschichte verantwortet – *und* zugleich »zeitgenössisch«, betroffen die Fragen der Gegenwart aufgreifend;

(3) »christozentrisch«, entschieden und unterschieden christlich – *und* doch »ökumenisch«, auf die »Ökumene«, den ganzen »bewohnten Erdkreis«, alle christlichen Kirchen, alle Religionen, alle Regionen ausgerichtet;

(4) theoretisch-wissenschaftlich, mit der Lehre, der Wahrheit befaßt – *und* gleichzeitig praktisch-pastoral, um das Leben, die Erneuerung und Reform bemüht.

Doch nun genug der Selbstbeschreibung! Der große Denker Blaise Pascal sagte von den Autoren, die ähnlich wie Hauseigentümer von »meinem Buch, meinem Kommentar, meiner Geschichte usw.« sprechen, sie würden besser von »unserem Buch, unserem Kommentar, unserer Geschichte« reden, da sich darin gewöhnlich mehr vom Gut anderer als von ihrem eigenen finde.

C. AUFBRUCH ZU EINER THEOLOGIE DER WELTRELIGIONEN

I. Zum Paradigmenwechsel in den Weltreligionen

Vorüberlegungen zu einer Analyse der religiösen Situation der Zeit

Der Friede unter den Religionen ist Voraussetzung für den Frieden unter den Nationen. Was heute not täte, wäre eine global ausgerichtete Analyse der religiösen Situation der Zeit unter der Leitfrage: Wie ist am Ende des zweiten christlichen Jahrtausends die Situation der Religionen in der heutigen Welt, da keine der großen Religionen noch für sich allein sein kann? Wo finden sich Antagonismen und wo Parallelen, wo Divergenzen und wo Konvergenzen, wo also Ansätze zu einem Gespräch und zu wachsender Verständigung?

Selbstverständlich stellen sich einer solchen globalen Analyse ungeheure Schwierigkeiten entgegen, soll es sich nicht nur um ein additives Sammeln von Daten, um lexikographisches Abhandeln einzelner Kontinente oder Länder, um rein historisches oder phänomenologisches Nebeneinanderstellen einzelner Religionen und Konfessionen handeln. Nicht an Informationen fehlt es ja (die man sich freilich unmöglich aus Büchern allein beschaffen kann); im Gegenteil: wir leiden doch an Überinformation auch bezüglich der einzelnen Regionen und Religionen. Unser Hauptproblem ist vielmehr die kritische Zusammenschau aller großen Religionen, wenn man die religiöse Situation der Zeit global sichten will. Und da kann eine Reflexion auf die Paradigmenwechsel in den Weltreligionen höchst hilfreich sein, weil sie *Periodisierung* und *Strukturierung* verbindet.

Allerdings stehen wir mit solchen Überlegungen noch am Anfang. Ein bedeutender Schritt nach vorn war das im Januar 1984 an der Universität von Hawaii veranstaltete Symposion über den Paradigmenwechsel in gerade jenen beiden Religionen, die sich am fremdesten zu sein scheinen: »Paradigm Changes in Buddhism and Christianity«, das auf ungewöhnliches Echo stieß und an dessen Langzeitwirkungen nicht zu zweifeln ist. So seien denn hier einige grundsätzliche hermeneutische Überlegungen vorgetragen, die sich mir im Zusammenhang des Symposions und der inzwischen geleisteten Nacharbeit aufdrängen. Aus räumlichen Gründen ist auch hier eine Konzentration auf die beiden auf dem Symposion behandelten Religionen, Christentum und Buddhismus, notwendig.

1. Die Unterscheidung zwischen Religion und Paradigma

Jede der großen Weltreligionen hat ihre Paradigmenwechsel durchgemacht – diejenigen der semitisch-prophetischen Tradition (Judentum, Christentum und Islam) ebenso wie diejenigen indischen (Hinduismus, Buddhismus) und chinesischen (Konfuzianismus, Taoismus) Ursprungs. Will man aber eine totale Verwirrung vermeiden, muß der ebenso weite wie elastische und daher sehr praktikable Begriff »Paradigma« bestimmt und präzise gebraucht werden. Und dann können »Religion« und »Paradigma« auf keinen Fall identifiziert oder Religion auf ein einziges Paradigma reduziert werden. Vielmehr sind dann die beiden Begriffe zunächst klar zu scheiden, bevor sie miteinander in Verbindung gebracht werden.

Die Bedeutung dieser Unterscheidung läßt sich ganz praktisch an der Frage der *Konversion* deutlich machen: Wird zum Beispiel ein Katholik, vom autoritären römischen System abgestoßen, Protestant, oder wird ein Protestant, von katholischer Einheit und Universalität angezogen, Katholik, so findet in beiden Fällen kein Religionswechsel statt (sie bleiben ja beide Christen), wohl aber ein *Paradigmenwechsel* – als individuell vollzogener Konfessionswechsel. Ebenfalls wird nicht die Religion, sondern nur ein Paradigma (Schule, Sekte, Richtung) gewechselt, wenn Anhänger des Theravāda- sich zum Amida-Buddhismus bekehren oder umgekehrt; beide bleiben, das sollte nicht bestritten werden, Buddhisten.

Umgekehrt aber: Wird ein (katholischer, orthodoxer oder protestantischer) Christ auf der Suche nach einer weniger dogmatischen, moralistischen und dualistischen Religion Buddhist, oder wird ein

Buddhist (dieser oder jener Tendenz) auf der Suche nach einer mehr geschichtlichen, ethischen und personalistisch bestimmten Religion Christ, so vollzieht sich im Normalfall nicht nur ein Paradigmenwechsel, sondern ein *Religionswechsel.* Auf das vor allem in den asiatischen Traditionen sich stellende Problem einer »religiösen Doppelbürgerschaft« brauchen wir in dieser begrifflichen Klärung nicht einzugehen; wird Christsein im eigentlichen Sinn als Nachfolge Christi verstanden und Buddhistsein als der achtfache Pfad des Buddha, dann dürfte sich eine Identität jedenfalls kaum voraussetzen lassen, was immer da der einzelne in seinem Kopf und Herzen miteinander versöhnen zu können meint.

Nun ist freilich die Unterscheidung und Inbezugsetzung von »Religion« und »Paradigma« deshalb so schwierig, weil beide Begriffe überlappen, ja, sich gegenseitig umgreifen können, ohne sich jedoch zu decken. Man könnte Religion und Paradigma als Inhalt und Form, als Bild und Rahmen, als Text und Kontext unterscheiden. Doch zeigt sich rasch, daß hier noch genauer differenziert werden muß.

Beim *Paradigma* geht es (nach der hier konstant gebrauchten, von Thomas S. Kuhn übernommenen) Definition um eine *Gesamtkonstellation*: die bewußt-unbewußte »Gesamtkonstellation von Überzeugungen, Werten und Verfahrensweisen«, die selbstverständlich auch die Religion, aber eben nicht nur die Religion, prägen. Ob das ursprüngliche judenchristliche oder dann das altkirchlich-hellenistische oder schließlich das mittelalterliche römisch-katholische Paradigma, ob dann das reformatorisch-protestantische oder das modern-aufgeklärte und schließlich das postmoderne Paradigma: weit über die Religion hinaus bestimmen diese Paradigmen – und offensichtlich ist hier nicht von irgendwelchen Mikro- oder Mesoparadigmen, sondern von Makroparadigmen die Rede – auch Wirtschaft, Recht und Politik, Wissenschaft, Kunst und Kultur, die ganze Gesellschaft. Sie sind also Paradigmen nicht nur von Religion, sondern von Gesellschaft überhaupt. Und ähnliches ließe sich auch vom Buddhismus sagen: vom indischen Urbuddhismus, vom altbuddhistischen Kleinen Fahrzeug (Theravāda), vom späteren Großen Fahrzeug (Mahāyāna) und schließlich auch vom tantrischen Diamantenen Fahrzeug (Vajrayāna). Als prävalente großräumige und tiefgreifende Gesamtkonstellation von bewußt-unbewußten Überzeugungen, Werten und Verfahrensweisen sind diese Paradigmen somit (»extensiv«) »mehr« als nur Religion, umfassender als Religion.

Doch insofern nun die *Religion* im Rahmen dieser Gesamtkonstellationen eine besondere Größe ist und ein sehr bestimmtes (transzendent begründetes und immanent sich auswirkendes) theoretisch-praktisches Koordinatensystem darstellt, ist sie (»intensiv«) »mehr« als ein Paradigma, konzentrierter als ein Paradigma. Denn bei einer Religion – so schwierig Religion (wie Kunst) auch zu »definieren« ist – geht es immer um eine »Begegnung mit dem *Heiligen*« (R. Otto), geht es um *Heilsbotschaft* und *Heilsweg* zugleich, etwas, was sich durch alle möglichen Paradigmen hindurch durchzuhalten vermag. Religion – und es sind hier vor allem die Hochreligionen gemeint – ist ja nicht nur ein bewußt-unbewußtes Grundmodell von Welt, Gesellschaft, Religion, Kirche; nein, sie ist im Kontext solcher Modelle eine – sei es mehr traditionell, oberflächlich, passiv gelebte, sei es tief empfundene, engagierte, dynamische – bewußt gläubige Lebenssicht, Lebenseinstellung, Lebensart, die auf eine allerletzte wahre Wirklichkeit ausgerichtet ist, welche Mensch und Welt übersteigt, umgreift, durchwaltet (Gott, das Absolute, das Nirvāna). In der Religion werden also nicht nur mehr oder weniger selbstverständliche, allgemeine Überzeugungen, Werte und Verfahrensweisen einer Epoche tradiert. In der Religion wird – natürlich mit jenen allgemeinen Überzeugungen, Werten, Verfahrensweisen zutiefst verflochten – ein umfassender Lebenssinn vermittelt, werden höchste Ideale und unbedingte Normen proklamiert und garantiert, wird eine letzte geistige Heimat und Gemeinschaft angeboten. Und insofern hält sich ja jede Religion (anders etwa als eine Philosophie) als eine konkrete Gemeinschaft aus einer konkreten Tradition heraus durch und macht so im Laufe von Epochen verschiedene Konstellationen, Modelle, Paradigmen durch.

Dies alles heißt: Religion ist nicht gleich Paradigma, sondern Religion ist, lebt, entwickelt sich (diachronisch: Periodisierung) *in* (verschiedenen epochalen) Paradigmen. Von daher läßt sich in einer bestimmten Epoche (synchronisch: Strukturierung) durchaus unterscheiden (wenngleich nicht trennen) zwischen dem allgemeinen *Paradigma von Gesellschaft* (das gesellschaftliche Paradigma) und dem besonderen *Paradigma von Religion* (Kirche, Theologie: das religiöse Paradigma). Bei all diesen Paradigmen kann in der betreffenden Epoche selbstverständlich nie von der absoluten Dominanz, sondern nur von der *relativen Prävalenz* einer bestimmten geschichtlichen Konstellation die Rede sein, welche Gegenbewegungen und Gegenfiguren, Nebeneffekte und Störfaktoren aller Art in keiner Weise ausschließt. Wenn wir hier aber von den *epochalen* (mehrere Jahrhunderte umfassenden) Großparadigmen (von Gesellschaft, Religion, Kirche, Theologie samt all den in diesen Makroparadigmen eingeschlossenen Meso- und Mikroparadigmen) sprechen, dann stellt sich freilich die komplexe Frage nach den Epochenschwellen. Die Abgrenzung der verschiedenen Epochen oder Perioden, ihre historische »Periodisierung«, macht sie nicht gewaltige Schwierigkeiten?

2. *Die Frage der Epochenschwellen*

Es ist keine Frage: Historische Periodisierungen, die Bestimmung von Epochenschwellen, sind zunächst einmal *unsere eigenen Festsetzungen* und somit relativ. Gliederung von Zeit läßt sich nie von einem überzeitlichen, sondern nur von einem innerzeitlichen Standpunkt aus vornehmen. Und wenn heute selbst Physiker nicht mehr einfach die objektive Wirklichkeit, wie sie unabhängig vom Beobachter existiert, sondern nur eine Wissenschaft unseres *Wissens* von Materie beschreiben können, so erst recht die Historiker: Historie ist eine Wissenschaft unseres *Wissens* von Geschichte: eine standpunktbestimmt-perspektivische und interessenbedingte Wissenschaft, die keineswegs bloß, wie Ranke meinte, berichtet, »wie es eigentlich gewesen ist«, sondern zugleich auch immer schon interpretiert. Keine Schilderung also ohne Deutung, und so auch keine Periodisierung ohne Entscheidung. Entscheidungen und Festlegungen freilich, die so wenig wie die Modelle des Physikers einfach willkürlich sein können, wenn sie nicht mit der Wirklichkeit selbst kollidieren sollen. Beliebig sind also auch die Periodisierungen nicht; sie haben so gut wie irgendwie möglich den »Tatsachen« gerecht zu werden und nicht sich selbst den Blick auf die Realität zu verstellen.

Doch selbstverständlich: je nach Standpunkt, Kriterien und Interesse kann man in diesem oder jenem Jahrhundert die christliche Antike enden und das Mittelalter beginnen lassen; erst längere Reflexionen machen deutlich, daß etwa Augustin und Thomas von Aquin am besten als Anfang und Höhepunkt im Kontext des einen und selben lateinisch-mittelalterlichen Paradigmas von Theologie gesehen werden. Man kann je nach Standpunkt, Kriterien und Interessen auch die europäische Moderne mit der »*Renaissance*« (ein später und für manche überhaupt nicht eindeutig definierbarer Begriff) anfangen lassen, wiewohl sie sich an der Antike und nicht an der autonomen Vernunft und am Fortschritt orientierte, oder aber mit der *Reformation* im 16. Jahrhundert, oder schließlich mit der neuen Philosophie, Naturwissenschaft, Staatsauffassung und einsetzenden Säkularisierung im 17./18. Jahrhundert. Doch mit dem Blick auf das Christentum ginge man völlig an der Realität vorbei, die entscheidende Zeitenwende gerade der protestantischen Reformation (durch den Humanismus trotz allem mit der Renaissance verbunden!) zu ignorieren; und insofern scheint es mir richtig, gegenüber dem mittelalterlichen Paradigma zuerst das reformatorisch-protestantische herauszuheben und die eigentliche »*Moderne*« mit dem 17./18. Jahrhundert beginnen zu lassen. Nicht der in manchem noch ins Mittelalter zurückschauende antikopernikanisch-antidemokratische Luther, sondern Descartes, Galilei, Newton, Hume, Rousseau, Voltaire und Kant sind typisch »moderne« Menschen.

Wenn nur durch das Neue das Gegenwärtige zum Alten wird, so ist dabei wohl zu beachten: Jedes Zeitalter hat seine *Vorläufer und Vorzeichen*: Schon Wyclif und Hus vertreten reformatorische Ideen, aber erst mit Martin Luther beginnt das Zeitalter der Reformation. Schon Kierkegaard und Dostojewski verbreiten existenzialistische Vorstellungen, aber erst mit der Krise des Ersten Weltkrieges beginnt die Periode der Existenzphilosophie und -theologie. Seit Hegel wissen wir: Epochen folgen nicht aufeinander, sondern auseinander. Nicht additive Linearität, sondern Dialektik ist ihr Gesetz. Doch vergesse man nicht: Die Krise des alten Paradigmas ist noch längst nicht immer der Anfang des neuen; sonst hätte die Reformation schon hundert Jahre vor Luther beginnen müssen. Das heißt:

– erst wenn die Ahnen einer Bewegung aus der privaten in die öffentliche Sphäre treten,
– erst wenn die Oppositionellen repräsentativ werden,
– erst wenn Einfälle und Beispiele Normen bilden und das Neue nicht nur angebrochen, sondern durchgebrochen ist,

erst dann kann man von einer Welt-Zeiten-Wende, einem epochalen Paradigmenwechsel sprechen. Nicht die Erstbelege also sind entscheidend, sondern das Normativwerden des Neuen.

Und nachdem wir hier vor allem die Großparadigmen im Auge haben: Verkompliziert wird die Frage der Periodisierung durch den Tatbestand, daß die neuen Entwicklungen in den verschiedenen Bereichen *verschieden* einsetzen und sich die Periodisierung nicht in allen Sektoren und Disziplinen synchronisieren läßt. Romanik und Gotik beginnen in verschiedenen Ländern zu verschiedenen Zeiten, und Barockmusik wurde noch gemacht, als die Zeit der eigentlichen Barockmalerei schon längst abgelaufen war. Termini wie »modern« werden in der Kunst und Philosophiegeschichte für völlig verschiedene Epochen gebraucht. Verschieden sind die Erfahrungsbereiche und der Sprachgebrauch (mit Wittgenstein die »Lebenswelten« und die »Sprachspiele«), verschieden die historischen und damit auch die semantischen Entwicklungen und Ablaufgesetzlichkeiten.

Da bleibt uns gar nichts anderes übrig, als von der Sache her Entscheidungen zu treffen. Und nachdem es hier um die Sache der Religion geht, sind die Periodisierungen möglichst – vor dem Hintergrund selbstverständlich der Weltgeschichte – von der Religions-, Kirchen- und Theologiegeschichte her vorzunehmen. Bei der Festlegung von Epochenschwellen ist dabei nicht in (un-)akademischer Profilierungssucht Originalität anzustreben, sondern vom weitestmöglichen Konsens der Historiker auszugehen, die mit der Reformation eben in der Regel eine Epochenschwelle verbinden. Von diesem weitestmöglichen Konsens bin ich bei meiner vorgeschlagenen Periodisierung (vgl. Schema S. 157) und den von dort her festgestellten Paradigmen ausgegangen. Dabei ist weniger wichtig, wann genau der Beginn eines Paradigmenwechsels angesetzt wird (erfolgt der Umschlag doch nur selten so dramatisch wie im Falle Luthers), sondern wann das betreffende Paradigma herangereift, durchgebrochen ist, sich durchgesetzt hat. Das Merkwürdige freilich ist, daß im religiösen Bereich manche Paradigmen anscheinend beliebig weiterexistieren können. Und über dieses Phänomen: die Persistenz, das »Weiterleben« anscheinend »überlebter« Paradigmen in den großen Religionen, lohnt es sich weiter nachzudenken. Eine entwickelte Paradigmentheorie ermöglicht uns so mit der Periodisierung der Vergangenheit auch eine Strukturierung der Gegenwart.

3. *Das Weiterleben »überlebter« Paradigmen in Kunst und Religion*

Der Fall Galilei hat es gezeigt: Es braucht auch in der *Naturwissenschaft* manchmal fast hundert Jahre, bis ein altes Paradigma (hier das ptolemäische) durch ein neues (das kopernikanische) abgelöst wird. Aber: wenn das alte einmal abgelöst ist, so ist es definitiv erledigt. Weder kann es sich einfach halten noch gar wieder Auferstehung feiern. Romantische Restaurationsbewegungen sind in Astronomie, Physik, Chemie und Biologie ausgeschlossen, und kein Student dieser Disziplinen muß die früher erledigten Paradigmen ernst nehmen; in Lehrbüchern tauchen sie aus didaktischen Gründen bestenfalls in Einleitungen oder Fußnoten auf. Und warum können in der Naturwissenschaft die alten Paradigmen einfach liquidiert werden? Weil in den »exakten« Wissenschaften Hypothesen, mit Hilfe der Mathematik und des Experiments, empirisch verifiziert oder falsifiziert werden und die Entscheidungen zugunsten des neuen Paradigmas auf längere Sicht durch Evidenz »erzwungen« werden können. Der Erfolg läßt sich in den Naturwissenschaften – man denke nur etwa an die Berechnung der Planetenbahnen – in Zahlen bilanzieren.

Schon in der *Kunst* ist dies ganz anders: Mit Mathematik und Experiment läßt sich hier definitiv nichts entscheiden, gar ein Paradigma ablösen. Wiewohl jedes Kunstwerk Schöpfung einer bestimmten Kunstepoche ist, so verlieren die Kunstwerke früherer Epochen durch einen Paradigmenwechsel keineswegs jeglichen Wert. Die Werke der italienischen Renaissancemaler Botticelli oder Raffael etwa werden nicht liquidiert, weil man (nach Michelangelo) anfängt, »barock« – etwa à la Rubens oder à la Rembrandt – zu malen. Zwar können die Älteren unter dem starken Eindruck des neuen Stils temporär an Wert verlieren und im Preis sinken; jede neue Epoche gewinnt ja schließlich ihr Selbstwertgefühl dadurch, daß sie die vorausgegangene zunächst einmal ungebührlich abwertet. Und doch behalten die alten Werke im Prinzip ihre Geltung; alle echte Kunst hat einen überzeitlichen, bleibenden Wert. Ja, ein alter Stil kann, in Zeiten des Zweifels am Neuen, sogar wieder Auferstehung feiern. So die Präraffaeliten in England oder die Nazarener in Deutschland, die beide im 19. Jahrhundert die (religiöse) Kunst dadurch wieder zu beleben trachteten, daß sie sich die Maler der italienischen Frührenaissance sowie Raffael und Dürer zum Vorbild nahmen. Doch »Nazarener« war schon damals ein Spottname für diese (zum Teil denn auch zum Restaurationskatholizismus konvertierten) Künstler, die nun einmal trotz hohen Wollens Epigonen waren, deren Kunst sich als Episode erwies und im Kitsch endete.

Das heißt: Sosehr man in der Kunst die »alten Meister« auch schätzt, falls ein Maler der neuen Zeit in alter Manier weitermalt oder gar wieder neu zu malen anfängt, so wird seine Kunst als »antiquiert«, als zurückgeblieben und überholt gelten. Gewiß, in Zeiten romantischer Restaurierung kann solche Kunst, dem Zeitgeist verfallen, wie sie ist (die Nazarener wollten eine neudeutsch-religiös-patriotische Kunst), eine Zeitlang Erfolg haben und sich gar als Novität verkaufen. Im Zeitalter des Historismus gab es so eine ganze Reihe »neuer Stile«, die aber bloß »historische Stile« waren (Neuromanik, Neugotik, Neubyzantinismus); deren Um-Formungen konnten auf die Dauer die Kalamität nicht verschleiern, daß ihren alten Formen in neuer Zeit der alte Gehalt abhanden gekommen war, ohne daß ihnen neues Leben eingehaucht werden konnte, so daß sogar die makellosen klassizistischen Plastiken eines Canova oder Thorwaldsen die innere Leere nur um so deutlicher als tote Pose erscheinen ließen. Mit dem Absterben des restaurativen Zeitgeistes hatten denn auch diese »Neustile« ihren ausgeliehenen Lebensgeist ausgehaucht. Das heißt im Klartext: In einer neuen Gesamtkonstellation können zwar »alte Werke« für den Kunst*genuß* ihren Wert behalten, ein »alter Stil« läßt sich aber in der Kunst*produktion* nicht durchhalten. In der Kunst führt eine Zeitkrise früher oder später zu einer Stilkrise und diese wiederum zu einem Stilwandel, was die Übernahme alter Stilelemente in den neuen Stil allerdings nicht ausschließt.

Wie aber verhält es sich nun mit dem Absterben von Paradigmen in der *Religion*? Noch weniger als in Fragen der Ästhetik läßt sich in Fragen des Glaubens, der Sitten und Riten etwas mathematisch-experimentell entscheiden (wiewohl man im Zeitalter des Positivismus sehr oft die abwegige Forderung nach »empirischer Verifizierung« meta-empirischer Wahrheiten aufgestellt hat). Nun können selbstverständlich auch Religionen sterben; die Religionsgeschichte weiß dafür zahllose Beispiele. Aber eine Reflexion auf das für das Christentum erarbeitete Paradigmen-Schema (S. 157) im zeitgenössischen Kontext führt zur erstaunlichen (und leicht graphisch darstellbaren) Einsicht: im Bereich der Hochreligionen verschwinden alte Paradigmen keineswegs notwendig! Sie können vielmehr – und unter Umständen neben neuen Paradigmen durch Jahrhunderte hindurch – weiterbestehen. Ja, wenn man vom eng begrenzten judenchristlichen Paradigma absieht, das wegen seiner Apokalyptik einen besonderen endzeitlichen Charakter aufwies und das vielleicht im Islam eine andersartige Fortsetzung gefunden hat, so haben alle christlichen Großparadigmen – vom byzantinisch-hellenistischen über das mittelalterlich-römisch-katholische bis hin zum reformatorischen und zum modern-aufgeklärten – ihre Weiterexistenz ad oculos demonstriert; bieten sie doch auch heute noch Millionen von Menschen eine bleibende geistige Heimat, Tradition und Gemeinschaft.

Woher nun – bei aller Krisenwahrnehmungs- und Krisenverarbeitungsfähigkeit neuer religiöser Paradigmen – die hohe *Durchhalte- und Überlebenskapazität der alten religiösen Paradigmen,* die diejenige der Kunst, wo sich die Ablösung der Stilarten ungeheuer beschleunigt hat, offensichtlich bei weitem übertrifft (die Romanik blühte 200, die Gotik 300, die Renaissance 200, der Barock 150, der Klassizismus 60 Jahre, während die neueren »-ismus-Stile« oft nur ein, zwei Jahrzehnte andauerten)? Diese Frage nach der Durchhalte- und Überlebenskapazität religiöser Paradigmen bedarf dringend weiterer Untersuchungen, und so seien hier nur einige Anregungen für weitere Reflexionen gemacht, die sowohl die Religion im objektiven wie im subjektiven Sinn betreffen.

Was die *objektive Religion* – die verschiedenen Lehren und Mythen, Riten und Symbole, Institutionen und Konstitutionen – betrifft, so fällt sogleich die (im Vergleich zur Kunst) massivere Institutionalisierung der Religion auf: Auch in der Kunst hat man zwar Maßstäbe und Normen (eine normative Ästhetik) theoretisch zu entwickeln und praktisch (in den Auftragsarbeiten, in den Akademien, Museen und Ausstellungen) durchzusetzen versucht – mindestens bis zum Impressionismus und seinem »L'art pour l'art«. Doch nur im religiösen Bereich sind die Maßstäbe und Normen, sind besonders die eigentlichen Lehr-Gesetze – Dogmen und Moralgebote – direkt transzendent fundiert, mit höchster, göttlicher Autorität garantiert und mit zeitlichen wie ewigen Sanktionen abgesichert. Dies haben Repräsentanten institutionalisierter Religion stets ausgenutzt, um nicht nur die Hauptsache, sondern auch alle möglichen Nebensächlichkeiten, oft Skurrilitäten und vor allem ihre eigene Macht mit der Aura göttlicher Ewigkeit und Unveränderlichkeit zu umkleiden. Was wurde nicht alles an allerirdischsten Institutionen (römische Behörden) und Rechtspositionen, liturgischen Gegenständen und folkloristischen Ritualen als »heilig«, als unantastbar, deklariert und so gegen jegliche Kritik und Reform immunisiert. Selbst kleinste Details in Glaubens-, Sitten- und Kirchensachen wurden gesetzlich reglementiert und Abweichungen davon mit Kirchenstrafen, mit Exkommunikationen, Indizierungen, Amtsenthebungen in dieser Zeit und mit der Androhung von Teufel und Hölle für die Ewigkeit geahndet, so daß das überkommene mittelalterliche Paradigma (= »die Gläubigen«) immerhin bis in die Mitte des 20. Jahrhunderts hinein gegen die Folgen eines völlig gewandelten Zeitbewußtseins »geschützt« werden konnte. So vermochte sich nicht nur die christliche Botschaft selbst, die Sache des Christentums, zu halten, sondern damit verbunden auch Mythen und Gebräuche (oft heidnischen Ursprungs), Aberglaube, Wundersucht und Reliquienkult, problematische Symbole und Riten, die ja bekanntlich auch dann noch vollzogen werden können, wenn sie ihren ursprünglichen Sinn völlig verloren haben, wenn sie unverständlich geworden oder allegorisch umgedeutet worden sind (man denke an den Gebrauch von Weihrauch, bestimmte Zeichen, Gesten, Kleidungsstücke in der Liturgie).

Was nun aber die *subjektive Religion*, die Religiosität, die religiöse Erfahrung, betrifft, so ist noch ein weiteres zu bedenken: Je banaler eine Wahrheit (»Binsenwahrheit«, »Platitüde«), desto größer die Sicherheit! Umgekehrt: Je bedeutsamer eine Wahrheit (etwa im Vergleich zur arithmetischen die ästhetische und erst recht die moralische und religiöse Wahrheit), um so geringer die Sicherheit. Um so größer dann aber mein persönliches Engagement, um Gewißheit (mit abgesicherter Sicherheit nicht zu verwechseln) zu erlangen. Konkret: Die »absolut« sichere *banale* Wahrheit »2 × 2 = 4« erfordert sehr viel weniger persönliches Engagement als die für mich äußerlich unsichere, von Zweifeln bedrohte *tiefe* Wahrheit (»mein Leben hat trotz allem einen Sinn«). Das heißt: Je »tiefer« die Wahrheit für mich ist, um so mehr muß ich mich für sie erst aufschließen, innerlich auf sie einstellen. Und je »tiefer« eine Wahrheit ist, um so mehr fühle ich mich nun aber auch durch ihre Hinterfragung selbst in Frage gestellt, und um so mehr wehre ich mich folglich mit Intellekt, Wille und Gefühl gegen jede Veränderung und Verunsicherung. Man braucht einen Menschen nur in seinen »tiefsten« religiösen oder quasireligiösen Überzeugungen anzugreifen, um gleich zu sehen, mit welcher Nervosität und Leidenschaft er reagiert; will man sich doch nicht sein »Heiligstes« nehmen lassen. Daß diese naturbegründete religiöse Konservativität dann von politischen wie religiösen Machthabern auch noch ganz bewußt zur Bewahrung des Status quo eingesetzt wird, ist nur ein weiterer Beleg dafür, wie sehr manche »Glaubensfragen« im Grunde »Machtfragen« sind.

Weil so die Religion objektiv wie subjektiv per definitionem mit dem Ewigen in der Zeit, mit dem Göttlichen im Menschlichen zu tun hat, partizipiert hier allzuleicht *alles* Zeitliche und Menschliche, gar das Allzumenschliche, am Ewig-Göttlichen und dessen Unveränderlichkeit. Von daher erklärt sich, warum anscheinend überlebte Paradigmen in den Religionen über Jahrhunderte weiterleben können. Doch es drängt sich die Frage auf: Sind denn diese alten Paradigmen wirklich »überlebt«? Oder anders gefragt: Bedeutet denn jeder Paradigmenwechsel auch schon Fortschritt?

4. Bedeutet Paradigmenwechsel Fortschritt?

Im religiösen Bereich, so sahen wir, geht es um einen (im Verhältnis zur Naturwissenschaft und selbst zur Kunst) höchst langsam ablaufenden, großräumig-vielschichtigen Transformationsprozeß, der meist erst nachträglich systematisch reflektiert wird. Wenn eine »Big-Bang-Theorie«, wo die neue Gestalt einer Religion plötzlich aus dem »Nichts« auftaucht, der geschichtlichen Wirklichkeit widerspricht, dann auch jene organische Entwicklungstheorie, wo die neue Gestalt einfach als Produkt einer harmlos-kontinuierlichen Fortentwicklung verstanden wird: wo also alle religiösen Lehr- und Wehrentwicklungen als erfreuliche Blüten am selben Baum erklärt, wo alle Widersprüche übersehen, alle Brüche überkleistert, alle Verluste verschwiegen und alle Revolutionen evolutionär verschleiert werden. Nein, Menschen sind nicht Pflanzen, und Menschheitsgeschichte entwickelt sich nicht organisch; selbst die Dogmenentwicklung ist faktisch oft Dogmenverwicklung.

Schon in der *Kunst* bedeutet ein Paradigmenwechsel zwar eine Weiterentwicklung, aber nicht einfach eine Höherentwicklung, nicht einfach einen Gang vom Primitiven zum Vollendeten. Die später entstandene spanische Malerei zum Beispiel ist nicht »höher« als die italienische des Quattrocento, El Greco nicht qualitativ »besser« als Leonardo. Jedes Kunstwerk ist in sich vollendet und will nach der Ästhetik der eigenen Zeit bemessen werden. Jede Kunstepoche verdient das Interesse der Nachwelt.

Auch in der *Religion* bedeutet ein Paradigmenwechsel nicht einfach Fortschritt und nur Fortschritt. Auch in der Religion wird im Paradigmenwechsel zwar vieles gewonnen, aber auch manches Wahre und Gute des früheren Paradigmas verloren, vergessen, verdrängt. Selbst bei den theologischen Klassikern, bei denen wie in der klassischen Kunst eine Übereinstimmung von innerem Gehalt und äußerer Form erreicht wurde, läßt sich nicht einfach ein Qualitätsunterschied im Sinn einer Höherentwicklung machen. Die Scholastik etwa, die so viele Impulse vorausgegangener Theologie und Philosophie aufgenommen hat, ist nicht »höher« als die Patristik, Thomas ist nicht »vollkommener« als Augustin oder Origenes. Jede bedeutende Theologie ist, in ihrer Art aus bestimmter Zeitsituation heraus entstanden, »einmalig«, ist eine »response« auf eine »challenge«, ist auf ihre je eigene Weise »groß« und jedenfalls zunächst nach den Maßstäben der eigenen Epoche zu beurteilen. Jede Epoche der Kirchen- und Theologiegeschichte hat ihren Eigenwert, so daß weder ein Zeitalter zum »dunklen« (Mittelalter) noch ein anderes (Antike) zum »vorbildlichen« erklärt werden sollte.

Ist also in Kunst wie Religion – im Unterschied zur Naturwissenschaft – letztlich alles »stationär« und so wertmäßig schlicht »egal«? Nein, schon die Reflexion auf die »historischen Stile« läßt vermuten, daß auch in der Religion keineswegs jedes religiöse Paradigma jeder Zeit angemessen sein muß, als ob es keine rück-ständige Theologie, keine re-aktionäre Kirche, keine dys-funktionale Religion geben könne, als ob so die Kritik eines religiösen Paradigmas von vornherein unbegründet sei. Natürlich läßt sich die Krise eines religiösen Paradigmas verschleiern: so wie zumindest im Barock Künstler die Illusion eines noch vorkopernikanischen mittelalterlichen Himmels an die Decke ihrer triumphalistischen Kirchen gezaubert haben, während gleichzeitig die Theologen in ihren riesigen Folianten den schönen Schein einer unerschütterten, bestenfalls äußerlich angepaßten mittelalterlichen Scholastik zu erwecken vermochten. Die wirklichen »Neudenker« standen allesamt auf dem Index der verbotenen Bücher und mußten, durften nicht bedacht werden. Neuthomistische Textbücher im 19./20. Jahrhundert standen so schließlich zu den klassischen Summen des Thomas in einem ähnlichen Verhältnis wie der klassizistische Tempel der Ste-Madeleine in Paris zum Parthenon der Akropolis. Solange eine Gesellschaft im ganzen rückständig ist, fällt es relativ wenig auf, wenn ihre Religion zurückgeblieben ist. Solange zum Beispiel Griechenland in der Neuzeit (nicht ohne Mitschuld der Kirche) ein sozial zurückgebliebenes Land war, blieb das alte hellenistische Paradigma von Kirche und Theologie der Situation – relativ! – angemessen. Solange Italien und Spanien (unter römischer Obhut) sich moderner Wissenschaft, Technologie, Industrie und Demokratie verschlossen, blieb das mittelalterlich-gegenreformatorische und schließlich antimodernistische Paradigma – relativ! – effizient[1].

Sobald jedoch die Kirchen- und Theologiegeschichte sozusagen hinter der Weltgeschichte hinterherzuhinken beginnt, sobald nach einzelnen (meist »unkirchlichen«) Vorläufern die Gesellschaft als ganze eine Epochenschwelle erreicht und sich in ein neues Paradigma hineinbewegt, sobald es so wegen des Verharrens von Kirche und Theologie im alten Paradigma zu einer Diastase von allgemeingesellschaftlichem und religiösem Paradigma kommt, wird die Situation für die Religion lebensgefährlich, wie sich dies nicht nur in der Französischen Revolution und im italienischen Risorgimento, sondern auch in der Russischen Revolution und im Spanischen Bürgerkrieg gezeigt hat. Das Paradigma von Religion entspricht in der neuen geschichtlichen Situation nicht mehr dem Paradigma von Gesellschaft überhaupt. Es überlebt, aber wird *rück-ständig, anachronistisch*, eine doktrinär-autoritäre Erstarrung, Verengung, Fixierung, Verängstigung und Unterdrückung, die sich zum Schaden von Religion *und* Gesellschaft auswirkt. Insofern hat der Nachvollzug sowohl des reformatorischen wie des modernen Paradigmenwechsels, wie er durch das Vatikanum II bewirkt wurde, gerade für die katholischen Länder Südeuropas und Lateinamerikas eine historische Wende und Befreiung bedeutet: ohne Vatikanum II keine Befreiungstheologie, keine Basisbewegungen, kein progressiver Episkopat. Eine epochale Wende und Befreiung, die etwa der griechischen (oder russischen) Orthodoxie – will sie in den modernen Großstädten und auf dem Land nicht definitiv zu einer für das kleine Leben und die große Welt bedeutungslosen liturgischen Folklore, auf die Ebene schlicht eines überholten Paradigmas hinabsinken – noch bevorsteht! Daß sich der Islam und auch andere Weltreligionen ähnlichen Problemen des Paradigmenwechsels gegenübersehen, habe ich an anderer Stelle erörtert.

Insofern also heißt die Ablehnung des Fortschrittsschemas keineswegs, daß an ein Paradigma nicht die Frage nach der Zeitgemäßheit oder Unzeitgemäßheit gerichtet werden dürfte; schon die Einsicht in die Einmaligkeit und Unwiederholbarkeit einer Epoche sollte eigentlich den Versuch einer antiquierten Tradierung oder gar reaktionären Restaurierung eines früheren Paradigmas verbieten. Im Gegenteil: ganz entsprechend den immer wieder unter den Stichworten »Horizont« und »Zentrum« entwickelten Kriterien – unser »Cantus firmus« – ist ein Paradigma von Kirche und Theologie zumindest im Christentum zu befragen:

(1) Ist dieses Paradigma von Religion – gemessen am Paradigma der Gesellschaft als solcher – noch *zeit-gemäß*? Und zugleich:

(2) Ist dieses Paradigma von Religion – gemessen am Evangelium Jesu Christi als Norm – wirklich *schrift-gemäß*?

Bei dieser Betonung sowohl des weltzeitlichen wie des urchristlichen Maßes ist nur darauf zu achten, daß dann das (»katholische«) Fortschrittsschema (ständiges Aufsteigen zu größerer Wahrheit) nicht ersetzt wird durch ein (»protestantisches«) Dekadenzschema (immer stärkerer Abfall vom Goldenen Zeitalter des Ursprungs). Nein, eine echt *dialektische* Geschichtstheorie vom Paradigmenwechsel leistet weder einem selbstgerechten katholischen Triumphalismus noch einer selbstquälerischen protestantischen Melancholie Vorschub. Ohne alle Irrungen und Wirrungen des Geschichtsprozesses in Schemata zu pressen, nimmt solche dialektische Geschichtstheorie sowohl die *Kontinuität* wie die *Diskontinuität* im Geschichtsprozeß ernst und bedeutet ein *»Aufheben«* (im dreifachen Hegelschen Sinn) sowohl des Fortschritts- wie des Dekadenzschemas.

Ein solches Verständnis des Paradigmenwechsels im Christentum dürfte der Gefahr der *gegenseitigen Exkommunikation der Kirchen wehren*: der Gefahr nämlich, daß das aus einem geschichtlichen Umbruch hervorgegangene neue Paradigma von vornherein als häretisch verworfen wird – mit den entsprechenden Gegenreaktionen auf der anderen Seite. Bekanntlich haben die Byzantiner im Mittelalter das im Westen aufgrund einer völlig neuen geschichtlichen Situation – Völkerwanderung, wachsende Bedeutung des römischen Bischofs, Theologie Augustins und schließlich das germanische Kaisertum – entstandene Paradigma als häretisch verworfen, während umgekehrt Rom die »zurückgebliebenen« Orthodoxen exkommunizierte. Bekanntlich hat Rom dann im 16. Jahrhundert das reformatorische Paradigma, das durch eine Neubesinnung auf das ursprüngliche Evangelium (besonders im Rechtfertigungsverständnis) mit daraus folgenden praktischen Reformen (liturgische Volkssprache, Laienkelch, Priesterehe) entstand, als unkatholisch verworfen, während umgekehrt Luther den Papst zum Antichristen und Rom zur babylonischen Hure erklärte.

Positiv gesagt: ein historisch-kritisch verantwortetes Denken in Paradigmen wird der *gegenseitigen Kommunikation helfen.* Wenn es, vom Ethos der Wahrhaftigkeit getragen, der Versuchung der Historiker, sich den Mächtigen anzudienen, widersteht und das Risiko des unbestechlichen Urteils nicht scheut, wird ein solches Denken in Paradigmen es ermöglichen, den verschiedenen Entwicklungsstufen und Religionsformen gerecht zu werden, ohne sie alle auf die gleiche Ebene zu stellen, aber auch ohne die eine (immer die eigene) zu verabsolutieren und die anderen abzuwerten. Und dies ganz konkret. Denn einerseits kann es eine Religion ohne Paradigma, ohne eine (nicht nur von der Religion bestimmte) Gesamtkonstellation von Überzeugungen, Werten und Verfahrensweisen nicht geben; es gibt weder ein Christentum noch einen Buddhismus »an sich«. Andererseits darf aber auch keine bestimmte Gesamtkonstellation mit einer bestimmten Religion einfach identifiziert und eine bestimmte Gestalt dieser Religion zur alleinseligmachenden erklärt werden.

Und damit sind wir nun auch wieder unmittelbar bei der Problematik der Weltreligionen und können uns nun – nachdem wir einige zunächst verwickelte Gedankengänge der Einfachheit halber am Christentum klargemacht haben – im letzten Teil unserer Reflexionen wieder dem Buddhismus zuwenden (für die materiale Durchführung der folgenden Reflexionen verweise ich auf das Buddhismus-Kapitel von »Christentum und Weltreligionen«).

5. Konstanten und Variablen im Buddhismus

Die Paradigmenanalyse, angewendet auf den Buddhismus, hilft uns,
– keine der historisch gewachsenen großen buddhistischen Religionsformen, wie etwa den »Buddhismus des Glaubens« oder den tantrischen Buddhismus, von vornherein als unbuddhistisch abzuqualifizieren, sondern jede von ihnen in ihrem eigenen historischen Entstehungs- und inneren Sinnzusammenhang zu verstehen, ja, jeder Entwicklungsstufe des Buddhismus eine innere Logik und ein eigenes Existenzrecht *als Buddhismus* zuzuerkennen. Das erlaubt uns:
– keines der verschiedenen buddhistischen Paradigmen gegeneinander auszuspielen, sondern mit allen wichtigen buddhistischen Religionsformen (vom Urbuddhismus über die drei Fahrzeuge bis hin zu Zen und Shin) den Dialog zu führen;
– auf Unterschiede und Ähnlichkeiten zwischen buddhistischen und christlichen Paradigmen (etwa bezüglich »mittelalterlichem« Verdienstdenken) hinzuweisen;
– schließlich doch jede der neuen Formen des Buddhismus (wie des Christentums) an ihrem Ursprung (an Gautama, dem Buddha, oder an Jesus, dem Christus) kriteriologisch zu messen.

Bei so einem mächtigen und vielverzweigten zweieinhalbtausendjährigen Gebilde wie dem Buddhismus hat selbst der Kenner des Buddhismus Schwierigkeiten, vor lauter Bäumen den Wald, und das heißt, vor lauter *Verschiedenheiten* die *Einheit* zu sehen: So wird etwa der tantrische Buddhismus Tibets von manchen als »Re-Hinduisierung« und als Abfall vom reinen Buddhismus angesehen, während andere den japanischen »Reine-Land-Buddhismus« als im Grunde unbuddhistischen »Amidismus« diskreditieren. Beides geschieht freilich im Gegensatz zu den betreffenden Gläubigen, die sich bei allem Unterschied zu anderen Buddhisten selbst als durchaus echte Buddhisten fühlen. Sie leben nun einmal ihren Buddhismus in einer ganz und gar verschiedenen Gesamtkonstellation, in einem anderen Paradigma.

Christen ist dies aus ihrer eigenen Geschichte vertraut: Wie im Buddhismus, so haben auch im Christentum manche Christen

Schwierigkeiten zu sehen, was eigentlich der byzantinischen Reichskirche, der mittelalterlichen Papstkirche und den protestantischen Fürsten- und Landeskirchen, die sich alle gegenseitig exkommunizierten, gemeinsam sei und was sie als Nachfolgerinnen der Jerusalemer Urgemeinde legitimiere. Und doch lassen sich bei genauerem Hinsehen, wie im Christentum so auch im Buddhismus, trotz aller auffälligen *Variablen* doch einige grundlegende und sich durchhaltende *Konstanten* sichten: dieselben Gestirne (»stellae«), an denen wir uns orientieren, wiewohl sie freilich immer wieder neue epochale »Kon-stellationen« bilden.

Nun ist es gewiß keine Definition, wohl aber eine Bekenntnisformel, wenn der Buddhist sagt: »Ich nehme meine Zuflucht zum Buddha, zum Dharma (Lehre), zum Sangha (Gemeinschaft der Mönche).« Nicht unähnlich wie der Christ »Zuflucht nimmt«, »glaubt« an Christus, das Evangelium (seine Botschaft), die Kirche (die Gemeinschaft der Glaubenden). In beiden Fällen handelt es sich um *Konstanten*, permanente Determinanten, die diese Religionen durch alle Jahrhunderte über die Länder und Kontinente hinweg und alle Paradigmenwechsel hindurch von Grund auf bestimmen.

Und doch: mag es auch zu einem Paradigmenwechsel vom Urbuddhismus (ganz und gar eine Angelegenheit von Mönchen) zum Theravāda-Buddhismus (einer Religion der Massen) gekommen sein, und viele Jahrhunderte später zu einer weiteren »Drehung des Rades der Lehre«, zu einem zweiten alles verwandelnden Paradigmenwechsel innerhalb der buddhistischen Bewegung, zum Mahāyāna-Buddhismus des Großen Fahrzeugs, der eine sehr viel freiere Interpretation der ursprünglichen Lehre, ja, auf weiten Strecken eine ausgesprochene Laienreligion vertrat: die *zentralen Grundkonstanten spezifisch buddhistischer Lehre, Praxis und Institutionalisierung* blieben auch noch im Großen Fahrzeug erhalten:

– Noch immer die »Zuflucht zum Buddha«, dem großen übermächtigen Lehrer und Wegbereiter zur Erlösung, dem man (wenngleich in mythologischer Fiktion) nun auch die im 1. bis 5. nachchristlichen Jahrhundert entstandenen Lehrtexte zuschreibt, wie dies für den späteren Buddhismus charakteristisch bleibt;

– noch immer die »Zuflucht zum Dharma«, zur Lehre von den »vier edlen Wahrheiten«, vom Leiden und von der Überwindung des Leidens, von der Unbeständigkeit und Substanzlosigkeit der Welt und des Ichs, von der Ausrottbarkeit von Unwissenheit, Gier und Haß durch Erleuchtung und Weisheit – eine Lehre, die aber nicht nur repetiert, sondern angesichts neuer Bedürfnisse und Fähigkeiten der Menschen neu formuliert werden soll, die »unvollständig«, zur »Vollkommenheit der Erkenntnis« geführt werden soll;

– noch immer die »Zuflucht zum Sangha«, zur Mönchsgemeinschaft, deren überkommene Ordensregel aber auch in einer Vielfalt verschiedener Lehren und sehr viel freieren Formen (selbst Heirat) gelebt werden kann, die den Unterschied zwischen Mönchen und Laien einebnen.

Doch dieselben buddhistischen Grunddaten, dieselben Grundgedanken, Grundhaltungen und Grundpraktiken erscheinen jetzt in einem anderen Kontext, einem anderen Bezugsrahmen, dieselben Grundkonstanten in einer *neuen Konstellation von Variablen*:

– Statt den wenigen Mönchen soll jetzt vielen Menschen der Weg zur definitiven Erlösung eröffnet werden; anstelle des mönchischen Arhat-Ideals, des weltabgewandten Heiligen des Theravāda, nun das Ideal des menschenfreundlichen Heiligen, des Bodhisattva: aus der Mönchsreligion wird jetzt immer mehr eine Laienreligion.

– Statt das Wesen allen Daseins nur allgemein in dessen Unbeständigkeit, Leidhaftigkeit, Substanzlosigkeit zu sehen, soll letztere jetzt radikalisiert als Leerheit verstanden werden: Wesenlosigkeit als das wahre Wesen des Universums oder aber – unter taoistischem Einfluß mehr positiv – als die Natur und Mensch gemeinsame, kosmische Buddha-Natur.

– Statt der Erlösung durch Entsagung und Abkehr von der Welt die Möglichkeit der Erleuchtung, der Befreiung, der Weisheit mitten im jetzigen Leben: das Nirvāna im Samsāra.

Es dürfte offenkundig sein, daß es sich bei diesem Paradigmenwechsel bei aller Langsamkeit, Großräumigkeit und Vielschichtigkeit um einen epochalen, ja, *revolutionären Wandel* handelte. Ein

Wandel, der sich bei allen wesentlichen Unterschieden mit dem Wandel vom hellenistisch-byzantinischen zum mittelalterlichen römisch-katholischen Paradigma vergleichen läßt! Gewiß auch da: Sonne und Gestirne bleiben, aber die Kon-stellation hat sich völlig verändert. Veränderung, die nicht nur die Lehre, sondern auch das Ethos und den Ritus, ja, das ganze gelebte Leben der Religion umfaßt, wie sie nun einmal – tief oder weniger tief, positiv oder negativ – eingeschrieben ist in die Herzen der Menschen als eine höchst gegenwärtige und offen oder verborgen den Alltag bestimmende Angelegenheit.

Aber, und damit kehren wir am Ende dieses Kapitels zum Anfang zurück: Christentum und Buddhismus sind nicht nur zwei verschiedene Paradigmen, deren Variablen und Konstanten man historisch-kritisch, als distanzierter Historiker beschreiben kann. Sie sind zwei verschiedene Religionen mit ihrem je eigenen, existentiell fordernden, den einzelnen zum Engagement rufenden Wahrheitsanspruch. Mit anderen Worten: die *Wahrheitsfrage* läßt sich im Blick auf die verschiedenen Religionen bei aller Paradigmenanalyse nicht ausklammern. Sie soll und muß am Schluß dieses Buches im Zentrum stehen. Die Frage ist also: Gibt es eigentlich die eine wahre Religion, oder gibt es mehrere wahre Religionen?

II. Gibt es die eine wahre Religion?

Versuch einer ökumenischen Kriteriologie

Daß eine kritische ökumenische Theologie heute nicht ohne die Dimension der Weltreligionen zu denken ist, ist leicht gefordert, aber schwer realisiert. Ich selber mußte, nachdem ich mich in den sechziger und siebziger Jahren auf die innerchristliche Ökumene konzentriert hatte und dabei auch immer die Weltreligionen im Blick zu halten versuchte, doch radikal neu lernen. Es ist ein mühseliges Unterfangen, sich in den verschiedenen Religionen mit ihrer komplexen Geschichte sachkundig zu machen.

Zunehmend freilich wurde mir bewußt, daß die Auseinandersetzung mit den anderen Religionen der Welt um des Friedens in der Welt willen geradezu überlebenswichtig ist. Werden die fanatischsten, grausamsten politischen Kämpfe nicht von den Religionen eingefärbt, inspiriert und legitimiert? Wieviel wäre oft den betroffenen Völkern erspart geblieben, wenn die Religionen ihre Verantwortung für Frieden, Nächstenliebe und Gewaltlosigkeit, für Versöhnung und Vergebung früher erkannt hätten, wenn sie, statt Konflikte mitgeschürt, Konflikte gelöst hätten! Eine ökumenische Theologie hat also heute ihre *Mitverantwortung für den Weltfrieden* zu erkennen. Kein Friede unter den Völkern dieser Welt ohne einen Frieden unter den Weltreligionen! Kein Friede unter den Weltreligionen ohne einen Frieden unter den christlichen Kirchen. Die Kirchenökumene ist integraler Teil der Weltökumene: der Ökumenismus »ad intra«, auf die Christenheit konzentriert, und der Ökumenismus »ad extra«, auf die gesamte bewohnte Erde ausgerichtet, sind interdependent.

Aber die Konfrontation mit den Weltreligionen geht über die Friedensfrage hinaus. Sie ruft entschieden nach einer Klärung der

Wahrheitsfrage. So sehr die materiale Analyse der verschiedenen Religionen, der interreligiöse Vergleich, Konvergenzen und Divergenzen sichtbar machen kann[1], so sehr muß die Frage nach der Wahrheit immer wieder unerbittlich gestellt werden. Gibt es die eine wahre Religion, oder gibt es mehrere? Gibt es eine Kriteriologie, den Wahrheitsanspruch der einzelnen Religionen zu begründen? Was sagt eine kritische ökumenische Theologie heute zum Problem der »wahren Religion«? Dieser Grundfrage des interreligiösen ökumenischen Dialogs dienen meine folgenden Ausführungen[2].

Keine Frage hat in der Geschichte der Kirchen und der Religionen zu so viel Streit, blutigen Konflikten, ja, »Religionskriegen« geführt wie die Frage nach der Wahrheit. Blinder Wahrheitseifer hat noch zu allen Zeiten und in allen Kirchen und Religionen hemmungslos verletzt, verbrannt, zerstört und gemordet. Umgekehrt hat müde Wahrheitsvergessenheit Orientierungslosigkeit und Normenlosigkeit zur Folge, so daß viele an überhaupt nichts mehr glauben. Die christlichen Kirchen haben nach einer blutigen Konfliktgeschichte gelernt, den Streit um die Wahrheit zu entschärfen und zu gemeinsamen Antworten in ökumenischem Geist zu kommen, denen freilich endlich, endlich praktische Konsequenzen folgen sollten. Gleiches steht für das Verhältnis der Christen zu den anderen Religionen noch aus. Doch manche fragen: Gibt es überhaupt einen theologisch verantwortbaren Weg, der es Christen gestattet, die Wahrheit der anderen Religionen zu akzeptieren, ohne die Wahrheit der eigenen Religion und damit die eigene Identität preiszugeben?

1. *Eine oder mehrere: Lösung auf pragmatische Weise?*

Doch manche fragen umgekehrt: Ist dies für uns Nachkommen der Aufklärung überhaupt noch eine Frage? Kämpfen wir nicht geistesgeschichtliche Nachhutgefechte, weil wir immer noch Angst vor der eigenen Identitätsdiffusion haben? Ist eine Lösung nicht längst auf pragmatische Weise erfolgt? »Von diesen drei Religionen kann doch eine nur die wahre sein«, hatte der Sultan Saladin in Lessings berühmtem »dramatischen Gedicht« behauptet, und, zum Weisen Nathan gewendet, hinzugefügt: »Ein Mann, wie du, bleibt da nicht stehen, wo der Zufall der Geburt ihn hingeworfen: oder wenn er bleibt, bleibt er aus Einsicht, Gründen, Wahl des Bessern« (3/5).

Worauf aber beruht die Einsicht? Was sind die Gründe für die Wahl des Besseren? Lessings Lösung, niedergelegt bekanntlich in der Parabel von den drei Ringen: Wenn – und das ist die Voraussetzung – die theoretische Klärung der Wahrheitsfrage nicht gelingt, wenn »der rechte Ring nicht wahr erweislich« ist, was gilt dann? Die Antwort: Nur die Praxis! Jeder »eifere ... seiner unbestochenen von Vorurteilen freien Liebe nach«! Dann nämlich erweise sich die Kraft des echten Ringes: »mit Sanftmut, mit herzlicher Verträglichkeit, mit Wohltun, mit innigster Ergebenheit in Gott«. Bewahrheitung also nur durch gottergebene Humanität im Leben selbst! Für unser Problem bedeutet dies: jede Religion ist echt, ist wahr, insofern sie faktisch und praktisch die »Wunderkraft« beweist, »vor Gott und Menschen angenehm« zu machen. Ein ebenso klarer wie einfacher Standpunkt, der es uns erspart, die so verhängnisvolle Wahrheitsfrage zu stellen?

Es waren in unserem Jahrhundert vor allem die Amerikaner Charles Sanders Peirce, William James und John Dewey, die für die Frage nach der Wahrheit eine pragmatische Lösung vorschlugen. Danach wird im Blick auf die wahre Religion einfachhin gefragt, wie eine Religion im ganzen »wirkt«, welche praktischen Folgen sie hat, welches ihr tatsächlicher Wert für die persönliche Lebensgestaltung und das soziale Zusammenleben ist – in der Geschichte, hier und heute.

Wer könnte bestreiten, daß eine solche Auffassung von der Funktion und dem Nutzen einer Religion viel Richtiges enthält? Gehen nicht gerade in der Religion Theorie und Praxis ineinander über? Muß sich die Wahrheit einer Religion nicht tatsächlich in der Praxis erweisen, bewähren, bewahrheiten? Muß sich nicht ganz praktisch bezeugen, was eine Religion »taugt«, entsprechend dem Schriftwort: »An den Früchten werdet ihr sie erkennen!«?

Die Frage ist nur: Kann Wahrheit einfachhin mit praktischer Verwertbarkeit gleichgesetzt werden? Kann die Wahrheit einer Religion auf Nützlichkeit, Dienlichkeit, Bedürfnisbefriedigung reduziert, gar notfalls der Taktik geopfert, gar der kommerziellen oder politischen Ausbeutung preisgegeben werden? Und könnte nicht auch eine Religion, die wenig praktiziert wird, dennoch wahr sein? Ein Programm, gegen das man ständig verstößt, dennoch stimmen? Eine Botschaft, die nicht oder wenig Glauben findet, dennoch eine gute Botschaft sein?

Allerdings wäre hier zu überlegen, ob es nicht ein tieferes Verständnis des Pragmatismus gibt, als dessen utilitaristische Variante erkennen läßt: Wo es nicht um die bloße Reduktion von Religion auf praktische Wirklichkeit, wohl aber um ihre Rückbindung an die Praxis eines wahrhaft guten Lebens geht. Doch in jedem Fall stellt sich die Frage: Nach welchen Kriterien wären so komplexe Phänomene wie die großen Religionen zu beurteilen? Wären die Wirkungen des Buddhismus in Asien oder des Katholizismus in Europa über Jahrtausende hin als gut oder als schlecht zu bezeichnen? Haben nicht alle heutigen Religionen ihr Plus- und Minuskonto? Und verführt solche Betrachtungsweise nicht immer wieder dazu, die hohen Ideale der eigenen Religion mit der niederen Wirklichkeit der anderen zu vergleichen: etwa einen Realhinduismus oder Realislam mit einem Idealchristentum?

So muß denn die Frage zurückgegeben werden: Was ist die wahre Religion? William James hatte schon am Anfang seines Klassikers über die »Verschiedenheit religiöser Erfahrung« (1902) als brauchbares Kriterium der Beurteilung echter Religion nicht nur die »ethische Bewährung« genannt, sondern – neben der unmittelbaren Gewißheit – auch die »philosophisch erweisbare Vernunftgemäßheit«. Was aber bedeutet dann in diesem Zusammenhang »philosophisch erweisbare Vernunftgemäßheit«? Man sieht: Um die Wahrheitsfrage kommt man bei aller Praxisorientiertheit nicht herum. Um hier eine konstruktive Antwort vorzubereiten, möchte ich im zweiten Teil eine Sichtung von vier grundsätzlichen Positionen vornehmen.

2. Vier grundsätzliche Positionen

a) *Keine Religion ist wahr.* Oder: *Alle Religionen sind gleich unwahr!* Die atheistische Position – in ihren verschiedenen religionskritischen Varianten gewiß nicht unser Thema – soll hier keineswegs unterschlagen werden. Bedeutet sie doch für alle Religionen eine andauernde Herausforderung. Normalerweise gibt ja der lamentable Zustand einer Religion selbst genügend Anlaß zur Vermutung, ihre Lehren und Riten zielten ins Leere, Religion sei nichts als Projektion, Illusion, Vertröstungsmittel, kurz, es sei nichts mit der Wahrheit dieser, ja, mit der Wahrheit aller Religion ...

Nun kann und will ich nicht beweisen, daß Religion tatsächlich auf eine Wirklichkeit zielt, gar eine letzte-erste wirklichste Wirklichkeit. Aber auch die atheistischen Gegner der Religion ihrerseits sind den Beweis schuldig geblieben, Religion ziele einfach ins Nichts. Wie Gott, so ist ja auch dieses Nichts keineswegs vorfindlich. Unsere an diese Welt gebundene reine, theoretische Vernunft greift nicht weit genug, um diese Frage zu beantworten; darin hat Kant ein für allemal recht. Positiv gesagt: es geht in der berühmten Gretchenfrage nach der Religion um nicht mehr und nicht weniger als um die *große Vertrauensfrage* unseres Lebens: gegen allen offenkundigen Widersinn dieser Welt doch in einem geprüften, illusionsfreien, realistischen Vertrauen *Ja* zu sagen – zu einem in den großen Religionen angenommenen Urgrund, Urhalt und Ursinn von Welt und Mensch. Ein durchaus vernünftiges Ja, insofern es, wenngleich nicht strikte Beweise, so doch gute Gründe für sich hat.

Wer *Nein* sagt, wird sich vor der Geschichte verantworten müssen. Es ist die uralte religiöse Geschichte der Menschheit – zurückzuverfolgen mindestens bis zu den Bestattungsriten des Neandertalers –, welche die atheistischen Positionen, die eng an die spezifisch westliche Kultur und Geistesgeschichte gebunden sind (Nietzsches »Gott ist tot« setzt 2500 Jahre abendländischer Metaphysik voraus!), erheblich relativieren. Ob einer die Menschheit (diachronisch) in ihrer vieltausendjährigen Geschichte oder (synchronisch) in ihrer globalen Ausweitung betrachtet: Keinen Stamm wird man finden, in welchem der Glaube an irgendeine Transzendenz fehlte. Global betrachtet, ist der massenhafte Atheismus eine typisch westliche »Errungenschaft«, auch wenn er auf den Osten übergegriffen hat; er ist somit die Angelegenheit einer kulturellen Minderheit in unserem Jahrhundert.

b) *Nur eine einzige Religion ist wahr.* Oder: *alle anderen Religionen sind unwahr!* Die *traditionelle katholische Position* – schon in den frühen christlichen Jahrhunderten vorbereitet durch Origenes, Cyprian und Augustin, definiert schon vom 4. Laterankonzil (1215) – ist allgemein bekannt: »*Extra Ecclesiam nulla salus!*« Außerhalb der Kirche kein Heil! Unzweideutig hat das ökumenische Konzil von Florenz 50 Jahre vor der Entdeckung Amerikas 1442 definiert: »Die heilige römische Kirche ... glaubt fest, bekennt und verkündet, daß niemand außerhalb der katholischen Kirche, weder Heide noch Jude noch Ungläubiger oder ein von der Kirche Getrennter, des ewigen Lebens teilhaftig wird, vielmehr dem ewigen Feuer verfällt, das dem Teufel und seinen Engeln bereitet ist, wenn er sich nicht vor dem Tode ihr (der katholischen Kirche) anschließt«[3]. Ist damit der Anspruch der anderen Religionen auf Wahrheit und Heil nicht ein für allemal erledigt? Er war es, so schien es, mindestens vom 5. bis zum 16. Jahrhundert.

Katholische Theologie hat schon im Zeitalter der Entdeckung neuer Kontinente versucht, jenes kompromißlose »*Extra*«-*Dogma neu zu verstehen*, und das hieß meistens: umzuinterpretieren, ja, schließlich in sein Gegenteil zu kehren. Offen korrigiert wurde es, weil »unfehlbar«, nie. Freilich, schon das Konzil von Trient, schon Theologen wie Bellarmin und Suarez haben ein unbewußtes »Sehnen« (»desiderium«) nach Taufe und Kirche als für das ewige Heil ausreichend anerkannt. Und im 17. Jahrhundert hat Rom gegen die rigorosen französischen Jansenisten den Satz verurteilt: »Extra Ecclesiam nulla gratia« (außerhalb der Kirche keine Gnade; Denz 1295. 1379).[4] 1952 sah sich das römische »Sanctum Offizium« (Glaubenskongregation) veranlaßt, paradox genug, einen Studentenpfarrer in Harvard zu exkommunizieren, der mit den alten Kirchenvätern und dem Konzil von Florenz die Verdammnis aller Menschen außerhalb der sichtbaren katholischen Kirche behauptete. Wiederum ohne formelle Korrektur erklärte schließlich das Zweite Vatikanische Konzil unter Berufung auf Gottes alle umfassenden Heilswillen und Heilsplan in seiner Konstitution über die Kirche (1964): »Diejenigen Menschen, die das Evangelium Christi und seiner Kirche ohne ihre Schuld nicht kennen, Gott jedoch aufrichtigen Herzens suchen und seinen im Gewissensgebot erkannten Willen in Taten unter dem Wirken seiner Gnade zu erfüllen trachten, können das ewige Heil erlangen« (Art. 16). Und in der Erklärung über die nichtchristlichen Religionen gipfelt die anerkennende Beschreibung der anderen Religionen in dem Satz: »Die katholische Kirche lehnt nichts von alldem ab, was in diesen Religionen wahr und heilig ist« (Art. 2).

Das heißt: die traditionelle katholische Position ist heute nicht mehr die offizielle katholische Position. Auch die nichtchristlichen Religionen können – da der Mensch ja nun einmal an die geschichtlich-sozial verfaßten Religionsformen gebunden ist – Wege zum Heil sein. Vielleicht nicht normale, gewissermaßen »ordentliche«, aber vielleicht doch geschichtlich »außerordentliche«. In der Tat unterscheidet man in der heutigen katholischen Theologie aufgrund dieser Kehrtwendung zwischen dem »ordentlichen« = christlichen Heilsweg und den »außerordentlichen« = nichtchristlichen Heilswegen (manchmal auch zwischen »dem Weg« und den verschiedenen »Pfaden«).

Wie immer man diese theologische Lösung und Terminologie beurteilen mag, wichtig ist: Zum erstenmal in ihrer Geschichte hat die katholische Kirche sich formell *gegen* einen bornierten, eingebildeten *Absolutismus* ausgesprochen, der die eigene Wahrheit »absolut« setzt, »los-gelöst« von der Wahrheit der anderen. Abgerückt ist sie von jenem Exklusivitätsstandpunkt, der die nichtchristlichen Religionen und ihre Wahrheit global verurteilt und der jeglicher Apologetik, Lernunfähigkeit und Rechthaberei Tor und Tür öffnet. Kurz: abgerückt ist sie von jenem Dogmatismus, der die volle Wahrheit von vornherein im eigenen Besitz wähnt und für die anderen Positionen nur Aburteilungen oder Konversionsaufforderungen bereithält. Nein, der Verachtung der Religionen soll jetzt ihre Hochschätzung, der Vernachlässigung das Verstehen, der Werbung das Studium und der Dialog folgen.

Die katholische Kirche ist damit schon vor 20 Jahren einen Schritt gegangen, den zu gehen viele *protestantische Theologen* selbst heute noch zögern. Noch immer auf den Spuren des jüngeren Barth und der dialektischen Theologie – oft ohne nähere Kenntnis und Analyse der Weltreligionen – können sie mit deren Wahrheitsanspruch nur dogmatisch umgehen: »Religion« sei nichts als »natürliche Theologie« und so selbstmächtiger sündiger Aufstand gegen Gott, Unglaube schlechthin. Das Christentum seinerseits aber sei gar keine Religion, weil das Evangelium das Ende aller Religion sei. Ich meine: dialektischer müßte mir solche »dialektische Theologie« sein ...!

Nein, die Weltreligionen dürfen weder dogmatisch abgeurteilt noch ignoriert werden, wie andere Theologen dies tun. Ein vornehmes Ignoramus (»Wir wissen nicht«) ist mehr denn je unverantwortlich. Und wenn die protestantische Theologie auf die Frage nach dem Heil der Mehrheit der Menschheit keine Antwort weiß: darf sie sich wundern, wenn die Menschen heute wie seinerzeit Voltaire ihren Hohn über die Anmaßung der »allein Seligmachenden« ausgießen oder sich mit aufgeklärtem Indifferentismus zufriedengeben? Völlig unbefriedigend ist deshalb auch die zwiespältige Haltung des Weltrats der Kirchen, der weder in seinen »Leitlinien zum Dialog mit Menschen verschiedener Religionen und Ideologien« (1977/1979) noch auf der neuesten Vollversammlung in Vancouver (1983) die Frage nach dem Heil außerhalb der christlichen Kirchen wegen gegensätzlicher Standpunkte der Gliedkirchen zu beantworten vermochte.

Dabei ist eine Verschärfung der Problemstellung heutzutage unverkennbar. Die Weltreligionen waren seit der Entdeckung der riesenhaften Kontinente zunächst vor allem eine äußere, *quantitative* Herausforderung für die Christenheit. Jetzt aber sind sie nicht nur für einige Aufklärer, sondern für die christlichen Kirchen selbst zu einer inneren, *qualitativen* Herausforderung geworden. Nicht mehr nur das Schicksal der Weltreligionen steht in Frage wie in der »christlichen« kolonialistischen Epoche. Das Schicksal des Christentums selbst steht auf dem Spiel in einer Epoche des Postkolonialismus und Postimperialismus.

Und die Frage ist nun: Wenn die christliche Verkündigung heute anders als früher statt der Armut die Reichtümer der Religion feststellt, was hat sie dann selbst noch zu bieten? Wenn sie überall offenbares Licht erkennt, inwiefern will sie »das Licht« bringen? Wenn alle Religionen Wahrheit enthalten, warum soll gerade das Christentum *die* Wahrheit sein? Wenn schon außerhalb von Kirche und Christentum Heil, warum überhaupt noch Kirche und Christentum? Eine einfache Antwort auf diese Frage gibt die dritte Position:

c) *Jede Religion ist wahr.* Oder: *Alle Religionen sind gleich wahr!* Wer die Religionen wirklich kennt, wird kaum behaupten, alle seien gleich. Eingeebnet werden so die grundlegenden Unterschiede zwischen den Grundtypen der mystischen und der prophetischen Religion, eingeebnet auch alle Widersprüche zwischen den einzelnen Religionen. Übersehen wird, wie vor allem Wilfried Cantwell Smith herausgestellt hat, daß selbst eine einzelne Religion im Lauf der Geschichte nicht einfach gleichbleibt, sondern sich – in einem oft erstaunlichen Ausmaß – entwickelt und verwickelt hat.

Muß aber die *objektive* Religion (die in verschiedenen Religionen oft widersprüchlichen Mythen und Symbole, Lehren, Riten und Institutionen) nicht unterschieden werden von der *subjektiven* Religion, der Religiosität, der religiösen Grunderfahrung des All-Einen und Absoluten, die doch auf dem Urgrund aller Religionen anzutreffen sei? Aber auch der Rekurs auf eine angeblich überall gleiche religiöse (mystische) Grunderfahrung löst die Wahrheitsfrage nicht. Warum? Weil es eine religiöse Erfahrung nie isoliert gibt, nie »an sich«, nie »rein« von aller Interpretation. Religiöse Erfahrung ist von vornherein interpretierte Erfahrung und ist deshalb geprägt von der betreffenden religiösen Tradition und ihren verschiedenen Ausdrucksformen.

Aber auch dies ist noch nicht alles: Wer behauptet, alle Religionen seien im Prinzip gleich wahr, schließt ausgerechnet für den religiösen Bereich Irrtumsfähigkeit und moralische Fehlbarkeit des Menschen aus. Warum aber sollte nicht auch für die Religion gelten: »errare humanum est«? Gibt es denn Religion ohne die Formen menschlicher Realisierung? Oder sollten etwa alle religiösen Aussagen, sollten alle Mythen und Symbole, alle Offenbarungen und Bekenntnisse, sollten schließlich alle Riten und Gebräuche,

Autoritäten und Erscheinungen in Hinduismus, Buddhismus, Islam, Judentum und Christentum in gleicher Weise wahr und gültig sein, im Vollsinn gleich gültig sein? Nein, die Wirklichkeit des Erfahrenden garantiert noch keineswegs die Wirklichkeit des Erfahrenen. Es gibt einen Unterschied zwischen religiösen und pseudoreligiösen Erfahrungen, und man kann nicht Zauberei oder Hexenglaube, Alchimie oder Wundergläubigkeit und alle Unvernunft auf die gleiche Ebene stellen wie den Glauben an die Existenz Gottes (oder die Wirklichkeit des Brahman), an Heil und Erlösung. Daß die »religiösen Erfahrungen« gleich wahr seien, davon kann keine Rede sein.

Wie alles nicht einfach eins ist, ist auch nicht alles einfach gleich – nicht einmal in der eigenen Religion! Das »anything goes«, das »alles ist möglich«, kann am allerwenigsten die grundlegenden Fragen des Menschenlebens nach *Wahrheit*, letzter Verbindlich- und Verläßlichkeit, zum Verstummen bringen. Oder sollte etwa gerade in der religiösen Sphäre schon alles legitim sein, weil es nun einmal geschieht (»die Macht des Faktischen«) und möglicherweise pittoresk gewandet daherkommt (Religion im Gewand der Folklore)? Wenn es die »Wahrheit« und nur die Wahrheit ist, die dem Johannesevangelium zufolge uns »frei macht«, müssen wir hier weiterfragen.

Zusammen mit dem exklusivistischen Absolutismus ist also auch jener lähmende *Relativismus* zu vermeiden, der alle Werte und Maßstäbe vergleichgültigt. Das gilt im übrigen bereits für Lessing. Denn jener damals langsam heraufkommende, moderne, heute intellektuell gängige Beliebigkeitspluralismus, der undifferenziert die eigene und die anderen Religionen billigt, kann sich ebensowenig auf Lessing berufen wie jener Indifferentismus, für den alle religiösen Positionen und Entscheidungen gleichgültig sind und der sich die Mühe der »Unterscheidung der Geister« spart.

d) *Eine einzige Religion ist die wahre.* Oder: *Alle Religionen haben teil an der Wahrheit der einen Religion!* Wenn schon ein Standpunkt des Exklusivismus, der außerhalb der eigenen keine Wahrheit erkennt, ebenso inakzeptabel ist wie ein Relativismus, der alle Wahrheit »relativiert« und alle Werte und Maßstäbe »vergleichgültigt«, der undifferenziert die eigene und die anderen Religionen billigt und bestätigt, wäre dann nicht der Standpunkt des großzügigen, toleranten *Inklusivismus* die eigentliche Lösung?

Wir begegnen ihm vor allem in *Religionen indischen Ursprungs*: Alle empirischen Religionen repräsentieren nur verschiedene Ebenen, Teilaspekte der eigenen, universalen Wahrheit! Die anderen Religionen sind nicht unwahr, aber doch vorläufig. Sie haben Anteil an der universalen Wahrheit. Mit Berufung auf die mystische Erfahrung kann so eine »höhere Erkenntnis« für die eigene Religion beansprucht werden. Die Folge? Jede andere Religion ist faktisch zu einer niederen oder partiellen Erkenntnis von Wahrheit herabgesetzt, die eigene Religion zum Supersystem erhoben. Jede andere Religion ist als Vorstufe oder Teilwahrheit eingeordnet; ein eigener, besonderer Anspruch wird ihr abgesprochen. Was wie Toleranz aussieht, erweist sich in praxi als eine Art Eroberung durch Umarmung, eine Vereinnahmung durch Geltenlassen, eine Integration durch Relativierung und Identitätsverlust.

Eine Variante dieses Inklusivismus findet sich – so paradox das klingen mag – *auch im Christentum*. Karl Rahners Theorie vom »anonymen Christen« ist letztlich noch abhängig von einem (christlichen) *Superioritätsstandpunkt*, der die eigene Religion als die von vornherein wahre ansetzt. Denn nach Rahners Theorie, die das Dilemma des »Extra-Dogmas« zu lösen versucht, werden ja all die Juden, Muslime, Hindus und Buddhisten nicht deshalb gerettet, weil sie Juden, Muslime, Hindus und Buddhisten sind, sondern weil sie letztlich Christen, eben »anonyme Christen« sind. Nein, die Umarmung ist hier nicht weniger subtil als im Hinduismus. Der Wille derer, die nun einmal nicht Christen sind und nicht Christen sein wollen, wird nicht respektiert, sondern nach eigenen Interessen interpretiert. Aber rund um die Welt wird man keinen ernsthaften Juden oder Muslim, Hindu oder Buddhisten finden, der eine solche Behauptung, er sei »anonym« und sogar »anonymer Christ« nicht als Anmaßung empfände. Ganz abgesehen vom völlig verkehrten Gebrauch des Wortes »anonym«: als ob all diese Menschen nicht wüßten, was sie selbst sind! Eine solche spekulative Vereinnahmung des Gesprächspartners beschließt den Dialog, bevor er überhaupt angefangen hat. Wir müssen festhalten: Menschen in den anderen Religionen sind als solche zu respektieren und nicht in einer christlichen Theologie zu subsumieren.

Was also ist heute an christlicher Grundhaltung gegenüber den Weltreligionen verlangt?
– Statt eines Indifferentismus, für den alles gleichgültig ist: etwas mehr *Indifferenz* gegenüber angeblicher Orthodoxie, die sich zum Maß des Heils oder Unheils von Menschen macht und ihren Wahrheitsanspruch mit Macht- und Zwangsmitteln durchsetzen will;
– statt eines Relativismus, für den es ein Absolutes nicht gibt: mehr Sinn für *Relativität* gegenüber allen menschlichen Absolutsetzungen, die eine produktive Koexistenz der verschiedenen Religionen verhindern, und für *Relationalität*, die jede Religion in ihrem Beziehungsgeflecht sehen läßt;
– statt eines Synkretismus, wo alles mögliche und unmögliche »zusammengemischt«, verschmolzen wird: mehr Wille zur *Synthese* gegenüber allen konfessionellen und religiösen Antagonismen, die noch täglich Blut und Tränen kosten, damit zwischen den Religionen statt Krieg, Haß und Streit *Friede* herrsche.

Angesichts aller religiös motivierten Unduldsamkeit kann man nicht genug Duldsamkeit, religiöse Freiheit fordern. Jedenfalls kein Verrat der Freiheit um der Wahrheit willen. Aber gleichzeitig auch: kein Verrat der Wahrheit um der Freiheit willen. Die *Wahrheitsfrage* darf nicht bagatellisiert und der Utopie einer künftigen Welteinheit und einer Welteinheitsreligion geopfert werden, die gerade in der Dritten Welt, wo Kolonisationsgeschichte und die damit verquickte Missionsgeschichte noch keineswegs vergessen sind, als Bedrohung der eigenen kulturell-religiösen Identität gefürchtet würde. Im Gegenteil: Als Christen sind wir herausgefordert, im Geist einer christlich begründeten *Freiheit* neu über die Frage der *Wahrheit* nachzudenken. Denn anders als Willkür ist Freiheit nicht einfach Freiheit *von* allen Bindungen und Verpflichtungen, rein negativ, sondern ist zugleich positiv Freiheit *zu* neuer *Verantwortung*: gegenüber Mitmenschen, sich selbst, dem Absoluten: wahre Freiheit also eine Freiheit für die Wahrheit.

3. *Die heikle Frage nach einem Kriterium für Wahrheit*

Man könnte mit langen und komplizierten Erörterungen fortfahren über die Frage, was Wahrheit ist, und zu den verschiedenen Wahrheitstheorien der Gegenwart (Korrespondenz-, Widerspiegelungs-, Konsens-, Kohärenztheorie) Stellung beziehen. Aber die Frage nach der wahren Religion muß ganz im Vordergrund bleiben. Als Voraussetzung für alles Folgende bezüglich der möglichen *Unwahrheit* in der Religion gilt folgende Ausgangsthese: Auch der Christ besitzt *kein Wahrheitsmonopol*, freilich auch nicht das Recht, in der Form eines Beliebigkeitspluralismus auf das *Bekenntnis zur Wahrheit* zu verzichten. Dialog und Zeugnis schließen sich nicht aus. Bekenntnis zur Wahrheit schließt den Mut ein, die Unwahrheit zu sichten und zur Sprache zu bringen.

Es wäre freilich eine grobe Voreingenommenheit, die Grenze zwischen Wahrheit und Unwahrheit von vornherein mit der Grenze zwischen der eigenen und der jeweils anderen Religion zu identifizieren. Bleiben wir nüchtern, so wird man zugestehen: Die *Grenzen* zwischen *Wahrheit und Unwahrheit* gehen auch *durch die jeweils eigene Religion*. Wie oft haben wir recht und unrecht zugleich! Kritik der anderen Position ist deshalb nur zu verantworten auf der Basis entschiedener Selbstkritik. Nur so ist dann auch eine Integration der Werte der anderen verantwortbar. Das heißt: *auch in den Religionen ist nicht alles gleich wahr und gut*; es gibt auch in den Glaubens- und Sittenlehren, in religiösen Riten und Gebräuchen, Institutionen und Autoritäten Unwahres und Ungutes. Dies gilt selbstverständlich auch vom Christentum.

Nicht zu unrecht fällt *die Kritik der Weltreligionen am Christentum* oft deutlich aus. Christen machen sich viel zu wenig klar: Das Christentum wirkt auf Angehörige anderer Religionen trotz seiner Liebes- und Friedensethik in Auftreten und Tätigkeit vielfach exklusiv, intolerant und aggressiv;
– es wirkt auf andere Religionen nicht ganzheitlich, sondern – wegen seiner Jenseitsbezogenheit, Welt- und Leibfeindlichkeit – innerlich zerrissen;
– es übertreibe beinahe krankhaft das Sünden- und Schuldbewußtsein des im Kern angeblich verdorbenen Menschen, um dann

dessen Erlösungsbedürftigkeit und Gnadenabhängigkeit nur um so wirkungsvoller ins Spiel zu bringen;
– es verfälsche obendrein durch seine Christologie die Gestalt Jesu, die in den anderen Religionen fast durchgängig positiv gesehen werde, zu einer exklusiven göttlichen Gestalt (Gottessohn).

Was immer an dieser Kritik berechtigt ist, eines wird deutlich: Die Frage nach der Wahrheit einer Religion zielt auf mehr als die reine Theorie. Was Wahrheit ist, erweist sich nie nur in einem System wahrer Aussagen über Gott, Mensch und Welt, nie nur in einer Reihe von Satzwahrheiten, gegenüber denen alle anderen falsch wären. Es geht immer zugleich auch um *Praxis*, einen Weg der Erfahrung, Aufklärung und Bewährung sowie der Erleuchtung, Erlösung und Befreiung. Wenn Religion demnach einen letzten umgreifenden Sinn unseres Lebens und Sterbens verheißt, höchste, unzerstörbare Werte verkündet, unbedingt verpflichtende Maßstäbe für unser Handeln und Leiden setzt und eine geistige Heimat vermittelt, dann bedeutet dies: Die Dimensionen des *Wahren* (»verum«) und *Guten* (»bonum«), des Sinnvollen und Wertvollen gehen in der Religion ineinander über, und die Frage nach der (mehr theoretisch verstandenen) Wahrheit oder Sinnhaftigkeit von Religion ist zugleich die Frage nach ihrer (mehr praktisch verstandenen) Gutheit oder Werthaftigkeit. Ein »wahrer« Christ oder Buddhist ist der »gute« Christ oder Buddhist! Insofern ist die Frage: Was ist wahre und was falsche Religion? identisch mit der anderen: Was ist gute und was ist schlechte Religion?

Die Grundfrage nach der wahren Religion ist somit differenziert zu stellen: Wie soll man zwischen Wahrem und Falschem, Wertvollem und Wertlosem in den Religionen selbst unterscheiden können? Man darf dabei nicht nur an die hinduistische Kastenordnung, die shaktistische Form des tantrischen Buddhismus mit seinen sexuellen Praktiken und an die »heiligen Kriege« und grausamen Bestrafungspraktiken im Islam denken, man muß auch an Erscheinungen im Christentum wie Kreuzzüge, Hexenverbrennungen, Inquisition und Judenverfolgungen erinnern. So erkennt man leicht, wie heikel und diffizil die Frage von *Wahrheitskriterien* ist, wenn diese nicht nur der subjektiven Willkür entspringen oder aber den anderen einfach nur übergestülpt werden sollen.

Natürlich – darauf wird zurückzukommen sein – wird keine Religion ganz darauf verzichten können, ihre ganz *spezifischen* (christlichen, jüdischen, islamischen, hinduistischen, buddhistischen) *Wahrheitskriterien* an die anderen Religionen anzulegen. Dialog heißt ja nicht Selbstverleugnung. Aber: in jeder Religion sollte man sich darüber im klaren sein, daß diese Kriterien zunächst nur für sie selbst und nicht für die anderen relevant, gar verbindlich sein können. Sollten nämlich die je anderen ebenfalls schlicht auf ihren eigenen Wahrheitskriterien insistieren, wird ein echter Dialog von vornherein aussichtslos. So kann etwa die Bibel ihre kriteriologisch-befreiende Funktion nur in Diskussionen zwischen den christlichen Kirchen, allenfalls noch in Diskussionen zwischen Christen und Juden erfüllen. Aber schon im Gespräch mit Muslimen und erst recht mit Hindus und Buddhisten wäre eine direkte Berufung auf die Bibel als Wahrheitskriterium unangebracht. Was aber bleibt dann übrig, wenn im Dialog der Religionen sich die Christen nicht mehr einfach auf die Bibel (oder die Muslime auf den Koran, die Hindus auf die Gita oder die Buddhisten auf ihren Kanon) als undiskutable Autorität berufen dürfen, um den anderen gegenüber im Recht, in der Wahrheit zu sein? – In aller Behutsamkeit sei hier ein anderer Weg *versucht* und zur Diskussion gestellt: Wir gehen dabei gleichsam spiralenförmig in drei Denkbewegungen nach innen: vom generell Ethischen zum generell Religiösen und erst von da zum spezifisch Christlichen.

4. *Das Humanum: allgemein ethisches Kriterium*

Wenn wir unsere Religion mit den anderen vergleichen, aber auch wenn wir über den Mißbrauch der eigenen Religion reflektieren, stellt sich für alle Religionen die Frage nach Kriterien des Wahren und Guten: nach *allgemeinen Kriterien*, die analog auf alle Religionen anwendbar sind – wichtig, wie mir scheint, nicht zuletzt für die Fragen des Völkerrechts. Weder die (an normativen Kriterien wenig interessierte) deskriptive Religionswissenschaft, die aber selbst (oft unüberprüft) bestimmte Vorstellungen von Menschheit, Natur, Geschichte, dem Göttlichen (etwa stillschweigendes Vorziehen des »Mystischen«) voraussetzt, noch die christliche Theologie, die sich vorher kaum ernsthaft mit anderen Religionen verglichen hat und dieser schwierigen Problematik meist ausgewichen ist, haben die erforderliche kriteriologische Arbeit geleistet. Aber gerade dieses Theoriedefizit fordert heraus, einen Lösungsvorschlag – nicht mehr – zu machen.

Unabweisbare Ausgangsfrage muß dabei sein: Können mit religiösen Zwecken alle Mittel geheiligt werden? Ist also im Dienst der religiösen Hingabe alles – auch der Mißbrauch der wirtschaftlich-politischen Macht, der Sexualität oder der Aggressivität – erlaubt? Darf *religiöses Gebot* sein, *was als unmenschlich erscheint*, was den Menschen offenkundig schädigt, verletzt, vielleicht gar zerstört? Beispiele gibt es in jeder Religion in Fülle: Sind Menschenopfer zu verantworten, weil sie einem Gott dargebracht werden? Dürfen aus Glaubensgründen Kinder geschlachtet, Witwen verbrannt, Ketzer zu Tode gequält werden? Wird Prostitution zum Gottesdienst, weil sie im Tempel geschieht? Sind Gebet *und* Ehebruch, Askese *und* sexuelle Promiskuität, Fasten *und* Drogenkonsum in gleicher Weise zu rechtfertigen, wenn sie als Mittel und Wege zur »mystischen Erfahrung« dienen? Sind Scharlatanerie und Wunderschwindel, aller mögliche Lug und Trug erlaubt, weil es zu einem angeblich »heiligen« Zweck geschieht? Ist Magie, die die Gottheit zwingen will, dasselbe wie Religion, welche die Gottheit bittet? Sind Imperialismus, Rassismus oder männlicher Chauvinismus zu bejahen, wo sie religiös fundiert auftreten? Ist sogar gegen einen Massenselbstmord wie in Guyana nichts einzuwenden, sofern er religiös motiviert ist? Ich meine: nein!

Auch die institutionalisierte Religion – welche auch immer – ist nicht von vornherein in allem und jedem »moralisch«; und auch manche kollektiv eingeschliffenen Sitten bedürfen der Überprüfung. Neben spezifischen Kriterien, die jede Religion für sich selbst hat, bedürfen deshalb die *allgemein-ethischen Kriterien* heute mehr denn je der Diskussion. Wir können uns in diesem Zusammenhang freilich nicht auf die immer komplexer werdenden hermeneutischen Fragen bezüglich der Grundformen heutigen ethischen Argumentierens (empirische, analytische oder transzendental-anthropologische Argumentation) und der Normenbegründung einlassen. Eine Orientierung am Humanum, dem echt Menschlichen, meint jedenfalls – dies sei zur Vermeidung von Mißverständnissen vorweg gesagt – keine Reduktion des Religiösen auf das »bloß Menschliche«.

Schon immer erwies sich Religion dort am überzeugendsten, wo es ihr – längst vor allen neuzeitlichen Autonomiebestrebungen – gelang, gerade vor dem Horizont des Absoluten das Humanum wirksam zur Geltung zu bringen; es seien nur der Dekalog (»Zehn Gebote«), die Bergpredigt, der Koran, die Reden des Buddha und die Bhagavadgita genannt.

Insgesamt hat nun freilich gerade das Christentum, welches sich so lange gegen Glaubens-, Gewissens- und Religionsfreiheit wehrte, davon profitiert, daß sich in seinem Einflußbereich durch den neuzeitlichen Emanzipationsprozeß ein (gewiß oft säkularistisch-antikirchlicher) Humanismus religionskritisch aus ihm ausgrenzte, um von den (oft so wenig christlichen) Kirchen in neuer Weise die Verwirklichung im Grunde so ur-christlicher Werte wie Freiheit, Gleichheit, Brüderlichkeit und der »Menschenwürde« (Inbegriff des Humanen bis hinein ins kodifizierte Recht, etwa Art. 1 des Grundgesetzes) einzufordern. Denn gerade indem das *Humanum* sich in neuzeitlicher Autonomie religiös-kirchlich emanzipierte, konnte es wieder neu – vor allen anderen Religionen – im Raum des Christentums beheimatet werden.

Das Christentum, Religion überhaupt, vermag umgekehrt – gerade in einer Zeit der Orientierungslosigkeit, des Bindungsschwundes, weit verbreiteter Permissivität und eines diffusen Zynismus – über alle Psychologie, Pädagogik und auch positive Rechtssetzung hinaus für das Gewissen des einzelnen zu begründen, warum Moral, Ethos mehr ist als eine Angelegenheit persönlichen Geschmacks und Urteils oder gesellschaftlicher Konvention: warum Moral, ethische Werte und Normen *unbedingt* und so *allgemein* verpflichten. In der Tat: nur das Unbedingte selbst vermag unbedingt zu verpflichten, nur das Absolute absolut zu binden, nur Religion vermag ein Ethos unbedingt und allgemein zu begründen und zugleich zu konkretisieren, wie sie es nun einmal seit Jahrzehntausenden, mal schlecht, mal recht, getan hat.

Wie immer: es ist unübersehbar, daß in der Frage nach dem Humanum auch in anderen Religionen ein Reflexionsprozeß in Gang gekommen ist. So wird die Frage der *Menschenrechte* etwa im Islam intensiv diskutiert, besonders nachdem sich zunehmend deutlicher zeigt, daß die Scharia, das muslimische Gesetz, vielfach in eklatantem Widerspruch zur Allgemeinen Menschenrechtserklärung der Vereinten Nationen (1948) steht: besonders bezüglich der Rechtsgleichheit für Frauen (Ehe-, Scheidungs-, Erb- und Arbeitsrecht) und für Nicht-Muslime (bezüglich Berufsverbote usw.), was natürlich alles Rückfragen auch an den Koran selbst beinhaltet. Unbegründet ist die Hoffnung nicht, daß sich in der Frage nach Menschenrechten und ethischen *Rahmenkriterien* trotz aller Schwierigkeiten mit der Zeit zwischen den Weltreligionen doch ein elementarer Grundkonsens über die »Grundprämissen menschlichen Lebens und Zusammenlebens« (W. Korff) auf der Höhe eines neuzeitlich-humanen Bewußtseins herausbilden könnte: *»Leitüberzeugungen«* also von menschlichen Grundwerten und Grundforderungen, die sich gewiß erst im Lauf der geschichtlichen Entwicklung dem menschlichen Bewußtsein aufdrängten, die dann aber doch – genau wie das kopernikanische Weltbild – dauernde, irreversible, unbedingte Geltung erlangen, ja, oft sogar rechtliche Kodifizierung (als »Menschenrechte« oder »Grundrechte«) erfahren, wenngleich sie auch immer wieder neuer Ausformung bedürfen.

Ein Fortschritt in Richtung Humanität innerhalb der verschiedenen Religionen – bei aller Ungleichzeitigkeit des Bewußtseins – ist jedenfalls unübersehbar, denkt man etwa an die Abschaffung der im römischen Katholizismus bis weit in die Neuzeit hinein üblichen Inquisitionspraktiken mit Feuer und Folter, oder an die humane Neuinterpretation der Lehre vom »heiligen Krieg« und Reformen des Strafrechts in fortschrittlicheren islamischen Ländern, oder an die Abschaffung von Menschenopfern und Witwenverbrennung, wie sie, von indischen Buddhisten und Christen von Anfang an abgelehnt, in vereinzelten Gebieten Indiens bis zur englischen Okkupation vollzogen wurden. Zahlreiche Gespräche im Fernen, Mittleren und Nahen Osten haben mich davon überzeugt, daß in Zukunft in allen großen Religionen ein stark wachsendes Bewußtsein bezüglich der Wahrung der Menschenrechte, der Emanzipation der Frau, der Verwirklichung der sozialen Gerechtigkeit, der Immoralität des

Krieges zu beobachten sein dürfte. Besonders die Weltbewegung der Religionen für den Frieden hat starke Fortschritte gemacht. Alle diese religiösen Motivationen und Bewegungen bedeuten – dessen ist man sich nicht zuletzt im Zusammenhang mit Polen, Persien oder Afghanistan bewußt geworden – einen sehr ernstzunehmenden politisch-gesellschaftlichen Faktor. Deshalb meine Frage: Sollte es nicht möglich sein, *mit der Berufung auf die gemeinsame Menschlichkeit aller* ein allgemein-ethisches *Grundkriterium* zu formulieren, das auf dem *Humanum*, dem *wahrhaft Menschlichen*, konkret auf der *Menschenwürde* und den ihr zugeordneten *Grundwerten*, beruht?

Ein neues *Bedenken des Menschlichen* ist in den Religionen im Gang. Ein besonders deutliches Beispiel ist die Erklärung einer »Weltkonferenz der Religionen für den Frieden« in Kyoto/Japan im Jahre 1970: »Als wir zusammen waren, um uns mit dem überragenden Thema des Friedens zu befassen, entdeckten wir, daß die Dinge, die uns einen, wichtiger sind als die Dinge, die uns trennen. Wir fanden, daß wir gemeinsam besitzen:

– eine Überzeugung von der fundamentalen Einheit der menschlichen Familie, von der Gleichheit und Würde aller Menschen;
– ein Gefühl für die Unantastbarkeit des einzelnen und seines Gewissens;
– ein Gefühl für den Wert der menschlichen Gemeinschaft;
– eine Erkenntnis, daß Macht nicht gleich Recht ist, daß menschliche Macht nicht sich selbst genügen kann und nicht absolut ist;
– den Glauben, daß Liebe, Mitleid, Selbstlosigkeit und die Kraft des Geistes und der inneren Wahrhaftigkeit letztlich größere Macht haben als Haß, Feindschaft und Eigeninteressen;
– ein Gefühl der Verpflichtung, an der Seite der Armen und Bedrückten zu stehen gegen die Reichen und die Bedrücker;
– tiefe Hoffnung, daß letztlich der gute Wille siegen wird.«

Die Grundfrage für unsere Suche nach Kriterien also lautet: Was ist *gut* für den Menschen? Die Antwort: Was ihm hilft, wahrhaft Mensch zu sein! Ethische Grundnorm ist demnach: Der Mensch soll nicht unmenschlich, sondern menschlich leben; er soll sein Menschsein in allen seinen Bezügen verwirklichen! Sittlich gut ist also, was menschliches Leben in seiner individuellen und sozialen

Dimension auf Dauer gelingen und glücken läßt, was eine optimale Entfaltung des Menschen in allen seinen Schichten und Dimensionen ermöglicht. Diese seine Menschlichkeit in allen ihren Schichten (auch die Trieb- und Gefühlsschicht) und Dimensionen (auch seine Gesellschafts- und Naturbezogenheit) soll der Mensch als einzelner und als Gemeinschaft demnach realisieren. Das heißt indessen gleichzeitig: Menschsein würde sich im Kern verfehlen, würde die Dimension des »Trans-Humanen«, Unbedingten, Umgreifenden, Absoluten geleugnet oder ausgeblendet. Menschsein ohne diese Dimension wäre ein Torso.

Nach der Grundnorm echter Menschlichkeit lassen sich *gut und böse*, wahr und falsch unterscheiden, läßt sich auch unterscheiden, was *in der einzelnen Religion* grundsätzlich gut und was böse, was wahr und was falsch ist. Man könnte dieses Kriterium in bezug auf die Religion wie folgt formulieren:

a) *Positives Kriterium:* Insofern eine Religion der *Menschlichkeit dient*, insofern sie in ihren Glaubens- und Sittenlehren, ihren Riten und Institutionen die Menschen in ihrer menschlichen Identität, Sinnhaftigkeit und Werthaftigkeit *fördert* und sie eine sinnvolle und fruchtbare Existenz gewinnen läßt, ist sie *wahre* und *gute* Religion.

Das heißt:

Was die Menschen in ihrem physisch-psychischen, individuell-sozialen Menschsein (Leben, Integrität, Freiheit, Gerechtigkeit, Frieden) offenkundig schützt, heilt und vollendet, was also human, wahrhaft menschlich ist, kann sich mit Grund auf »Göttliches« berufen.

b) *Negatives Kriterium:* Insofern eine Religion *Unmenschlichkeit verbreitet*, insofern sie in ihrer Glaubens- und Sittenlehre, ihren Riten und Institutionen die Menschen in ihrer menschlichen Identität, Sinnhaftigkeit und Werthaftigkeit *hindert* und sie so eine sinnvolle und fruchtbare Existenz *verfehlen* hilft, ist sie *falsche* und *schlechte* Religion.

Das heißt:

Was die Menschen in ihrem physisch-psychischen, individuell-sozialen Menschsein (Leben, Integrität, Freiheit, Gerechtigkeit, Frieden) offenkundig unterdrückt, verletzt und zerstört, was also inhuman, nicht wahrhaft menschlich ist, kann sich nicht mit Grund auf »Göttliches« berufen.

Bei allen zweifelhaften Fällen im einzelnen: An offenkundigen Beispielen für Gutes *und* Böses, Wahres *und* Unwahres fehlt es, ich deutete es nur an, in der bisherigen Geschichte weder in Hinduismus und Buddhismus noch in Judentum, Christentum und Islam. Wo immer durch eine Religion die Würde des Menschen oder einer Rasse, Klasse, Kaste oder eines Geschlechtes niedriger eingestuft wird, wo immer einzelne Menschen oder ganze Gruppen physischer, psychischer oder geistiger Beeinträchtigung, gar der Vernichtung ausgesetzt sind, da geht es um falsche und schlechte Religion. Dabei ist zu bedenken: Gerade im Bereich der Religionen stehen meine Selbstverwirklichung und die Selbstverwirklichung der anderen, stehen aber auch unsere gemeinsame Verantwortung für Gesellschaft, Natur und Kosmos in einem unlösbaren Zusammenhang.

Auf die Erfordernisse der Menschlichkeit also müssen alle Religionen sich neu besinnen: Dieses allen Menschen aufgegebene Humanum ist ein generelles ethisches Kriterium, das für alle Religionen insgesamt gilt. Aber erinnern müssen sich die Religionen auch immer wieder – hier ist auf unserer Spirale nach innen zu gehen – an ihr *ureigenes »Wesen«*, wie es in ihren Ursprüngen, in ihren maßgeblichen Schriften, in ihren maßgeblichen Gestalten aufleuchtet. Und sie werden von ihren Kritikern und Reformern, Propheten und Weisen immer wieder daran erinnert werden, wo immer eine Religion, ihrem »Wesen« untreu wird, ihr »Unwesen« treibt: Das jeder Religion eigene ursprüngliche »Wesen«, ihr maßgeblicher *Ursprung* oder ihr normativer *Kanon* (»Maßstab«), ist für die Religionen ein generelles Kriterium, an dem sie gemessen werden können.

5. *Das Authentische oder Kanonische: allgemein religiöses Kriterium*

Gegenüber religiösen Fehlhaltungen und Fehlentwicklungen, gegenüber religiöser Dekadenz und Defizienz im eigenen Bereich hat besonders die christliche Theologie schon immer das *Kriterium* des Ursprungs oder Kanons ins Spiel gebracht. Nicht weil das Ältere von vornherein das Bessere wäre! So wenig wie das Neue von vornherein das Bessere ist, so ist es auch das Alte. Sondern weil das *Ursprüngliche* oder *Kanonische* von Anfang an das Normative war: das Ur-christentum, das Ur-zeugnis der Bibel, der Ur-heber des christlichen Glaubens. Am Ur-sprung messen sich die Christen selbst, werden sie aber oft auch von Nichtchristen gemessen: »Ihr beruft euch auf die Bibel, auf Christus – und handelt so!?« Die Bibel, das Neue Testament besonders, dient der Christenheit als *Kanon*, als normativer Maßstab.

Und ist nun nicht auch für die Juden die Tora das Normative, wie für die Muslime der Koran und die Gestalt des Muhammad (als Verkörperung des islamischen Weges) und für die Buddhisten die Lehre (»Dharma«) und Gestalt des Buddha?

Was aber bedeutet es dann für die Suche nach Kriterien, wenn zum Beispiel der shaktistische Tantrismus (bei allem Erlösungsstreben) dem nach Buddha anzustrebenden mönchischen Lebenswandel doch in wesentlichen Zügen widerspricht? Mit seinem Alkoholgenuß, mit seinen sexuellen Praktiken? Inwiefern ist solcher Tantrismus dann noch (oder war er es je) buddhistisch? Hier setzt nun auch die innerbuddhistische Kritik ein: Die große Mehrheit der Buddhisten dürfte mit den Christen darin übereinstimmen, daß die Sexualität gewiß ihren eigenen Wert und Platz hat, aber gerade deshalb nicht in die Meditations- oder Kultpraxis gehört, vor allem nicht in eine kultische Praxis mit der Austauschbarkeit diverser Partner, wo Religion von Sexualität und Sexualität von Religion nicht mehr zu unterscheiden ist und dem libertinistischen Mißbrauch von beidem Tür und Tor geöffnet wird.

Beim Kriterium des Authentischen (Ursprünglichen) oder Kanonischen (Maßgeblichen) geht es also nicht nur um ein christliches, sondern um ein zumindest prinzipiell auch in anderen Religionen anwendbares, somit *generelles religiöses Kriterium*: Eine Religion wird hier an ihrer *maßgeblichen Lehre oder Praxis* (Tora, Neues Testament, Koran, Veden), unter Umständen auch an ihrer maßgebenden *Gestalt* (Christus, Muhammad, Buddha) gemessen. Dieses Kriterium der »Authentizität« oder »Kanonizität« läßt sich somit nicht nur auf das Christentum, sondern auf alle großen Religionen anwenden – natürlich mutatis mutandis, je nach Religion modifiziert und bei der einen Religion leichter als bei einer anderen (etwa dem Hinduismus). Dieses religiöse Kriterium hat, scheint mir, in einer Zeit großen sozialen Wandels und rasch voranschreitender Säkularisierung erhöhte Bedeutung auch für die Grundorientierung der nichtchristlichen Religionen: Was ist »wesentlich«, was »bleibend«, was »verbindlich« und was nicht? Es geht um die Identität! Darüber ist man sich in den Religionen ja einig: Das uralte religiöse Erbe soll nicht an die moderne Welt verschleudert, es soll in ihr neu fruchtbar gemacht werden. Und so hat gerade die Besinnung auf das Ursprüngliche (Authentische) oder Maßgebliche (Kanonische) den (in allen großen Religionen immer wieder aufbrechenden) Reformbewegungen ungewöhnlich starke Impulse vermittelt: religiöse »re-formatio« als Rückbesinnung auf die ursprüngliche Form *und* zugleich »re-novatio« als Erneuerung für die Zukunft.

Wie oft hat erst die Anwendung des Kriteriums der Authentizität oder Kanonizität das *Ureigenste* einer jeden Religion klar ins Licht treten lassen! Läßt sich nicht von daher die Frage beantworten, überzeugend beantworten, was – in Theorie und Praxis! – wahres Christentum und wahres Judentum, was wahrer Islam, Buddhismus und schließlich auch wahrer Hinduismus ist und was nicht? Gewiß: diese Rückkoppelung an den Ursprung oder Kanon – Ereignis, Person oder Schrift – ist in den geschichtlich orientierten Religionen von ganz anderer Bedeutung, ist aber auch in den mystisch orientierten Religionen keineswegs unbekannt.

Um es nur kurz anzudeuten:

(1) *Wahre Hindu-Religion* ist im Prinzip nur die Religion, die sich auf die geoffenbarten Schriften der vedischen Seher stützt. So verschiedenartig gerade in Indien die Religionen und ihre Götter sein

können und so groß die Toleranz der Hindus auch ist: Weil der Buddhismus (wie der Jainismus) die Veden verwirft, kann er für die Hindus die wahre Religion nicht sein, und er wird (wie erst recht der indische Islam) abgelehnt. Ähnliches ließe sich sagen vom Kanon der monotheistischen Religionen Indiens wie Vishnuismus oder Shivaismus.

(2) *Wahrer Buddhismus* kann nur die Religion sein, die zum Buddha, der das »Rad der Lehre« in Bewegung gebracht hat, und zur »Lehre«, zum »Dharma«, und so zur »Gemeinde«, zum »Sangha«, seine Zuflucht nimmt. So groß die Unterschiede zwischen dem Theravāda-Buddhismus und dem Mahāyāna-Buddhismus und so zahlreich die verschiedenen buddhistischen »Sekten« auch sein mögen: Religionen, die den Buddha, den Dharma und den Sangha (die Mönchsgemeinschaft) ablehnen, werden nicht als der wahre Weg akzeptiert.

(3) *Wahrer Islam* schließlich ist nur die Religion, die sich auf den Muhammad geoffenbarten *Koran* stützen kann. So folgenschwer für Religion und Politik die Unterschiede etwa zwischen Schiiten und Sunniten waren und sind: Beide stützen sich doch auf den Koran, der für sie Gottes Wort ist; wer davon abrückt, steht außerhalb der wahren Religion, er verfällt der »Exkommunikation«. Ähnliches läßt sich – trotz aller dogmatischen Toleranz und der verschiedenen Interpretationen des Gesetzes – vom *Judentum* sagen.

(4) Noch sehr viel eindeutiger als bei den mystischen asiatischen Religionen läßt sich selbstverständlich bei den geschichtlichen Religionen, insbesondere beim *Christentum*, vom *Ursprung* her beantworten, was wahre Religion ist. Und damit wird nun – wir gehen auf der Spirale ein zweites Mal nach innen – das generelle religiöse Wahrheitskriterium konkretisiert in einem *spezifisch christlichen* Wahrheitskriterium, dem möglicherweise ein spezifisch jüdisches, islamisches, hinduistisches oder buddhistisches entsprechen mag.

6. Über das spezifisch christliche Kriterium

Was ist bisher erreicht? Nach dem *generellen ethischen Kriterium* ist eine Religion wahr und gut, wenn und insofern sie *human* ist, Menschlichkeit nicht unterdrückt und zerstört, sondern schützt und fördert.

Nach dem *generellen religiösen Kriterium* ist eine Religion wahr und gut, wenn und insofern sie ihrem eigenen *Ursprung* oder *Kanon* treu bleibt: ihrem authentischen »Wesen«, ihrer maßgeblichen Schrift oder Gestalt, auf die sie sich ständig beruft.

Nach dem *spezifisch christlichen Kriterium* ist eine Religion wahr und gut, wenn und insofern sie in ihrer Theorie und Praxis den Geist Jesu Christi spüren läßt. *Direkt* wende ich dieses Kriterium nur auf das Christentum an: aufgrund der selbstkritischen Fragestellung, ob und inwiefern die christliche Religion überhaupt christlich sei. *Indirekt* – und ohne Überheblichkeit – läßt sich dasselbe Kriterium gewiß auch auf die anderen Religionen anwenden: zur kritischen Aufklärung der Frage, ob und inwiefern sich auch in anderen Religionen (in Judentum und Islam besonders) von jenem Geist etwas findet, den wir als christlichen bezeichnen würden.

Will man bezüglich der zentralen Frage nach der wahren Religion zu einer Lösung kommen, muß man unbedingt *eine Außen- und eine Innenperspektive unterscheiden*: Man kann das Christentum wie jede andere Religion ganz und gar *von außen* sehen, als ein »neutraler Beobachter«, als Religionswissenschaftler, als Nichtchrist oder Nichtmehr-Christ – ohne jede besondere Verpflichtung auf die christliche Botschaft, Tradition oder Gemeinschaft. Christentum ordnet sich dann ein unter die Weltreligionen und muß den verschiedenen allgemeinen ethischen und religiösen Wahrheitskriterien genügen. In dieser Perspektive gibt es *viele wahre* Religionen.

Aber diese Überlegung »von außen« (als eine Art »Außenpolitik«) schließt die *interne* Perspektive (als eine Art »Innenpolitik«) nicht aus. Und für den einzelnen ist es vollkommen ehrlich und ernsthaft, beide Perspektiven zu integrieren. Denken wir daran: Dieses Innen-Außen-Verhältnis gilt nicht nur für die Religion. Auch ein Völkerrechtler sieht, wenn er als Wissenschaftler verschiedene nationale Verfassungen miteinander vergleicht oder gar in internationalen Verhandlungen über einen bestimmten kritischen Punkt eine Einigung zu erreichen versucht, seine nationale Verfassung (und seinen Staat) gleichsam »von außen«. »Von innen« aber sieht er dieselbe Verfassung (und seinen Staat), wenn er sich als loyaler Staatsbürger unter Staatsbürgern gerade auf diese (und keine andere) Verfassung verpflichtet fühlt und sich gewissenhaft an sie hält. In diesem Sinn kann niemand einfach eine eindimensionale Person sein. Realität ist komplexer als dies.

Wenn nun aber ich als Christ (und als Theologe) das Christentum *von innen* betrachte – wie jeder Nicht-Christ seine eigene Religion –, wenn ich also als Anhänger dieser Religion, dieser Botschaft, dieser Tradition oder Gemeinschaft und deshalb in meinem Fall als Christ spreche: dann ist das Christentum – wie jede andere Religion – mehr als ein System, dem ich mich rein intellektuell nähern kann. Dann ist Christentum – wie jede Religion – im Unterschied zu jeder Philosophie Heilsbotschaft und Heilsweg zugleich. Nicht nur eine philosophisch-theologische Argumentation, die mein Nach-Denken erfordert, trifft mich da, sondern eine religiöse Provokation und im Fall des Christentums eine prophetische Botschaft, die meine ganz persönliche Stellungnahme, meine Nachfolge herausfordert. Nur so hat man diese Religion überhaupt erst richtig verstanden. Wenn ich also von diesem Punkt meiner Ausführungen an in Bekenntnissprache rede, dann nicht, weil ich aus Angst vor »letzten Konsequenzen« wieder in meine Religion zurückfalle, sondern, weil ich davon ausgehe, daß man keine Religion im Tiefsten erfaßt hat, wenn man sie nicht von innen heraus, mit letztem existentiellem Ernst bejaht. Erst wenn aus *einer* Religion *meine* Religion geworden ist, gewinnt das Gespräch um die Wahrheit erregende Tiefe. Um Wahrheit für mich also geht es, *meinen Glauben*, wie eben für den Juden und den Muslim das Judentum und der Islam, für den Hindu und den Buddhisten der Hinduismus und der Buddhismus *seine* Religion, *sein* Glaube, und damit *die* Wahrheit ist. Nicht um eine allgemeine, sondern um eine existentielle Wahrheit geht es in meiner, geht es auch in der anderen Religion: »tua res agitur!« In diesem Sinn gibt es für mich – wie für alle anderen Glaubenden – nur *eine wahre Religion*.

Das heißt: Auf der Suche nach der wahren Religion darf niemand von seiner eigenen Lebens- und Erfahrungsgeschichte einfach abstrahieren. Es gibt nun einmal weder einen Theologen noch einen Religionswissenschaftler, weder eine religiöse noch eine politische Autorität, die so über *allen* Religionen stünde, daß sie sie allesamt von oben her »objektiv« beurteilen könnte. Wer meint, »neutral« über allen Traditionen zu stehen, wird in keiner etwas bewegen. Und wer sich weigert (um ein Bild Raymondo Panikkars aufzunehmen), aus *seinem* Fenster schauend im Blick auf das *Ganze* mit den anderen, die aus *ihrem* Fenster schauen, zu reden, wer meint, über allen schweben und richten zu können, der hat offensichtlich den Boden unter den Füßen verloren: Er wird sich leicht wie weiland Ikarus seine wächsernen Flügel an der Sonne der Wahrheit verbrennen.

Ich bekenne mich also zu meinem geschichtlich bedingten Standort: Diese eine Religion ist *für mich die wahre* Religion, für deren Wahrheit ich gute Gründe angeben kann, die möglicherweise auch andere überzeugen. Für mich ist das Christentum der Weg, den ich gehe, die Religion, in der ich die Wahrheit für mein Leben und Sterben gefunden zu haben glaube. Doch zugleich gilt: Die *anderen* Religionen (die für Hunderte von Millionen Menschen, *die wahre* Religion sind) sind deshalb noch *keineswegs unwahre* Religionen, sind keineswegs einfach Unwahrheit. Nicht nur haben sie mit dem Christentum viel an Wahrheit gemeinsam. Sie haben auch ihre je eigene Wahrheit, die wir nicht (»anonym« oder »implizit«) schon haben. Nun muß es dem jüdischen, muslimischen, hinduistischen, buddhistischen Theologen (Philosophen) überlassen bleiben darzulegen, warum er gerade Jude, Muslim, Hindu oder Buddhist ist. Der christliche Theologe seinerseits muß wenigstens grundsätzlich das spezifisch christliche Kriterium benennen können und die Frage zu beantworten suchen, was Christen denn konkret von Nichtchristen unterscheidet, unterscheiden sollte, was Christen zu Christen macht.

Warum also bin *ich* Christ? Es wäre einen eigenen Aufsatz wert, in einem neuen, religiös vergleichenden Kontext darzulegen, welche Gründe ich habe, nicht Hindu oder Buddhist, auch nicht Jude oder Muslim, sondern eben Christ zu sein. Es sei hier nur das Entscheidende angedeutet: Christ bin ich, weil ich mich – in Konsequenz des jüdischen und in Vorausnahme des islamischen Gottesglaubens – vertrauend und ganz praktisch darauf einlasse, daß der Gott Abrahams, Isaaks (Ismaels) und Jakobs nicht nur in der Geschichte Israels (und Ismaels) gehandelt und durch seine Propheten gesprochen hat, sondern daß er sich in einer unvergleichlichen und für uns entscheidenden Weise kundgetan hat im Leben und Wirken, Leiden und Sterben dieses *Jesus von Nazaret*. Von ihm war schon die erste Jüngergeneration überzeugt, daß er trotz seines Schandtodes am Galgen des Kreuzes nicht im Tod geblieben ist, sondern in Gottes ewiges Leben aufgenommen wurde. Er steht nun für Gott selber (»zur Rechten Gottes«) als Gottes definitiver Gesandter, als sein Messias oder Christus, als sein fleischgewordenes Wort, als sein Ebenbild, als sein – ein alter Königstitel Israels – Sohn. Also kurz, ich bin Christ, weil und insofern ich an diesen Christus glaube und ihm – in freilich veränderter Weltzeit und mit Millionen anderer ein jeder in je eigener Weise – praktisch nachzufolgen versuche, ihn zum Wegweiser für meinen Weg nehme: Er also nach den Worten des Johannesevangeliums für uns *der* Weg, *die* Wahrheit und *das* Leben!

Dies heißt nun aber auch selbstkritisch an die Adresse der Christen: Christen *glauben nicht an das Christentum*. Das Christentum ist als Religion – mit seiner Dogmatik, Liturgie und Disziplin – wie jede andere Religion eine höchst ambivalente historische Erscheinung; Karl Barth hat das völlig zu Recht betont. Unhaltbar ist es von daher, das Christentum als die »absolute Religion« zu bestimmen, wie noch Hegel dies tun zu können meinte; als Religion erscheint das Christentum in der Weltgeschichte so relativ wie alle anderen Religionen auch.

Nein, das einzige Absolute in der Weltgeschichte ist das Absolute selbst. Für Juden, Christen und Muslime ist dieses eine Absolute freilich nicht vieldeutig und unbestimmt, wortlos, ohne Stimme. Es hat durch die Propheten gesprochen. Für glaubende Christen ist es auch nicht gesichtslos, ohne Antlitz. Nein, es ist in der Relativität des Menschen Jesus von Nazaret offenbar geworden. Für die Glaubenden – und nur für sie – *ist* Er das Wort und Ebenbild, ist Er der Weg, für andere zumindest die Einladung zu diesem Weg. Deshalb *glauben* Christen nicht an das Christentum, sondern *an den einen Gott*, der nach vielen Propheten und Erleuchteten diesen Menschen Jesus gesandt hat als *seinen Christus*, seinen gesalbten Gesandten. Jesus Christus ist für Christen das *entscheidende Regulativ.*

Und insofern das konkrete Christentum von diesem einen Gott und seinem Christus zeugt, kann es – in einem abgeleiteten und eingeschränkten Sinn – für die Glaubenden selbst *die wahre* Religion genannt werden, was auch Karl Barth sagt. Insofern das konkrete Christentum aber immer wieder von diesem einen Gott und seinem Christus, diesem seinem entscheidenden Regulativ, abwich, war es auch immer wieder *unwahre* Religion, bedurfte es auch *nach* Christus immer wieder des *prophetischen Korrektivs*, der Propheten in der Kirche und – das sehen wir heute immer deutlicher – der Propheten und Erleuchteten auch außerhalb der Kirche, zu denen doch wohl in ausgezeichneter Weise der Prophet Muhammad und der Buddha zählen dürften.

Noch einmal: die Entscheidung für den einen Gott, der nicht nur der Gott der Philosophen und Gelehrten (der Gott der Griechen) und der Gott Abrahams, Isaaks und Jakobs (der Gott der Juden) ist, sondern schließlich und endlich der Gott Jesu Christi (der Gott der Christen), stellt zutiefst eine *Glaubensentscheidung* dar. Ein vernünftiges Vertrauen: Diese Glaubensentscheidung ist keineswegs rein subjektiv und willkürlich, sondern ist durchaus *vernünftig verantwortbar.* Was im einzelnen für diese Entscheidung zum Christsein spricht – im Vergleich mit Judentum, Islam, Hinduismus und Buddhismus – habe ich anderswo dargelegt. Wir kommen als Christen – wenn wir nicht einfach dogmatisch postulieren wollen – um die Mühe einer inhaltlichen empirischen Begründung der Bedeutsamkeit Jesu Christi nicht herum. Der Verweis auf eine dogmatisch affirmierte Trinitätslehre und die Gottessohnschaft hilft da wenig. Daß und warum ich Christ bin, müssen wir heute in neuer Weise – auch im kritischen Vergleich mit anderen großen religiösen Gestalten – von dieser Gestalt und ihrer Botschaft, ihrer Lebenspraxis und ihrem Geschick her konkret aufweisen können. Und dafür ist die religionswissenschaftliche Forschung unentbehrlich. Nicht die Trennung von Theologie und Religionswissenschaft (wie bei Karl Barth), aber auch nicht ihre Identifikation (und damit faktisch die

Reduktion der Theologie auf Religionswissenschaft oder umgekehrt) ist gefordert, sondern ihre kritische Kooperation.

Nur auf einen, allerdings ganz und gar zentralen Aspekt Jesu von Nazarets möchte ich hier zumindest hingewiesen haben, der in frappanter Weise zeigt: Für den christlichen Glauben gelangt das *spezifisch christliche* Kriterium nicht nur mit dem *allgemein-religiösen* Ursprungskriterium, sondern schließlich auch mit dem *allgemein ethischen* Kriterium des Humanum zur Deckung. Die Spirale hält sich durch. Denn worauf zielt – in Konsequenz der Verkündigung des Reiches und Willens *Gottes* – die Bergpredigt, das ganze Verhalten Jesu? Auf nicht mehr und nicht weniger als eine neue, *wahre Humanität*: der Sabbat, die Gebote, um des Menschen willen und nicht umgekehrt.

Diese neue wahre Humanität meint eine *radikalere Menschlichkeit*, die sich manifestiert in *solidarischer Mitmenschlichkeit* selbst mit dem Gegner. Von Jesus, dem wirklichen, wahren Menschen her, wäre diese radikalere Menschlichkeit der Bergpredigt – heute vor einem ganz anderen Welthorizont – zu praktizieren als eine solidarische Mitmenschlichkeit mit den Menschen auch in den *anderen Religionen*. Eine solidarische Mitmenschlichkeit also:

– die nicht nur auf religiöse Kriege, Verfolgung und Inquisition verzichtet und religiöse Toleranz praktiziert, sondern die auch im Verhältnis zu den anderen Religionen den kollektiven Egoismus (Ekklesiozentrik) durch Anthropophilie, durch die Solidarität der Liebe ersetzt;

– die deshalb, statt die Schuldgeschichte zwischen den Religionen aufzurechnen, Vergebung übt und einen Neubeginn wagt;

– die jene (die Menschen oft trennenden) religiösen Institutionen und Konstitutionen nicht einfach abschafft, sie jedoch zum Wohl der Menschen relativiert;

– die statt des offenen oder verdeckten Machtkampfes zwischen den religiös-politischen Systemen die sukzessive Versöhnung anstrebt: nein, keine Einheitsreligion für die ganze Welt, aber Frieden unter den Religionen als Voraussetzung für den Frieden unter den Nationen.

Das heißt: Je humaner (im Geist der Bergpredigt) das Christentum ist, um so christlicher ist es; und je christlicher es ist, um so mehr erscheint es auch nach außen als wahre Religion. Und damit dürften nun die drei Wahrheitskriterien entwickelt sein, und wir können das Entscheidende in einem Schlußabschnitt zusammenfassen:

7. *Auf dem Weg zu immer größerer Wahrheit*

Es dürfte deutlich geworden sein: Wollen wir die Frage, was gut ist für den Menschen, beantworten – nicht nur pragmatisch oder positivistisch, sondern grundsätzlich; nicht nur abstrakt-philosophisch, sondern konkret-existentiell; auch nicht nur psychologisch-pädagogisch, sondern unbedingt verpflichtend und allgemein gültig: dann werden wir um die Religion – oder an deren Stelle eine Quasi-Religion – nicht herumkommen. Aber umgekehrt wird sich jede Religion am allgemein-ethischen Kriterium des Humanum messen lassen müssen und wird deshalb unter den modernen Bedingungen auf die Ergebnisse von Psychologie, Pädagogik, Philosophie und Rechtswissenschaft nicht verzichten können. Es herrscht hier kein Circulus vitiosus, aber, wie so oft, ein dialektisches Wechselverhältnis:
(1) *Wahre Menschlichkeit ist Voraussetzung wahrer Religion!* Das heißt: Das Humanum (der Respekt vor menschlicher Würde und Grundwerten) ist eine Mindestforderung an jede Religion: Wenigstens Humanität (das ist ein Minimalkriterium) muß gegeben sein, wo man echte Religiosität realisieren will.
(2) *Wahre Religion ist Vollendung wahrer Menschlichkeit!* Das heißt: Religion (als Ausdruck umfassenden Sinnes, höchster Werte, unbedingter Verpflichtung) ist eine Optimalvoraussetzung für die Realisierung des Humanum: Gerade Religion (das ist ein Maximalkriterium) muß gegeben sein, wo man Humanität aus unbedingter und universaler Verpflichtung realisieren will.

Was also ist die wahre Religion? Auf diese komplexe Frage habe ich in möglichst großer begrifflicher Klarheit und theoretischer Genauigkeit mit Hilfe von drei verschiedenartigen und doch dialektisch verflochtenen Kriterien – dem generell-ethischen, dem generell-religiösen und dem spezifisch-christlichen sowie den beiden Dimensionen, der externen und der internen – eine differenzierte Antwort zu geben versucht, die auch die Antwort auf die Frage einschließt:

Gibt es die wahre Religion? Zusammengefaßt läßt sich jetzt sagen:

– Von *außen* gesehen, religionswissenschaftlich betrachtet, gibt es *verschiedene wahre Religionen*: Religionen, die bei aller Ambivalenz zumindest grundsätzlich den aufgestellten (ethischen wie religiösen) Kriterien entsprechen: verschiedene Heilswege zum einen Ziel, die sich sogar zum Teil überschneiden und sich jedenfalls gegenseitig befruchten können.

– Von *innen* gesehen, vom Standpunkt des am Neuen Testament orientierten gläubigen Christen gesehen, gibt es für mich *die wahre Religion, die für mich, da ich unmöglich alle Wege gleichzeitig gehen kann, der Weg ist, den ich zu gehen versuche*: das Christentum, insofern es den einen wahren Gott in Jesus bezeugt.

– Diese für mich, für uns Christen eine wahre Religion schließt die Wahrheit in *anderen Religionen* keineswegs aus, sondern läßt sie positiv gelten: die anderen Religionen sind nicht einfach unwahre, aber auch nicht vorbehaltlos wahre, sondern *bedingt* (»mit Vorbehalt« – oder wie immer) *wahre Religionen*, die, sofern sie der christlichen Botschaft im Entscheidenden nicht widersprechen, die christliche Religion durchaus ergänzen, korrigieren und bereichern können.

Aus diesen langen und komplexen Ausführungen dürfte deutlich geworden sein: Durch eine maximale theologische Öffnung gegenüber den anderen Religionen braucht man weder seine Glaubensüberzeugung noch die Wahrheitsfrage zu suspendieren. Wir sollen ringen – in »brüderlichem Ringen« (Vatikanum II: »fraterna aemulatio«) – um die Wahrheit. Aber eine letzte Einschränkung – alle Religionen betreffend – ist zu machen. Es gibt nämlich nicht nur die zwei »horizontalen« Dimensionen (extern-intern), sondern ebenso eine dritte (gleichsam »vertikale«) Dimension: *Für mich* als Glaubenden, *für uns* als Glaubensgemeinschaft, ist das Christentum, *sofern* es von Gott in Christus zeugt, gewiß die *wahre* Religion. Aber: die *ganze* Wahrheit hat keine Religion, die *ganze* Wahrheit hat nur *Gott allein*, da hatte Lessing schon recht. Nur *Gott selbst* – wie immer genannt – *ist die* Wahrheit!

Und deshalb hier ein Letztes: Auch Christen können nicht beanspruchen, ihn, den Unbegreiflichen zu begreifen, ihn, den Unerforschlichen erfaßt zu haben. Auch im christlichen Glauben erkennen wir nach Paulus die Wahrheit selbst, die Gott ist, nur wie im Spiegel, in rätselhaften Umrissen, bruchstückhaft, facettenhaft, abhängig jederzeit von unserem ganz bestimmten Standpunkt und Zeitpunkt. Ja, auch die Christenheit ist »in via«, auf dem Weg: »Ecclesia peregrinans, homines viatores.« Und wir sind auf dem Weg nicht allein, sondern mit Abermillionen anderer Menschen aus allen möglichen Konfessionen und Religionen, die ihren eigenen Weg gehen, aber mit denen wir je länger desto mehr in einem *Kommunikationsprozeß* stehen, wo man sich nicht um Mein und Dein, meine Wahrheit – deine Wahrheit, streiten sollte; wo man vielmehr, unendlich lernbereit, von der Wahrheit der anderen aufnehmen und von seiner eigenen Wahrheit neidlos mitteilen sollte.

Wohin aber, wird manch einer fragen, *wird das alles führen*? Die Geschichte ist nach vorne offen, und nach vorne offen ist auch der interreligiöse Dialog, der – anders als der interkonfessionelle – gerade erst begonnen hat. Was die Zukunft der christlichen Religion, die für mich die wahre ist, bringen wird, wir wissen es nicht. Und was die Zukunft den anderen, nichtchristlichen Religionen bringen wird, wir wissen es nicht. Wie die Christologie, Koranologie oder Buddhologie, wie die Kirche, die Umma, der Sangha des Jahres 2087 aussehen werden, wer weiß das?

Sicher, was die Zukunft betrifft, ist nur das eine: am Ende sowohl des Menschenlebens wie des Weltenlaufs werden nicht Buddhismus oder Hinduismus stehen, aber auch nicht der Islam und nicht das Judentum. Ja, am Ende steht auch nicht das Christentum. Am Ende wird überhaupt keine Religion stehen, sondern steht der eine Unaussprechbare selbst, auf den alle Religion sich richtet, den auch die Christen erst dann, wenn das Unvollkommene dem Vollkommenen weicht, ganz so erkennen, wie sie selbst erkannt sind: *die* Wahrheit von Angesicht zu Angesicht. Und am Ende steht so zwischen den Religionen nicht mehr trennend ein Prophet oder ein Erleuchteter, steht nicht Muhammad und nicht der Buddha. Ja, auch der Christus Jesus, an den die Christen glauben, steht hier nicht mehr trennend. Sondern er, dem nach Paulus dann alle Mächte (auch der Tod) unterworfen sind, »unterwirft sich« dann Gott, damit *Gott selbst* (»*ho* theos«) – oder wie immer man ihn im Osten nennen mag – wahrhaft nicht nur in allem, sondern *alles in allem* sei (1 Kor 15,28).

Anmerkungen

DIE RICHTUNG: AUF DEM WEG IN DIE »POSTMODERNE«

1 Vgl. *Franz Schulze*, Mies van der Rohe. A Critical Biography (Chicago-London 1985) S. 299.
2 Vgl. *H. U. Gumbrecht*, Art. Modern, in: Geschichtliche Grundbegriffe. Historisches Lexikon zur politisch-sozialen Sprache in Deutschland, Bd. 4 (Stuttgart 1978) S. 93–131.
3 Vgl. *R. Koselleck*, Art. Fortschritt, in: Geschichtliche Grundbegriffe Bd. 2 (Stuttgart 1975) S. 351–423.
4 *A. Huyssen / K. R. Scherpe (Hrsg.)*, Postmoderne. Zeichen eines kulturellen Wandels (Hamburg 1986).
5 *J.-F. Lyotard*, La condition postmoderne (Paris 1979); dt.: Das postmoderne Wissen. Ein Bericht (Graz–Wien 1986) S. 13.
6 *J. Habermas*, Die neue Unübersichtlichkeit (Frankfurt 1985)
7 Ebd.
8 *J. Ratzinger / V. Messori*, Rapporto sulla Fede (Milano 1985); dt.: Zur Lage des Glsubens (München 1985).
9 Vgl. *H. Küng*, Freud und die Zukunft der Religion. Serie Piper Bd. 709 (München 1987).
10 Vgl. *Albrecht Wellmer*, Zur Dialektik von Moderne und Postmoderne (Frankfurt 1985).
11 Vgl. *H. Küng*, Existiert Gott? Antwort auf die Gottesfrage der Neuzeit (München 1978) Kap. C
12 *N. Luhmann*, Society, Meaning, Religion – Based on Self-Reference, in: Sociological Analysis Vol. 46 (1985), S. 5–20; das ganze Heft 1 von Sociological Analysis ist der Thematik gewidmet »Religion and Ultimate Paradox: A Symposium on Aspects of the Sociology of Niklas Luhmann«.
13 *D. Bell*, The Cultural Contradictions of Capitalism (New York 1976); dt.: Die Zukunft der westlichen Welt. Kultur und Technologie im Widerstreit (Frankfurt 1976).
14 *M. Horkheimer*, Die Sehnsucht nach dem ganz Anderen. Ein Interview mit Kommentar von H. Gumnior (Hamburg 1970).
15 *E. Lévinas*, De Dieu qui vient à l'idée (Paris 1982); dt.: Wenn Gott ins Denken einfällt. Diskurse über die Betroffenheit von Transzendenz (Freiburg / München 1985) S. 107.
16 Vgl. *W. Oelmüller* (Hrsg.), Wiederkehr von Religion? Perspektiven, Argumente, Fragen (Paderborn 1984); *P. Koslowski* (Hrsg.), Die religiöse Dimension der Gesellschaft. Religionen und ihre Theorien (Tübingen 1985).

17 Vgl. *K. Gabriel*, Zur Sozialform des neuzeitlichen Katholizismus, in: Orientierung 15./31. Juli 1986. Dazu *K. Gabriel / F. X. Kaufmann* (Hrsg.), Zur Soziologie des Katholizismus (Mainz 1980).
18 Vgl. *N. Greinacher / H. Küng* (Hrsg.), Katholische Kirche – wohin? (München 1986).

A I. ÖKUMENISCHE THEOLOGIE ZWISCHEN DEN FRONTEN

1 Vgl. zu Carafa und Pole (allerdings ohne Bezug zu Erasmus) *J. Fischer*, Die Reformideen der Kardinäle Gian Pietro Carafa (1476–1559) und Reginald Pole (1500–1558) (Diss. Paris 1957).
2 *F. H. Reusch*, Der Index der verbotenen Bücher, Bd. 1 (Bonn 1883), S. 347.
3 *A. Flitner*, Erasmus im Urteil seiner Nachwelt (Tübingen 1952).
4 *H. A. Oberman*, Luthers Reformatorische Ontdekkingen, in: Maarten Luther. Feestelijke Herdenking van zijn Vijfhonderdste Geboortedag (Amsterdam 1983), S. 11–34. Zitat S. 31
5 *E. Iserloh*, Art. Erasmus, in: Lexikon für Theologie und Kirche, Bd. 3 (Freiburg 1959), S. 955–957.
6 *ders.* (Hrsg.), Katholische Theologen der Reformationszeit, Bd. 1 und 2 (Münster/W. 1984–85).
7 *S. Zweig*, Triumph und Tragik des Erasmus von Rotterdam (Wien 1938).
8 *C. Augustijn*, Erasmus von Rotterdam. Leben-Werk-Wirkung (München 1986).
9 AaO S. 27.
10 *R. H. Bainton*, Erasmus of Christendom (New York 1969); dt.: Erasmus, Reformer zwischen den Fronten (Göttingen 1972), S. 67.
11 *Augustijn*, S. 44f.
12 AaO S. 46.
13 *J. Lindeboom*, Erasmus (Wiesbaden 1956).
14 *Erasmus*, Opera omnia, Leidener Ausgabe, Bd. V 140C.
15 *Erasmus* , Opera omnia, Amsterdamer Ausgabe, Bd. IV-3, S. 753–756. 768–771.
16 *A. Renaudet*, Etudes Erasmiennes (1521–1529) (Paris 1939).
17 *L. Bouyer*, Autour d'Erasme. Etudes sur le christianisme des humanistes catholiques (Paris 1955).
18 *Erasmus*, Opus epistolarum, Ausgabe Allen, Bd. III, S. 785. 786.
19 AaO S. 518.
20 Verschiedene Überlieferungen; zit. nach *Flitner*, S. 50.
21 *Erasmus*, Opera omnia, Leidener Ausgabe, Bd. X, S. 1258A; Ausgabe Welzig-Lesowsky, Bd. IV, S. 248.
22 *Erasmus*, Opera omnia, Amsterdamer Ausgabe, Bd. IX-1, S. 210.
23 *F. Nietzsche*, Werke, Bd. 1, hrsg. v. K. Schlechta (München 1954), S. 467.
24 *F. Heer*, Die Dritte Kraft. Der europäische Humanismus zwischen den Fronten (Frankfurt 1959).
25 AaO S. 7.
26 *Augustijn*, S. 175.
27 *Erasmus*, Brief an Johannes Lang vom 17. Okt. 1518, Opus epistolarum, Ausgabe Allen, Bd. III, S. 872.
28 *W. Kaegi*, Die Heimat des Erasmus, in: Neue Zürcher Zeitung vom 26. Okt. 1969.
29 *Erasmus*, Opus epistolarum, Ausgabe Allen, Bd. V, S. 1; Anm. 9.
30 Vgl. *E. Ringel – A. Kirchmayr*, Religionsverlust durch religiöse Erziehung (Wien 1985).

31 *Erasmus*, Opera omnia, Leidener Ausgabe, Bd. X, S. 1258A; Ausgabe Welzig-Lesowsky, Bd. IV, S. 248.

A II. DIE BIBEL UND DIE TRADITION DER KIRCHE

1 *H. Denzinger*, Enchiridion symbolorum, definitionum et declarationum de rebus fidei et morum (= Denz) (Barcelona-Freiburg-Rom [31]1960) 1501.
2 Denz 1501
3 Denz 3006.
4 Die hier neu konzipierten Ausführungen wurden bereits grundgelegt in folgenden meiner Publikationen: Rechtfertigung. Die Lehre Karl Barths und eine katholische Besinnung (Einsiedeln 1975, [4]1964) Kap. 20; Neuausgabe München 1986. – Unfehlbar? Eine Anfrage (Zürich-Einsiedeln-Köln 1970) Kap. IV, IX und X. – Fehlbar? Eine Bilanz (Zürich-Einsiedeln-Köln 1973) Teil E, VI. Dort auch alle Belege.

A III. KIRCHENSPALTUNG DURCH DIE BIBEL?

1 Vgl. *H. Küng*, Der Frühkatholizismus im Neuen Testament als kontroverstheologisches Problem, in: Theologische Quartalschrift 142 (1962), S. 385–424.
2 *E. Käsemann*, Begründet der neutestamentliche Kanon die Einheit der Kirche? Exegetische Versuche und Besinnungen I (1960), S. 214–223.
3 AaO, S. 214.
4 AaO, S. 216.
5 AaO, S. 215: »Schematisch formuliert: Zeigt Markus mit seinen vielen Wundergeschichten die geheime Epiphanie dessen, der zu Ostern seine volle Glorie erhält, so Matthäus den Bringer der messianischen Thora, Johannes den Christus praesens, während Lukas historisierend und die Heilsgeschichte als Entwicklungsprozeß schildernd zum ersten Male ein sogenanntes Leben Jesu schreibt.«
6 AaO, S. 215.
7 AaO, S. 215f.: »Matthäus nimmt z. B. Anstoß an der drastischen Weise, mit welcher Mk 5,27ff. die Heilung der Blutflüssigen erzählte. Daß die Gewandung des Wundermannes göttliche Kraft mitteilt, die bei Berührung überspringt und zu heilen vermag, ist eine vulgär hellenistische Vorstellung, die genauso im Bericht vom heilenden Petrusschatten und den wunderwirkenden Schweißtüchlein des Paulus Apg 5,15; 19,12 erscheint und später den Reliquienkult bestimmt. Matthäus korrigiert diese grob magische Anschauung, indem er die Heilung nicht mehr durch die Berührung des Gewandes als solche, sondern durch Jesu Machtwort erfolgen läßt. Er reduziert überhaupt die breite Ausmalung der Wundergeschichten bei Markus, in der sich novellistische Erzählerfreude bekundet und selbst Motive profaner Erzählungstechnik angeschlagen werden, aufs äußerste, um die geheimnisvolle Hoheit Jesu stärker herauszustellen.«
8 AaO, S. 218.
9 AaO, S. 216.
10 AaO, S. 216: »So gewiß man sagen darf, daß die große Masse dieser Überlieferung uns nicht den historischen Jesus gewahren läßt, so erlauben uns alle noch so vervollkommneten Methoden historischer Wissenschaft an diesem Punkt nur ein mehr oder minder zutreffendes Wahrscheinlichkeitsurteil, wie man aus den vielen höchst disparaten Darstellungen des Lebens und der Botschaft Jesu und der großartigen Geschichte der Leben-Jesu-Forschung von A. Schweitzer erkennen kann.«

11 AaO, S. 217.
12 AaO, S. 218.
13 AaO, S. 218.
14 AaO, S. 218.
15 AaO, S. 219 f.
16 AaO, S. 220 f.: z. B. Gegensatz zwischen paulinischer und jakobeischer Rechtfertigungslehre, Urteil über das paulinische Apostolat in Apg und in Gal, Eschatologie von Joh und Apk usw.
17 AaO, S. 219 f. Als Beispiel führt Käsemann u. a. an, daß »das Jesuswort Mk 2,27, der Sabbat sei um des Menschen willen geschaffen, in V. 28 durch den Zusatz eingeschränkt wird, der Menschensohn sei des Sabbats Herr. Ihrem Meister konnte die Gemeinde zubilligen, was sie für sich selbst nicht in Anspruch zu nehmen wagte. Ihr einschränkender Zusatz beweist, daß sie vor der durch ihn gegebenen Freiheit erschrak und in ein christianisiertes Judentum zurückflüchtete. Mit ihrer Polemik gegen den Pharisäismus als eine Heuchelei – man denke nur an Mt 23! – hat sie umgekehrt Jesu Angriff auf den Pharisäismus verflacht, der in Wahrheit ja das Trachten nach der eigenen Gerechtigkeit und deshalb jede Leistungsfrömmigkeit und faktisch jeden Menschen trifft. Wo man den Pharisäer durchgängig zum Heuchler macht, gilt Jesu Kritik noch der Unmoral, ist die Bahn zur christlichen Leistungsfrömmigkeit freigegeben, welche Jesu Angriff auf den wirklichen Pharisäismus versperrt hatte.« (AaO, S. 219 f.)
18 AaO, S. 221.
19 AaO, S. 221.
20 AaO, S. 223.
21 Vgl. *E. Käsemann*, Zum Thema der Nichtobjektivierbarkeit, in: Exegetische Versuche und Besinnungen I (Göttingen 1960) 224–236, bes. 229–232.
22 Vgl. auch *W. G. Kümmel*, Notwendigkeit und Grenze des neutestamentlichen Kanons, ZThK 47 (1950), S. 311 f.: »Die eigentliche Grenze des Kanons läuft also durch den Kanon mitten hindurch, und nur wo dieser Sachverhalt wirklich erkannt und anerkannt wird, kann die Berufung katholischer oder sektiererischer Lehren auf bestimmte *Einzel*stellen des Kanons mit wirklich begründeten Argumenten abgewehrt werden.« *H. Braun*, Hebt die heutige neutestamentlich-exegetische Forschung den Kanon auf?, Fuldaer Hefte 12 (1960), S. 23: »Die Exegese, die auf die Botschaft merkt, paralysiert die Schlacken im Kanon und macht die Begrenzung des Kanons, was das Einzelne anlangt, fraglich. Sie sagt also nicht Ja zum Kanon als ganzen, nicht Ja, weil es der Kanon ist. Sie nimmt ihn kritisch, aber unter Verwendung *jenes* Sachkriteriums, das dem Neuen Testament selber entstammt. Und darum hängt sie am Kanon, was seine Mitte, was das neutestamentliche Grundphänomen betrifft. Sie hat dies ja nur *im* Kanon, später doch schon gar nicht; wenn auch im Kanon nicht rein und unvermischt.«
23 AaO, S. 232; vgl. die beiden Aufsätze *E. Käsemanns*: Zum Verständnis von Römer 3,24–26, ebd. I, 96–100; und: Gottes Gerechtigkeit bei Paulus, in: Zeitschrift für Theologie und Kirche 58 (1961), S. 367–378. Gerade dieser letzte Aufsatz, ein Kurzvortrag auf dem Oxforder Kongreß über »The New Testament to-day« am 14. 9. 1961, kommt einem vertieften katholischen Verständnis der Rechtfertigung des Sünders außerordentlich nahe.
24 Daß Käsemann die Leistungen der neueren katholischen Exegese zur Kenntnis genommen hat, sei hier nur am Rande vermerkt. Vgl. *E. Käsemann*, Neutestamentliche Fragen von heute, in: Zeitschrift für Theologie und Kirche 54 (1957) 2: »Gerechtigkeit verpflichtet uns zuzugeben, daß die moderne katholische Exegese zum mindesten in Deutschland und seiner näheren Umgebung ebenfalls ein Niveau erreicht hat,

das dem der protestantischen Arbeit im allgemeinen nicht mehr nachsteht, sie an Sorgfalt sogar nicht selten übertrifft. Dieser Vorgang beweist, daß die historisch-kritische Methode grundsätzlich Allgemeingut geworden ist. Sie kennzeichnet nicht mehr ein theologisches Lager der Exegese, sondern scheidet faktisch nur noch Wissenschaft von Spekulation oder Primitivität. Die Angleichung der verschiedenen Fronten ist vielleicht das charakteristische Merkmal unserer Epoche.«

25 *E. Käsemann*, Begründet der neutestamentliche Kanon die Einheit der Kirche? aaO, S. 223.

26 *H. Diem*, Theologie als kirchliche Wissenschaft, Bd. II: Dogmatik. Ihr Weg zwischen Historismus und Existentialismus (München 1955, [2]1957), S. 196–208.

27 AaO, S. 197f.

28 AaO, S. 198f.: »Mit dieser Schriftlehre hat sich die evangelische Kirche aber vor allem ihr eigentliches Fundament, nämlich *die Predigt verdorben*: Aus der Verkündigung der Schrift als einem bezeugenden Weitergeben ihrer Zeugnisse im konkreten Vorgang der Predigt wurde ein dozierendes Explizieren und Andemonstieren ihrer Aussagen als Wahrheiten und Tatsachen. Darüber mußte sich auch der *Glaube* im Verhältnis zur Schrift wandeln: Es wurde nicht mehr *auf Grund der verkündigten Schrift* dem von ihr bezeugten Geschehen in seiner Heilsbedeutung geglaubt, sondern es mußte primär in einem Akt des Glaubens als fides quae creditur *an die Göttlichkeit der Schrift* und alle daraus sich ergebenden oder dazu für notwendig gehaltenen Prädikate der Schrift geglaubt werden.«

29 AaO, S. 199.

30 AaO, S. 202.

31 AaO, S. 203f.; zu Diems Begriff der »Verkündigungsgeschichte«, nach welchem in der Verkündigung der *Gemeinde* die Geschichte des *sich selbst verkündigenden Jesus Christus* als eine geschehene und immer neu geschehene Geschichte verkündigt wird und gerade so die verkündigte iustificatio impii per fidem sola gratia geschieht, vgl. bes. aaO, S. 102–131.

32 AaO, S. 204.

33 AaO, S. 204f.

34 Vgl. aaO, S. 128f.

35 AaO, S. 205.

36 AaO, S. 206.

37 Vgl. *H. Schlier*, Art. αἵρεσις im Theologischen Wörterbuch zum NT (Stuttgart 1933, [2]1957), I, S. 182: Der im Christentum von vornherein suspekte Begriff »verdankt sein Dasein also nicht erst der Entwicklung einer Orthodoxie, sondern der Grund für die Bildung des christlichen Begriffes αἵρεσις liegt in der *neuen Situation, die durch das Auftreten der christlichen* ἐκκλησία *geschaffen wurde*. ἐκκλησία und αἵρεσις sind sachliche Gegensätze. Jene verträgt diese nicht, und diese schließt jene aus. Das deutet sich schon in Gal 5,20 an, wo die αἵρεσις zu den ἔργα τῆς σαρκός neben ἔρις, ἔχθραι, ζῆλος, θυμοί, ἐριθεῖαι, διχοστασίαι gerechnet werden. αἵρεσις hat dabei, wie übrigens überhaupt im NT, noch nicht technischen Sinn. In 1. Kor 11,18f. tritt die Unmöglichkeit der αἵρεσις innerhalb des Christentums noch offener heraus. Paulus greift bei der Erwähnung der kultischen Versammlung, in der die Gemeinde als ἐκκλησία zusammenkommt, zurück auf die σχίσματα von 1. Kor 1,10ff. σχίσματα sind die durch persönlich motivierte Streitigkeiten verursachten Risse in der Gemeinde. Paulus glaubt einen Teil der Nachrichten, die ihm von den Spaltungen der Gemeinde bekannt wurden. Und zwar deshalb, weil ja sogar (καὶ) αἱρέσεις ἐν ὑμῖν sein müssen, damit die Erprobten offenbar werden (können). Gleichgültig, ob Paulus hier ein apokryphes Herrenwort benützt (vgl. Jus Dial 35,3; Didask 118,35) oder nicht, es ist für ihn ein eschatologisch-dogmatischer Satz (vgl.

Mk 13,5 f. par; Apg 20,29 f.; 2. Petr 2,1; 1. Joh 2,19), und αἵρεσις ist als eschatologische Größe verstanden. Dabei ist αἵρεσις gegen σχίσμα deutlich abgehoben und bedeutet diesem gegenüber eine Steigerung. Die Steigerung besteht aber darin, daß die αἱρέσεις das Fundament der Kirche berühren, die Lehre (2. Petr. 2,1) und zwar in so fundamentaler Weise, daß daraus eine neue Gemeinschaftsbildung neben der ἐκκλησία entsteht.«

38 AaO, S. 203 f.

39 AaO, S. 204.

40 AaO, S. 204.

41 Diem erläutert dies im Anschluß an G. Eichholz am Beispiel der Rechtfertigungslehre des Paulus und der des Jakobus: aaO, S. 206–208.

42 AaO, S. 205.

43 AaO, S. 206.

44 *K. H. Schelkle*, Die Petrusbriefe (Herders Theologischer Kommentar zum Neuen Testament XIII, 2. Freiburg-Basel-Wien 1961), S. 245.

45 Was viele leise sagen, spricht der Tübinger Alttestamentler *H. Haag* offen aus: »Mit größter Besorgnis wird in Kreisen der *Exegeten* beobachtet, daß die Freiheit, die das Rundschreiben ›Divino afflante Spiritu‹ der katholischen Bibelwissenschaft einräumte, von neuem bedroht zu sein scheint. Wieder kommt es vor, wie es in den letzten fünfzig Jahren nur zu oft vorgekommen ist, daß ein Exeget wegen Äußerung einer Auffassung, die in Rom als irrig oder sehr oft auch nur als inopportun angesehen wird, seines Amtes enthoben und mit Rede- und Schreibverbot belegt wird, und dies ohne daß er in der Sache gehört worden wäre und auch ohne daß ihm mitgeteilt würde, worin er geirrt habe.« (Was erwarten Sie vom Konzil? in: Wort und Wahrheit 10 [1961], S. 600.)

46 Vgl. Die Diskussion der Probleme bei *H. Küng*, Strukturen der Kirche (Freiburg-Basel-Wien 1962), S. 161–195.

47 *K. H. Schelkle*, Die Petrusbriefe (Freiburg-Basel-Wien 1961), S. 245.

48 *Ernst Käsemann* (Hrsg.), Das Neue Testament als Kanon (Göttingen 1970).

49 Ebd., S. 371–378.

50 Ebd., S. 374.

51 Ebd.

52 Ebd.

A IV. DOGMA GEGEN BIBEL?

1 *J. Blank*, Exegese als theologische Basiswissenschaft, in: Theologische Quartalschrift 159 (1979) S. 2–23.

2 *Denz* 1601.

3 *J. Auer*, Kleine Katholische Dogmatik, Bd. VI (Regensburg 1971) S. 84 f.

4 *O. Semmelroth*, Die Kirche als Ursakrament (Frankfurt/M. 1953, [2]1955) S. 40.

5 *K. Rahner*, Kirche und Sakramente (Freiburg/Br. 1960) S. 38.

6 Ausführlich dargelegt in: *H. Küng*, Die Kirche (Freiburg/Br. 1967) Kap. E II.

7 *A. Grillmeier* und *H. Bacht* (Hrsg.), Das Konzil von Chalkedon. Geschichte und Gegenwart, Bd. I–III (Würzburg 1951–1954), Bd. III, S. 3–49 (K. Rahner).

8 Ebd. Bd. I, S. 5–202 (A. Grillmeier).

B I. WIE TREIBT MAN CHRISTLICHE THEOLOGIE?

1 Vgl. *E. Schillebeeckx*, Jezus, het verhaal van een levende (Bloemendaal 1975); dt.: Jesus. Die Geschichte von einem Lebenden (Freiburg/Br. 1975). *Ders.* Gerechtigheid en liefde. Genade en bevrijding (Bloemendaal 1977); dt.: Christus und die Christen. Die Geschichte einer neuen Lebenspraxis (Freiburg/Br. 1977).
2 *H. Küng*, Auf dem Weg zu einem neuen Grundkonsens in der katholischen Theologie?, in: Theologische Quartalschrift 159 (1979) S. 272–285.
3 *E. Schillebeeckx*, Tussendijds verhaal over twee Jezus boeken (Bloemendaal 1978); dt.: Die Auferstehung Jesu als Grund der Erlösung (Freiburg/Br. 1979).

B II. PARADIGMENWECHSEL IN THEOLOGIE UND NATURWISSENSCHAFT

1 *Th. S. Kuhn*, The Structure of Scientific Revolutions (Chicago 1962); dt.: Die Struktur wissenschaftlicher Revolutionen (Frankfurt [2]1976).
2 Vgl. *H. Küng – D. Tracy*, Theologie – wohin? (Zürich-Gütersloh 1984) S. 37–75.
3 Vgl. *Th. S. Kuhn*, Die Entstehung des Neuen, in: L. Krüger (Hrsg.), Studien zur Struktur der Wissenschaftsgeschichte (Frankfurt 1978) S. 392 f.
4 *I. Lakatos – A. Musgrave*, Criticism and Growth of Knowledge (London 1970); dt.: Kritik und Erkenntnisfortschritt (Braunschweig 1974).
5 *G. Gutting*, Paradigms and Revolutions. Appraisals and Applications of Thomas Kuhn's Philosophy of Science (Notre Dame-London 1980); für unsere Problematik der Anwendbarkeit der Kuhnschen Analysen auf Geschichtsschreibung und Theologie von besonderer Wichtigkeit die Beiträge D. Hollinger und I. Barbour.
6 *St. Toulmin*, Human Understanding. The Collective Use and Evolution of Concepts (Princeton 1972); dt.: Menschliches Erkennen, Bd. I: Kritik der kollektiven Vernunft (Frankfurt 1978) S. 131 f.
7 Vgl. den in Anm. 2 genannten Bd. von *H. Küng – D. Tracy*, Theologie – wohin? (Zürich-Gütersloh 1984).
8 *M. Planck*, Wissenschaftliche Selbstbiographie (Leipzig 1948) S. 42.
9 *C. G. Jung*, Psychologie und Religion (Studienausgabe Olten 1971) S. 143.

B III. EIN NEUES GRUNDMODELL VON THEOLOGIE?

1 Veröffentlicht in: *H. Küng – D. Tracy*, Theologie wohin? Auf einem Weg zu einem neuen Paradigma (Zürich-Gütersloh 1984).
2 Veröffentlicht in: *H. Küng – D. Tracy* (Hrsg.), Das neue Paradigma von Theologie. Strukturen und Dimensionen (Zürich-Gütersloh 1986).
3 Ebd., S. 205–216.

B IV. THEOLOGIE AUF DEM WEG ZU EINEM NEUEN PARADIGMA

1 Vgl. *J. B. Bauer* (Hrsg.), Entwürfe der Theologie (Graz 1985), S. 181–207.

C I. ZUM PARADIGMENWECHSEL IN DEN WELTRELIGIONEN

1 Rom hat sich mit allen Mitteln der Ideologie, der Politik und der Inquisition der Moderne – letztlich erfolglos – entgegengestellt. Auf dem Index der für Katholiken verbotenen Bücher stand ein Großteil der repräsentativen Geister der europäischen Moderne: neben zahllosen Theologen und Kirchenkritikern die Begründer der modernen Naturwissenschaft Kopernikus und Galilei und die Väter der modernen Philosophie: Descartes und Pascal, Bayle, Malebranche und Spinoza ebenso wie die britischen Empiristen Hobbes, Locke und Hume, aber auch Kant, selbstverständlich Rousseau und Voltaire, später Cousin, John Stuart Mill, Comte, aber auch die großen Historiker Gibbon, Condorcet, Ranke, Taine und Gregorovius. Dazu kommen Diderot und d'Alembert mit ihrer Enzyklopädie und der Larousse Dictionnaire, die Staats- und Völkerrechtler Grotius, von Pufendorf und Montesquieu, schließlich eine Elite moderner Literatur: Heine und Lenau, Hugo, Lamartine, Dumas Père et Fils, Balzac, Flaubert, Zola, d'Annunzio und Leopardi, in unserem Jahrhundert die Philosophen Bergson, Croce, Gentile, Unamuno, Sartre und Simone de Beauvoir, aber auch Malaparte, Gide und Kazantzakis.

Natürlich kam die römische Inquisitionsbehörde schon längst nicht mehr mit. Kardinal Merry del Val, Großinquisitor und graue Eminenz der Antimodernisten-Kampagne unter Pius X., beklagt in einem in der offiziellen Indexausgabe von 1948 erneut abgedruckten Rundschreiben: »Wenngleich der Apostolische Stuhl alle Mühe anwendet, dergleichen Schriften zu beseitigen, ist die Zahl doch so groß geworden, daß sie unmöglich alle in eine Liste aufgenommen werden können«, in: Index Romanus. Verzeichnis sämtlicher auf dem römischen Index stehenden deutschsprachigen Bücher, desgleichen alle wichtigen fremdsprachigen Bücher seit dem Jahre 1750. Zusammengestellt auf Grund der neuesten vatikanischen Ausgabe sowie mit ausführlicher Einleitung versehen von Professor Dr. Albert Sleumer. Elfte vermehrte Auflage, Osnabrück 1956 (Zit. S. 135). Man wundert sich nur, wie dieselbe römische Inquisitionsbehörde – jetzt unter Kardinal Joseph Ratzinger – nach einer solchen »chronique scandaleuse« immer noch meint, ihr mittelalterliches Paradigma, gegen alle Erkenntnisse und Ergebnisse von Reformation und Moderne, mitten im Übergang in die Postmoderne mit den im Prinzip alten Methoden durchsetzen zu können.

C II. GIBT ES DIE EINE WAHRE RELIGION?

1 Für die inhaltliche Durchführung sei verwiesen auf *H. Küng – J. van Ess – H. von Stietencron – H. Bechert*, Christentum und Weltreligionen. Hinführung zum Dialog mit Islam, Hinduismus und Buddhismus (München 1984).
2 Vgl. *H. Küng*, Was ist die wahre Religion? Versuch einer ökumenischen Kriteriologie, in: Gottes Zukunft – Zukunft der Welt. Festschrift für Jürgen Moltmann zum 60. Geburtstag (München 1986), S. 536–558.
3 *Denz* 1351.
4 *Denz* 1295, 1379.

Erstveröffentlichungen

»Die Richtung«: unveröffentlicht.

A.I: unveröffentlicht.

A.II: unveröffentlicht.

A.III: zuerst in: Theologische Quartalschrift 142 (1962), S. 385–424.

A.IV: zuerst in: Theologische Quartalschrift 159 (1979), S. 24–36.

B.I: zuerst in: Theologische Quartalschrift 159 (1979), S. 272–285.

B.II: zuerst in: *H. Küng – D. Tracy*, Theologie – wohin? Auf dem Weg zu einem neuen Paradigma (Benziger Verlag, Zürich – Gütersloher Verlagshaus Gerd Mohn, Gütersloh 1984), S. 37–75.

B.III: zuerst in: *H. Küng – D. Tracy*, Das neue Paradigma von Theologie. Strukturen und Dimensionen (Benziger Verlag, Zürich – Gütersloher Verlagshaus Gerd Mohn, Gütersloh 1986), S. 205–216.

B.IV: zuerst in: *J. B. Bauer* (Hrsg.), Entwürfe der Theologie (Styria Verlag, Graz 1985), S. 181–207.

C.I: unveröffentlicht.

C.II: zuerst in: Gottes Zukunft – Zukunft der Welt. Festschrift für Jürgen Moltmann zum 60. Geburtstag (Chr. Kaiser Verlag, München 1986), S. 536–558.

Personenregister